ИГОРЬ ГУБЕРМАН

КАМЕННЫЕ ГАРИКИ

Екатеринбург
«У-Фактория»
2003

ББК 84(2Рос=Рус)6
Г93

Дизайнер **Ю. Филоненко**

Губерман И.

Г93 Камерные гарики. Прогулки вокруг барака. Сибирский дневник. Московский дневник. — Екатеринбург: У-Фактория, 2003. — 512 с.

ISBN 5-94799-184-5 ББК 84(2Рос=Рус)6

ISBN 5-94799-184-5

КАМЕР ЫЕ ГАРИКИ

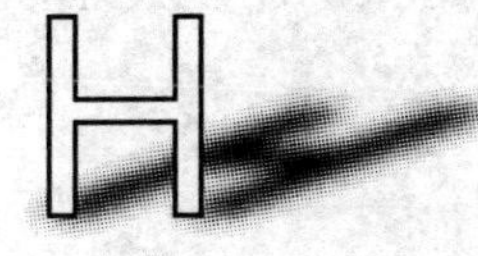

Моей жене Тате —
с любовью и благодарностью

Благодарю тебя, Создатель,
что сшит не юбочно, а брючно,
что многих дам я был приятель,
но уходил благополучно.

Благодарю тебя, Творец,
за то, что думать стал я рано,
за то, что к водке огурец
ты посылал мне постоянно.

Благодарю тебя, Всевышний,
за все, к чему я привязался,
за то, что я ни разу лишний
в кругу друзей не оказался.

И за тюрьму благодарю,
она во благо мне явилась,
она разбила жизнь мою
на разных две, что тоже милость.

И одному тебе спасибо,
что держишь меру тьмы и света,
что в мире дьявольски красиво,
и мне доступно видеть это.

ОБГУСЕВШИЕ ЛЕБЕДИ

ВСТУПЛЕНИЕ 1-е

Прекрасна улица Тверская,
где часовая мастерская.
Там двадцать пять евреев лысых
сидят — от жизни не зависят.
Вокруг общественность бежит,
и суета сует кружит;
гниют и рушатся режимы,
вожди летят неудержимо;
а эти белые халаты
невозмутимы, как прелаты,
в апофеозе постоянства
среди кишащего пространства.
На верстаки носы нависли,
в глазах — монокли, в пальцах — мысли;
среди пружин и корпусов,
давно лишившись волосов,
сидят незыблемо и вечно,
поскольку Время — бесконечно.

ВСТУПЛЕНИЕ 2-е

В деревне, где крупа пшено
растет в полях зеленым просом,
где пользой ценится гавно,

а чресла хряков — опоросом,
я не бывал.
Разгул садов,
где вслед за цветом — завязь следом
и зрелой тяжестью плодов
грузнеют ветви,
мне неведом.
Далеких стран, чужих людей,
иных обычаев и веры,
воров, мыслителей, блядей,
пустыни, горы, интерьеры
я не видал.
Морей рассол
не мыл мне душу на просторе;
мне тачкой каторжника — стол
в несвежей городской конторе.
Но вечерами я пишу
в тетрадь стихи,
то мглой, то пылью
дышу,
и мирозданья шум
гудит во мне, пугая Цилю.
Пишу для счастья, не для славы,
бумага держит, как магнит,
летит перо, скрипят суставы,
душа мерцает и звенит.
И что сравнится с мигом этим,
когда порыв уже затих
и строки сохнут? Вялый ветер,
нездешний ветер сушит их.

БЕЛЕЕТ ПАРУС
ОДИНОКИЙ

Это жуткая работа!
Ветер воет и гремит,
два еврея тянут шкоты,
как один антисемит.

А на море, а на море!
Волны ходят за кормой,
жарко Леве, потно Боре,
очень хочется домой.

Но летит из урагана
черный флаг и паруса:
восемь Шмулей, два Натана,
у форштевня Исаак.

И ни Бога нет, ни черта!
Сшиты снасти из портьер;
яркий сурик вдоль по борту:
«Фима Фишман,
флибустьер».

Выступаем! Выступаем!
Вся команда на ногах,
и написано «Ле хаим»
на спасательных кругах.

К нападенью все готово!
На борту ажиотаж:
— Это ж Берчик! Это ж Лева!
— Отмените абордаж!

— Боже, Лева! Боже, Боря!
— Зай гезунд! — кричит фрегат;
а над лодкой в пене моря
ослепительный плакат:

«Наименьшие затраты!
Можно каждому везде!
Страхование пиратов
от пожара на воде».

И опять летят, как пули,
сами дуют в паруса
застрахованные Шмули,
обнадеженный Исаак.

А струя — светлей лазури!
Дует ветер. И какой!
Это Берчик ищет бури,
будто в буре есть покой.

БОРОДИНО ПОД ТЕЛЬ-АВИВ

Во снах существую и верю я,
и дышится легче тогда;
из Хайфы летит кавалерия,
насквозь проходя города.
Мне снится то ярко, то слабо,
кошмары бессонницей мстят;
на дикие толпы арабов
арабские кони летят.

Под пенье пуль,
взметающих зарницы
кипящих фиолетовых огней,
ездовый Шмуль
впрягает в колесницу
хрипящих от неистовства коней.
Для грамотных полощется, волнуя,
ликующий обветренный призыв:
«А идише! В субботу не воюем!
До пятницы захватим Тель-Авив!»
Уже с конем в одном порыве слился
нигде не попадающий впросак
из Жмеринки отважный Самуилсон,
из Ганы недоеденный Исаак.
У всех носы, изогнутые властно,
и пейсы, как потребовал закон;
свистят косые сабли из Дамаска,
поет «индрерд!» походный саксофон.

Черняв и ловок, старшина пехоты
трофейный пересчитывает дар:
пятьсот винтовок, сорок пулеметов
и обуви пятнадцать тысяч пар.
Над местом боя солнце стынет,
из бурдюков течет вода,
в котле щемяще пахнет цимес,
как в местечковые года.
Ветеринары боевые
на людях учатся лечить,
бросают ружья часовые,
Талмуд уходят поучить.
Повсюду с винным перегаром
перемешался легкий шум;

«Скажи-ка, дядя, ведь недаром...» —
поет веселый Беня Шуб.

Бойцы вспоминают минувшие дни
и талес, в который рядились они.

А утром, в оранжевом блеске,
по телу как будто ожог;
отрывисто, властно и резко
тревогу сыграет рожок.

И снова азартом погони
горячие лица блестят;
седые арабские кони
в тугое пространство летят.
Мы братья — по пеплу и крови.
Отечеству верно служа,
мы — русские люди,
но наш могендовид
пришит на запасный пиджак.

КУХНЯ И САНДАЛИЙ

Все шептались о скандале.
Кто-то из посуды
вынул Берчикин сандалий.
Пахло самосудом.

Кто-то свистнул в кулак,
кто-то глухо ухнул;
во главе идет Спартак
Менделевич Трухман.

Он подлец! А мы не знали.
Он зазвал и пригласил
в эту битву за сандалий
самых злостных местных сил.

И пошла такая свалка,
как у этих дурачков.
Никому уже не жалко
ни здоровья, ни очков.

За углом, где батарея,
перекупщик Пиня Вайс
мял английского еврея
Соломона Экзерсайс.

Обнажив себя по пояс,
как зарезанный крича,
из кладовой вышел Двойрис
и пошел рубить сплеча.

Он друзьям — как лодке руль.
Это гордость наша.
От рожденья имя — Сруль,
а в анкете — Саша.

Он худой как щепочка,
щупленький как птенчик,
сзади как сурепочка,
спереди как хренчик.

Но удары так и сыпет!
Он повсюду знаменит,
в честь его в стране Египет
назван город Поц-Аид.

Он упал, поднялся снова,
воздух мужеством запах;
«Гиб а кук! — рыдали вдовы. —
Не топчите Сруля в пах!»...

Но — звонок и тишина...
И над павшим телом —
участковый старшина
Фима Парабеллум.

...Сладкий цимес — это ж прелесть!
А сегодня он горчит.
В нем искусственная челюсть
деда Слуцкера торчит.

Все разбито в жуткой драке,
по осколкам каждый шаг,
и трусливый Леня Гаккель
из штанов достал дуршлаг.

За оторванную пейсу
кто-то стонет, аж дрожит;
на тахте у сводни Песи
Сруль растерзанный лежит.

Он очнулся и сказал:
«Зря шумел скандальчик:
я ведь спутал за сандал
жареный сазанчик».

ПРО ТАЧАНКУ

Ты лети с дороги, птица!
Зверь с дороги — уходи!
Видишь — облако клубится?
Это маршал впереди.

Ровно вьются портупеи,
мягко пляшут рысаки;
все буденновцы — евреи,
потому что — казаки.

Подойдите, поглядите,
полюбуйтесь на акцент:
маршал Сема наш водитель,
внепартийный фармацевт.

Бой копыт, как рокот грома,
алый бархат на штанах;
в синем шлеме — красный Шлема,
стройный Сруль на стременах...

Конармейцы, конармейцы
на неслыханном скаку —
сто буденновцев при пейсах,
двести сабель на боку.

А в седле трубач горбатый
диким пламенем горит,
и несет его куда-то,
озаряя изнутри.

Он сидит, смешной и хлипкий,
наплевавший на судьбу,

он в местечке бросил скрипку,
он в отряд принес трубу.

И ни звать уже, ни трогать,
и сигнал уже вот-вот...
Он возносит острый локоть
и растет, растет, растет...

Ну, а мы-то? Мы ж потомки!
Рюмки сходятся, звеня,
будто брошены котомки
у походного огня.

Курим, пьем, играем в карты,
любим женщин сгоряча,
обещанием инфаркта
колет сердце по ночам.

Но закрой глаза плотнее,
отвори мечте тропу...
Едут конные евреи
по ковыльному степу...

Бьет колесами тачанка,
конь играет, как дельфин;
а жена моя — гречанка!
Циля Глезер из Афин!

Цилин предок — не забудь! —
он служил в аптеке.
Он прошел великий путь
из евреев в греки...

Дома ждет меня жена;
плача, варит курицу.
Украинская страна,
жмеринская улица...

Так пускай звенит посуда,
разлетаются года,
потому что будут, будут,
будут битвы — таки да!..

Будет пыльная дорога
по дымящейся земле,
с красным флагом синагога
в белокаменном селе.

Дилетант и бабник Мойше
барабан ударит в грудь;
будет все! И даже больше
на немножечко чуть-чуть...

МОНТИГОМО НЕИСТРЕБИМЫЙ КОГАН

На берегах Амазонки в середине нашего века было обнаружено племя дикарей, говорящих на семитском диалекте. Их туземной жизни посвящается поэма.

Идут высокие мужчины,
по ветру бороды развеяв;
тут первобытная община
доисторических евреев.

Законы джунглей, лес и небо,
насквозь прозрачная река...
Они уже не сеют хлеба
и не фотографы пока.

Они стреляют фиш из лука
и фаршируют не спеша;
а к синагоге из бамбука
пристройка есть — из камыша.

И в ней живет — без жен и страха —
религиозный гарнизон:
Шапиро — жрец, Гуревич — знахарь
и дряхлый резник Либензон.

Его повсюду кормят, любят —
он платит службой и добром:
младенцам кончики он рубит
большим гранитным топором.

И жены их уже не знают,
свой издавая первый крик,
что слишком длинно обрубает
глухой завистливый старик...

Они селились берегами
вдали от сумрака лиан,
где бродит вепрь — свинья с рогами,
и стонут самки обезьян.

Где конуса клопов-термитов,
белеют кости беглых коз,
и дикари-антисемиты
едят евреев и стрекоз.

Где горы Анды, словно Альпы,
большая надпись черным углем:
«Евреи! Тут снимают скальпы!
Не заходите в эти джунгли!»

Но рос и вырос дух бунтарский,
и в сентябре, идя ва-банк,
собрал симпозиум дикарский
народный вождь Арон Гутанг.

И пел им песни кантор Дымшиц,
и каждый внутренне горел;
согнули луки и, сложившись,
купили очень много стрел.

...Дозорный срезан. Пес — не гавкнет.
По джунглям двинулся как танк
банананосый Томагавкер
и жрец-раскольник Бумеранг.
В атаке нету Мордехая,
но сомкнут строй, они идут;
отчизну дома оставляя,
семиты — одного не ждут!
А Мордехай — в нем кровь застыла —
вдоль по кустам бежал, дрожа,
чем невзначай подкрался с тыла,
антисемитов окружа...
Бой — до триумфа — до обеда!
На час еды — прощай, война.
Евреи — тоже людоеды,
когда потребует страна.

Не верьте книгам и родителям.
История темна, как ночь.

Колумб (аид), плевав на Индию,
гнал каравеллы, чтоб помочь.
Еврейским занявшись вопросом,
Потемкин, граф, ушел от дел;
науки бросив, Ломоносов
Екатерину поимел.
Ученый, он боялся сплетен
и только ночью к ней ходил.
Старик Державин их заметил
И, в гроб сходя, благословил.
В приемных Рима подогретый,
крестовый начался поход;
Вильям Шекспир писал сонеты,
чтоб накопить на пароход.

...Но жил дикарь — с евреем рядом.
Века стекали с пирамид.
Ассимилировались взгляды.
И кто теперь антисемит?
Хрустят суставы, гнутся шеи,
сраженье близится к концу,
и два врага, сойдясь в траншее,
меняют сахар на мацу.

В жестокой схватке рукопашной
ждала победа впереди.
Стал день сегодняшний — вчерашним;
никто часов не заводил.

И эта мысль гнала евреев,
она их мучила и жгла:
ведь если не смотреть на время,
не знаешь, как идут дела.

А где стоят часы семитов,
там время прекращает бег;
в лесу мартышек и термитов
пещерный воцарился век.

За пищей вглубь стремясь податься,
они скрывались постепенно
от мировых цивилизаций
и от культурного обмена.

И коммунизм их — первобытен,
и в шалашах — портрет вождя,
но в поступательном развитии
эпоху рабства обойдя,
и локоть к локтю, если надо,
а если надо, грудь на грудь,
в коммунистических бригадах
к феодализму держат путь...

СЕМЕЙНЫЙ ВЕЧЕР

Мы все мучительно похожи.
Мы то знакомы, то — родня.
С толпой сливается прохожий —
прямая копия меня.

Его фигура и характер
прошли крученье и излом;
он — очень маленький бухгалтер
в большой конторе за углом.

Он опоздал — теперь скорее!
Кино, аптека, угол, суд...
А Лея ждет и снова греет
который раз остывший суп.

Толпа мороженщиц Арбата,
кафе, сберкасса, магазин...
Тут бегал в школу сын когда-то,
и незаметно вырос сын...

Но угнали Моисея
от родных и от друзей!..
Мерзлоту за Енисеем
бьет лопатой Моисей.

Долбит ломом, и природа
покоряется ему;
знает он, что враг народа,
но не знает — почему.

Ожиданьем душу греет,
и — повернут ход событий:
«Коммунисты и евреи!
Вы свободны. Извините»...

Но он теперь живет в Тюмени,
где даже летом спит в пальто,
чтоб в свете будущих решений
теплее ехать, если что...
Рувим спешит. Жена — как свечка!
Ей говорил в толпе народ,
когда вчера давали гречку,
что будто якобы вот-вот,

кого при культе награждали,
теперь не сносит головы;
а у Рувима — две медали
восьмисотлетия Москвы!

А значит — светит путь неблизкий,
где на снегу дымят костры;
и Лея хочет в Сан-Франциско,
где у Рувима три сестры.

Она боится этих сплетен,
ей страх привычен и знаком...
Рувим, как радио, конкретен,
Рувим всеведущ, как райком:

«Ах, Лея, мне б твои заботы!
Их Сан-Франциско — звук пустой;
ни у кого там нет работы,
а лишь один прогнивший строй!

И ты должна быть рада, Лея,
что так повернут шар земной:
американские евреи —
они живут вниз головой!»

И Лея слушает, и верит,
и сушит гренки на бульон,
и не дрожит при стуке в двери,
что постучал не почтальон...

Уходит день, вползает сумрак,
теснясь в проем оконных рам;
концерт певицы Имы Сумак
чревовещает им экран.

А он уснул. Ступни босые.
Пора ложиться. Лень вставать.
«Литературную Россию»
жена подаст ему в кровать.
1962—1967 гг.

ТЮРЕМНЫЙ ДНЕВНИК

Во что я верю, жизнь любя?
Ведь невозможно жить, не веря.
Я верю в случай, и в себя,
и в неизбежность стука в двери.
1977 г.

Я взял табак, сложил белье —
к чему ненужные печали?
Сбылось пророчество мое,
и в дверь однажды постучали.
1979 г.

Друзьями и покоем дорожи,
люби, покуда любится, и пей,
живущие над пропастью во лжи
не знают хода участи своей.

*

И я сказал себе: держись,
Господь суров, но прав,
нельзя прожить в России жизнь,
тюрьмы не повидав.

Попавшись в подлую ловушку,
сменив невольно место жительства,
кормлюсь, как волк, через кормушку
и охраняюсь, как правительство.

*

Свою тюрьму я заслужил.
Года любви, тепла и света
я наслаждался, а не жил,
и заплатить готов за это.

*

Серебра сигаретного пепла
накопился бы холм небольшой
за года, пока зрело и крепло
все, что есть у меня за душой.

*

Когда нам не на что надеяться
и Божий мир не мил глазам,
способна сущая безделица
пролиться в душу как бальзам.

Среди воров и алкоголиков
сижу я в каменном стакане,
и незнакомка между столиков
напрасно ходит в ресторане.
Дыша духами и туманами,
из кабака идет в кабак
и тихо плачет рядом с пьяными,
что не найдет меня никак.

*

В неволе зависть круче тлеет
и злее травит бытие;
в соседней камере светлее,
и воля ближе из нее.

*

Думаю я, глядя на собрата, —
пьяницу, подонка, неудачника, —
как его отец кричал когда-то:
«Мальчика! Жена родила мальчика!»

Несчастья освежают нас и лечат,
и раны присыпают слоем соли;
чем ниже опускаешься, тем легче
дальнейшее наращиванье боли.

*

На крайности последнего отчаянья
негаданно-нежданно всякий раз
нам тихо улыбается случайная
надежда, оживляющая нас.

*

Страны моей главнейшая опора —
не стройки сумасшедшего размаха,
а серая стандартная контора,
владеющая ниточками страха.

*

Тлетворной мы пропитаны смолой
апатии, цинизма и безверия.
Связавши их порукой круговой,
на них, как на китах, стоит империя.

Как же преуспели эти суки,
здесь меня гоняя, как скотину,
я теперь до смерти буду руки
при ходьбе закладывать за спину.

*

Повсюду, где забава и забота,
на свете нет страшнее ничего,
чем цепкая серьезность идиота
и хмурая старательность его.

*

Здесь радио включают, когда бьют,
и музыкой притушенные крики
звучат как предъявляемые в суд
животной нашей сущности улики.

*

Томясь тоской и самомнением,
не сетуй всуе, милый мой,
жизнь постижима лишь в сравнении
с болезнью, смертью и тюрьмой.

Плевать, что небо снова в тучах
и гнет в тоску блажная высь,
печаль души врачует случай,
а он не может не найтись.

*

В объятьях водки и режима
лежит Россия недвижимо,
и только жид, хотя дрожит,
но по веревочке бежит.

*

Еда, товарищи, табак,
потом вернусь в семью;
я был бы сволочь и дурак,
ругая жизнь мою.

*

Я заметил на долгом пути,
что, работу любя беззаветно,
палачи очень любят шутить
и хотят, чтоб шутили ответно.

Из тюрьмы ощутил я страну –
даже сердце на миг во мне замерло –
всю подряд в ширину и длину
как одну необъятную камеру.

*

Бог молча ждет нас. Боль в груди.
Туман. Укол. Кровать.
И жар тоски, что жил в кредит
и нечем отдавать.

*

Я ночью просыпался и курил,
боясь, что то же самое приснится:
мне машет стая тысячами крыл,
а я с ней не могу соединиться.

*

Прихвачен, как засосанный в трубу,
я двигаюсь без жалобы и стона,
теперь мою дальнейшую судьбу
решит пищеварение закона.

Прощай, удача, мир и нега!
Мы привыкаем ко всему;
от невозможности побега
я полюбил свою тюрьму.

*

У жизни человеческой на дне,
где мерзости и боль текущих бед,
есть радости, которые вполне
способны поддержать душевный свет.

*

Там, на утраченной свободе,
в закатных судорогах дня
ко мне уныние приходит,
а я в тюрьме и нет меня.

*

Империи летят, хрустят короны,
история вершит свой самосуд,
а нам сегодня дали макароны,
а завтра — передачу принесут.

Когда уходит жить охота
и в горло пища не идет,
какое счастье знать, что кто-то
тебя на этом свете ждет.

*

Здесь жестко стелется кровать,
здесь нет живого шума,
в тюрьме нельзя болеть и ждать,
но можно жить и думать.

*

Что я понял с тех пор, как попался?
Очень много. Почти ничего.
Человеку нельзя без пространства,
и пространство мертво без него.

*

Мой ум имеет крайне скромный нрав,
и наглость мне совсем не по карману,
но если положить, что Дарвин прав,
то Бог создал всего лишь обезьяну.

Мы жизни наши ценим слишком низко,
меж тем как то медвяная, то деготь
история течет настолько близко,
что пальцами легко ее потрогать.

*

Я теперь вкушаю винегрет
сетований, ругани и стонов,
принят я на главный факультет
университета миллионов.

*

С годами жизнь пойдет налаженней
и все забудется, конечно,
но хрип ключа в замочной скважине
во мне останется навечно.

*

В любом из нас гармония живет
и в поисках, во что ей воплотиться,
то бьется, как прихваченная птица,
то пляшет и невнятицу поет.

Не знаю вида я красивей,
чем в час, когда взошла луна
в тюремной камере в России
зимой на волю из окна.

*

Для райского климата райского сада,
где все зеленеет от края до края,
тепло поступает по трубам из ада,
а топливо ада — растительность рая.

*

Россия безнадежно и отчаянно
сложилась в откровенную тюрьму,
где бродят тени Авеля и Каина
и каждый сторож брату своему.

*

Был юн и глуп, ценил я сложность
своих знакомых и подруг,
а после стал искать надежность,
и резко сузился мой круг.

Душа предметов призрачна с утра,
мертва природа стульев и буфетов,
потом приходит сумерек пора,
и зыбко оживает мир предметов.

*

Из тюрьмы собираюсь я вновь
по пути моих предков-скитальцев;
увезу я отсюда любовь,
а оставлю оттиски пальцев.

*

Последняя ночная сигарета
потрескивает искрами костра,
комочек благодарственного света
домашним, кто прислал его вчера.

*

Бывает в жизни миг зловещий —
как чувство чуждого присутствия, —
когда тебя коснутся клещи
судьбы, не знающей сочувствия.

Устал я жить как дилетант,
я гласу Божескому внемлю
и собираюсь свой талант
навек зарыть в Святую землю.

*

В неволе все с тобой на «ты»,
но близких вовсе нет кругом,
в неволе нету темноты,
но даже свет зажжен врагом.

*

Судьба мне явно что-то роет,
сижу на греющемся кратере,
мне так не хочется в герои,
мне так охота в обыватели!

*

Допрос был пустой, как ни бились...
Вернулся на жесткие нары.
А нервы сейчас бы сгодились
на струны для лучшей гитары.

В беде я прелесть новизны
нашел, утратив спесь,
и, если бы не боль жены,
я был бы счастлив здесь.

*

Не тем страшна глухая осень,
что выцвел, вянешь и устал,
а что уже под сердцем носим
растущий холода кристалл.

*

Сколько силы, тюрьма, в твоей хватке!
Мне сегодня на волю не хочется,
словно ссохлась душа от нехватки
темноты, тишины, одиночества.

*

Не требуют от жизни ничего
российского отечества сыны,
счастливые незнанием того,
чем именно они обделены.

Когда судьба, дойдя до перекрестка,
колеблется, куда ей повернуть,
не бойся неназойливо, но жестко
слегка ее коленом подтолкнуть.

*

Разгульно, раздольно, цветисто,
стремясь догореть и излиться,
эпохи гниют живописно,
но гибельно для очевидца.

*

Зачем в герое и в ничтожестве
мы ищем сходства и различия?
Ища величия в убожестве.
Познав убожество величия.

*

В России слезы светятся сквозь смех,
Россию Бог безумием карал,
России послужили больше всех
те, кто ее сильнее презирал.

Я стараюсь вставать очень рано,
и с утра для душевной разминки
сыплю соль на душевные раны
и творю по надежде поминки.

*

Впервые жизнь явилась мне
всей полнотой произведения:
у бытия на самом дне —
свои высоты и падения.

*

С утра на прогулочном дворике
лежит свежевыпавший снег
и выглядит странно и горько,
как новый в тюрьме человек.

*

Грабительство, пьяная драка,
раскража казенного груза...
Как ты незатейна, однако,
российской преступности Муза!

Сижу пока под следственным давлением
в одном из многих тысяч отделений;
вдыхают прокуроры с вожделением
букет моих кошмарных преступлений.

*

В тюрьме я учился по жизням соседним,
сполна просветившись догадкою главной,
что надо делиться заветным последним —
для собственной пользы, неясной, но явной.

*

Жаль мне тех, кто тюрьмы не изведал,
кто не знает ее сновидений,
кто не слышал неспешной беседы
о бескрайностях наших падений.

*

Тюремная келья, монашеский пост,
за дверью солдат с автоматом,
и с утренних зорь до полуночных звезд —
молитва, творимая матом.

Вокруг себя едва взгляну,
с тоскою думаю холодной:
какой кошмар бы ждал страну,
где власть и впрямь была народной.

*

В тюрьме я в острых снах переживаю
такую беготню по приключениям,
как будто бы сгущенно проживаю
то время, что убито заключением.

*

Когда уход из жизни близок,
хотя не тотчас, не сейчас,
душа, предощущая вызов,
духовней делается в нас.

*

Не потому ли мне так снятся
лихие сны почти все ночи,
что Бог позвал меня на танцы,
к которым я готов не очень?

Всмотревшись пристрастно и пристально,
я понял, что надо спешить,
что жажда покоя и пристани
вот-вот помешает мне жить.

*

У старости есть мания страдать
в томительном полночном наваждении,
что попусту избыта благодать,
полученная свыше при рождении.

*

Не лезь, мой друг, за декорации —
зачем ходить потом в обиде,
что благороднейшие грации
так безобразны в истом виде.

*

Вчера сосед по нарам взрезал вены;
он смерти не искал и был в себе,
он просто очень жаждал перемены
в своей остановившейся судьбе.

Я скепсисом съеден и дымом пропитан,
забыта весна и растрачено лето,
и бочка иллюзий пуста и разбита,
а жизнь — наслаждение, полное света.

*

Я что-то говорю своей жене,
прищурившись от солнечного глянца,
а сын, поймав жука, бежит ко мне.
Такие сны в тюрьме под утро снятся.

*

Вот и кости ломит в непогоду,
хрипы в легких чаще и угарней;
возвращаясь в мертвую природу,
мы к живой добрей и благодарней.

*

Все, что пропустил и недоделал,
все, чем по-дурацки пренебрег,
в памяти всплывает и умело
ночью прямо за душу берет.

Блажен, кто хлопотлив и озабочен
и ночью видит сны, что снова день,
и крутится с утра до поздней ночи,
ловя свою вертящуюся тень.

*

Где крыша в роли небосвода —
свой дух, свой быт, своя зима,
своя печаль, своя свобода
и даже есть своя тюрьма.

*

Мое безделье будет долгим,
еще до края я не дожил,
а те, кто жизнь считает долгом,
пусть объяснят, кому я должен.

*

Наклонись, философ, ниже,
не дрожи, здесь нету бесов,
трюмы жизни пахнут жижей
от общественных процессов.

Курилки, подоконники, подъезды,
скамейки у акаций густолистых —
все помощи там были безвозмездны,
все мысли и советы бескорыстны.
Теперь, когда я взвешиваю слово
и всякая наивность неуместна,
я часто вспоминаю это снова:
курилки, подоконники, подъезды.

*

Чуть пожил — и нет меня на свете —
как это диковинно, однако;
воздух пахнет сыростью, и ветер
воет над могилой, как собака.

*

Весной я думаю о смерти.
Уже нигде. Уже никто.
Как будто был в большом концерте
и время брать внизу пальто.

По камере то вдоль, то поперек,
обдумывая жизнь свою, шагаю
и каждый возникающий упрек
восторженно и жарко отвергаю.

*

В неволе я от сытости лечился,
учился полувзгляды понимать,
с достоинством проигрывать учился
и выигрыш спокойно принимать.

*

Тюрьмой сегодня пахнет мир земной,
тюрьма сочится в души и умы,
и каждый, кто смиряется с тюрьмой,
становится строителем тюрьмы.

*

Ветреник, бродяга, вертопрах,
слушавшийся всех и никого,
лишь перед неволей знал я страх,
а теперь лишился и его.

В тюрьме, где ощутил свою ничтожность,
вдруг чувствуешь, смятение тая,
бессмысленность, бесцельность, безнадежность
и дикое блаженство бытия.

*

Тюрьмою наградила напоследок
меня отчизна-мать, спасибо ей,
я с радостью и гордостью изведал
судьбу ее не худших сыновей.

*

Когда, убогие калеки,
мы устаем ловить туман,
какое счастье знать, что реки
впадут однажды в океан.

*

Здесь ни труда, ни алкоголя,
а большинству беда втройне —
еще и каторжная доля
побыть с собой наедине.

Напрасны страх, тоска и ропот,
когда судьба влечет во тьму;
в беде всегда есть новый опыт,
полезный духу и уму.

*

А часто в час беды, потерь и слез,
когда несчастья рыщут во дворе,
нам кажется, что это не всерьез,
что вон уже кричат — конец игре.

*

Всю жизнь я больше созерцал,
а утруждался очень мало,
светильник мой, хотя мерцал,
но сквозь бутыль и вполнакала.

*

Года промчатся быстрой ланью,
укроет плоть суглинка пласт,
и Бог-отец могучей дланью
моей душе по жопе даст.

В тюрьму я брошен так давно,
что сжился с ней, признаться честно;
в подвалах жизни есть вино,
какое воле неизвестно.

*

Какое это счастье: на свободе
со злобой и обидой через грязь
брести домой по мерзкой непогоде
и чувствовать, что жизнь не удалась.

*

Глаза упавшего коня,
огромный город без движения,
помойный чан при свете дня —
моей тюрьмы изображение.

*

Стихов довольно толстый томик,
отмычку к райским воротам,
а также свой могильный холмик
меняю здесь на бабу там!

В тюрьме вечерами сидишь молчаливо
и очень на нары не хочется лезть,
а хочется мяса, свободы и пива
и изредка — славы, но чаще — поесть.

*

В наш век искусственного меха
и нефтью пахнущей икры
нет ничего дороже смеха,
любви, печали и игры.

*

Тюрьма — не только боль потерь.
Источник темных откровений,
тюрьма еще окно и дверь
в пространство новых измерений.

*

В тюрьму посажен за грехи
и сторожимый мразью разной,
я душу вкладывал в стихи,
а их носил под пяткой грязной.

И по сущности равные шельмы,
и по глупости полностью схожи
те, кто хочет купить подешевле,
те, кто хочет продать подороже.

*

Взломщики, бандиты, коммунары,
взяточники, воры и партийцы —
сотни тел полировали нары,
на которых мне сейчас не спится.
Тени их проходят предо мною
кадрами одной кошмарной серии,
и волной уходят за волною
жертвы и строители империи.

*

Все дороги России — беспутные,
все команды в России — пожарные,
все эпохи российские — смутные,
все надежды ее — лучезарные.

Меня не оставляет ни на час
желание кому-то доказать,
что беды, удручающие нас,
на самом деле тоже благодать.

*

Божий мир так бестрепетно ясен
и, однако, так сложен притом,
что никак и ничуть не напрасен
страх и труд не остаться скотом.

*

На улице сейчас — как на душе:
спокойно, ясно, ветрено немного,
и жаль слегка, что главная дорога,
по-видимому, пройдена уже.

*

Есть еле слышный голос крови,
наследства предков тонкий глас,
он сводит или прекословит,
когда судьба сближает нас.

Нет, не судьба творит поэта,
он сам судьбу свою творит,
судьба — платежная монета
за все, что вслух он говорит.

*

Вослед беде идет удача,
а вслед удачам — горечь бед;
мир создан так, а не иначе,
и обижаться смысла нет.

*

Живущий — улыбайся в полный рот
и чаще пей взбодряющий напиток;
в ком нет веселья — в рай не попадет,
поскольку там зануд уже избыток.

*

Последнюю в себе сломив твердыню
и смыв с лица души последний грим,
я, Господи, смирил свою гордыню,
смири теперь свою — поговорим.

Я глубже начал видеть пустоту,
и чавкающей грязи плодородность,
и горечь, что питает красоту,
и розовой невинности бесплодность.

*

Искре́ние, честность, метание,
нелепости взрывчатой смелости —
в незрелости есть обаяние,
которого нету у зрелости.

*

Чем нынче занят? Вновь и снова
в ночной тиши и свете дня
я ворошу золу былого,
чтоб на сейчас найти огня.

*

Как никакой тяжелый час,
как никакие зной и холод,
насквозь просвечивает нас
рентген души — тюремный голод.

Нет, не бездельник я, покуда голова
работает над пряжею певучей;
я в реки воду лью,
я в лес ношу дрова,
я ветру дую вслед, гоняя тучи.

*

Вот человек. Лицо и плечи.
Тверда рука. Разумна речь.
Он инженер. Он строил печи,
чтобы себе подобных жечь.

*

Не страшно, а жаль мне подонка,
пуглив его злобный оскал,
похожий на пса и ребенка,
он просто мужчиной не стал.

*

У прошлого есть запах, вкус и цвет,
стремление учить, влиять и значить,
и только одного, к несчастью, нет —
возможности себя переиначить.

Двуногим овцам нужен сильный пастырь.
Чтоб яростен и скор. Жесток и ярок.
Но изредка жалел и клеил пластырь
на раны от зубов его овчарок.

*

Не спорю, что разум, добро и любовь
движение мира ускорили,
но сами чернила истории — кровь
людей, непричастных к истории.

*

Соблазн тюремных искушений
однообразен, прям и прост:
избегнуть боли и лишений,
но завести собачий хвост.

*

Пока я немного впитал с этих стен,
их духом омыт не вполне,
еще мне покуда больнее, чем тем,
кого унижают при мне.

До края дней теперь удержится
во мне рожденная тюрьмой
беспечность узников и беженцев,
уже забывших путь домой.

*

По давней наблюдательности личной
забавная печальность мне видна:
гавно глядит на мир оптимистичней,
чем те, кого воротит от гавна.

*

В столетии ничтожном и великом,
дивясь его паденьям и успехам,
топчусь между молчанием и криком,
мечусь между стенанием и смехом.

*

Течет апрель, водой звеня,
мир залит воздухом и светом;
мой дом печален без меня,
и мне приятно знать об этом.

Боюсь, что враг душевной смуты,
не мизантроп, но нелюдим,
Бог выключается в минуты,
когда Он нам необходим.

*

Везде, где наш рассудок судит верно,
выходит снисхождение и милость;
любая справедливость милосердна,
а иначе она не справедливость.

*

Вот небо показалось мне с овчину,
и в пятки дух от ужаса сорвался,
и стал я пробуждать в себе мужчину,
однако он никак не отозвался.

*

Я уношу, помимо прочего,
еще одно тюрьмы напутствие:
куда трудней, чем одиночество,
его немолчное отсутствие.

Не во тьме мы оставим детей,
когда годы сведут нас на нет;
время светится светом людей,
много лет как покинувших свет.

*

Неощутим и невесом,
тоской бесплотности несомый,
в тюрьму слетает частый сон
о жизни плотской и весомой.

*

Я рад, что знаю вдохновение,
оно не раз во мне жило,
оно легко, как дуновение,
и, как похмелье, тяжело.

*

Жаждущих уверовать так много,
что во храмах тесно стало вновь,
там через обряды ищут Бога,
как через соитие — любовь.

Как мечту, как волю, как оазис —
жду каких угодно перемен,
столько жизней гасло до меня здесь,
что тлетворна память этих стен.

*

Когда с самим собой наедине
обкуривал я грязный потолок,
то каялся в единственной вине —
что жил гораздо медленней, чем мог.

*

Мне наплевать на тьму лишений
и что меня пасет свинья,
мне жаль той сотни искушений,
которым сдаться мог бы я.

*

Волшебный мир, где ты с подругой;
женой становится невеста;
жена становится супругой,
и мир становится на место.

Надо жить и единственно это
надо делать в любви и надежде;
равнодушно вращает планета
кости всех, кто познал это прежде.

*

Фортуна — это женщина, уступка
ей легче, чем решительный отказ,
а пластика просящего поступка
зависит исключительно от нас.

*

Не наблюдал я никогда
такой же честности во взорах
ни в ком за все мои года,
как в нераскаявшихся ворах.

*

Лежу на нарах без движения,
на стены сумрачно гляжу;
жизнь — это самовыражение,
за это здесь я и сижу.

Мы постоянно пашем пашни
или возводим своды башен,
где днем еще позавчерашним
мы хоронили близких наших.

*

Горит ночной плафон огнем вокзальным,
и я уже настолько здесь давно,
что выглядит былое нереальным
и кажется прочитанным оно.

*

Сгущается вокруг тугой туман,
а я в упор не вижу черных дней —
природный оптимизм, как талисман,
хранит меня от горя стать умней.

*

Здравствуй, друг, я живу хорошо,
здесь дают и обед и десерт;
извини, написал бы еще,
но уже я заклеил конверт.

За то, что я сидел в тюрьме,
потомком буду я замечен,
и сладкой чушью обо мне
мой образ будет изувечен.

*

Мне жизнь тюрьму, как сон, послала,
так молча спит огонь в золе,
земля — надевши снежный саван,
и семя, спящее в земле.

*

Не сваливай вину свою, старик,
о предках и эпохе спор излишен;
наследственность и век — лишь черновик,
а начисто себя мы сами пишем.

*

Любовная ложь и любезная лесть,
хотя мы и знаем им цену,
однако же вновь побуждают нас лезть
на стену, опасность и сцену.

Поскольку предан я мечтам,
то я сижу в тюрьме не весь,
а часть витает где-то там,
и только часть ютится здесь.

*

Любовь, ударившись о быт,
скудеет плотью, как старуха,
а быт безжизнен и разбит,
как плоть, лишившаяся духа.

*

Есть безделья, которые выше трудов,
как монеты различной валюты,
есть минуты, которые стоят годов,
и года, что не стоят минуты.

*

О чем ты молишься, старик?
О том, чтоб ночью в полнолуние
меня постигло хоть на миг
любви забытое безумие.

Нужда и несчастье, тоска и позор —
единственно верные средства,
чтоб мысли и света соткался узор,
оставшись потомку в наследство.

*

О том, что подлость заразительна
и через воздух размножается,
известно всем, но утешительно,
что ей не каждый заражается.

*

Сижу в тюрьме, играя в прятки
с весной, предательски гнилой,
а дни мелькают, словно пятки
моей везучести былой.

*

По счастью, я не муж наук,
а сын того блажного племени,
что слышит цвет и видит звук
и осязает запах времени.

То ли поздняя ночь, то ли ранний рассвет.
Тишина. Полумрак. Полусон.
Очень ясно, что Бога в реальности нет.
Только в нас. Ибо мы — это Он.

*

Вчера я так вошел в экстаз,
ища для брани выражения,
что только старый унитаз
такие знает извержения.

*

Как сушат нас число и мера!
Наседка века их снесла.
И только жизнь души и хера
не терпит меры и числа.

*

Счастливый сон: средь вин сухих,
с друзьями в прениях бесплодных
за неименьем дел своих
толкую о международных.

Нас продают и покупают,
всмотреться если — задарма:
то в лести густо искупают,
то за обильные корма.
И мы торгуемся надменно,
давясь то славой, то рублем,
а все, что истинно бесценно,
мы только даром отдаем.

*

Чтоб хоть на миг унять свое
любви желание шальное,
мужик посмеет сделать все,
а баба — только остальное.

*

Как безумец, я прожил свой день,
я хрипел, мельтешил, заикался;
я спешил обогнать свою тень
и не раз об нее спотыкался.

Со всеми свой и внешностью как все,
я чувствую, не в силах измениться,
что я чужая спица в колесе,
которое не нужно колеснице.

*

Беды и горечи микробы
витают здесь вокруг и рядом;
тюрьма — такой источник злобы,
что всю страну питает ядом.

*

Про все, в чем убежден я был заочно,
в тюрьме поет неслышимая скрипка:
все мертвое незыблемо и прочно,
живое — и колеблемо, и зыбко.

*

Забавно слушать спор интеллигентов
в прокуренной застольной духоте,
всегда у них идей и аргументов
чуть больше, чем потребно правоте.

Без удержу нас тянет на огонь,
а там уже, в тюрьме или в больнице,
с любовью снится женская ладонь,
молившая тебя остановиться.

*

Как жаль, что из-за гонора и лени
и холода, гордыней подогретого,
мы часто не вставали на колени
и женщину теряли из-за этого.

*

Ростки решетчатого семени
кошмарны цепкостью и прочностью,
тюрьма снаружи — дело времени,
тюрьма внутри — страшна бессрочностью.

*

В тюрьме я понял: Божий глас
во мне звучал зимой и летом:
налей и выпей, много раз
ты вспомнишь с радостью об этом.

Чума, холера, оспа, тиф,
повальный голод, мор детей...
Какой невинный был мотив
у прежних массовых смертей.

*

Ругая суету и кутерьму
и скорости тугое напряжение,
я молча вспоминаю про тюрьму
и жизнь благословляю за движение.

*

В России мы сплоченней и дружней
совсем не от особенной закалки,
а просто мы друг другу здесь нужней,
чтоб выжить в этой соковыжималке.

*

А жизнь продолжает вершить поединок
со смертью во всех ее видах,
и мавры по-прежнему душат блондинок,
свихнувшись на ложных обидах.

Блажен, кто хоть недолго, но остался
в меняющейся памяти страны,
живя в уже покинутом пространстве
звучанием затронутой струны.

*

Едва в искусстве спесь и чванство
мелькнут, как в супе тонкий волос,
над ним и время и пространство
смеются тотчас в полный голос.

*

Ладонями прикрыл я пламя спички,
стремясь не потревожить сон друзей;
заботливости мелкие привычки —
свидетельство живучести моей.

*

Кто-то входит в мою жизнь. И выходит.
Не стучась. И не спросивши. И всяко.
Я привык уже к моей несвободе,
только чувство иногда, что собака.

Суд земной и суд небесный —
вдруг окажутся похожи?
Как боюсь, когда воскресну,
я увидеть те же рожи!

*

В любом краю, в любое время,
никем тому не обучаем,
еврей становится евреем,
дыханьем предков облучаем.

*

Не зря ученые пред нами
являют наглое зазнайство;
Бог изучает их умами
свое безумное хозяйство.

*

Ночь уходит, словно тает, скоро утро.
Где-то птицы, где-то зелень, где-то дети.
Изумительный оттенок перламутра
сквозь решетки заливает наши клети.

Клянусь едой, ни в малом слове
обиды я не пророню,
давным-давно я сам готовил
себе тюремное меню.

*

Лишен я любимых и дел, и игрушек,
и сведены чувства почти что к нулю,
и мысли — единственный вид потаскушек,
с которыми я свое ложе делю.

*

Когда лысые станут седыми,
выйдут мыши на кошачью травлю,
в застоявшемся камерном дыме
я мораль и здоровье поправлю.

*

Среди других есть бог упрямства,
и кто служил ему серьезно,
тому и время и пространство
сдаются рано или поздно.

В художнике всегда клубятся густо
возможности капризов и причуд;
искусственность причастного к искусству —
такой же чисто творческий этюд.

*

Весной врастают в почву палки,
шалеют кошки и коты,
весной быки жуют фиалки,
а пары ищут темноты.
Весной тупеют лбы ученые,
и запах в городе лесной,
и только в тюрьмах заключенные
слабеют нервами весной.

*

Мы постигаем дно морское,
легко летим за облака
и только с будничной тоскою
не в силах справиться пока.

Молчит за дверью часовой,
молчат ума и сердца клавиши,
когда б не память, что живой,
в тюрьме спокойно, как на кладбище.

*

Читая позабытого поэта
и думая, что в жизни было с ним,
я вижу иногда слова привета,
мне лично адресованные им.

*

В туманной тьме горят созвездия,
мерцая зыбко и недружно;
приятно знать, что есть возмездие
и что душе оно не нужно.

*

Время, что провел я в школьной пыли,
сплыло, словно капля по усам,
сплыло все, чему меня учили.
Всплыло все, чему учился сам.

Слегка устав от заточения,
пускаю дым под потолок;
тюрьма, хотя и заключение,
но уж отнюдь не эпилог.

*

Добру доступно все и все с руки,
добру ничто не чуждо и не странно,
окрестности добра столь велики,
что зло в них проживает невозбранно.

*

За женщиной мы гонимся упорно,
азартом распаляя обожание,
но быстро стынут радости от формы
и грустно проступает содержание.

*

Занятия, что прерваны тюрьмой,
скатились бы к бесплодным разговорам,
но женшины, не познанные мной,
стоят передо мной живым укором.

Язык вранья упруг и гибок
и в мыслях строго безупречен,
а в речи правды — тьма ошибок
и слог нестройностью увечен.

*

В тюрьме почти насквозь раскрыты мы,
как будто сорван прочь какой-то тормоз;
душевная распахнутость тюрьмы —
российской задушевности прообраз.

*

У безделья — особые горести
и свое расписание дня,
на одни угрызения совести
уходило полдня у меня.

*

Тюремный срок не длится вечность,
еще обнимем жен и мы,
и только жаль мою беспечность,
она не вынесла тюрьмы.

Среди тюремного растления
живу, слегка опавши в теле,
и сочиняю впечатления,
которых нет на самом деле.

*

Я часто изводил себя ночами,
на промахи былого сыпал соль;
пронзительность придуманной печали
притушивала подлинную боль.

*

Доставшись от ветхого прадеда,
во мне совместилась исконно
брезгливость к тому, что неправедно,
с азартом к обману закона.

*

Спокойно отсидевши, что положено,
я долго жить себе даю зарок,
в неволе жизнь настолько заторможена,
что Бог не засчитает этот срок.

В тюрьме, от жизни в отдалении,
слышнее звук душевной речи:
смысл бытия — в сопротивлении
всему, что душит и калечит.

*

Не скроешь подлинной природы
под слоем пудры и сурьмы,
и как тюрьма — модель свободы,
свобода — копия тюрьмы.

*

Не с того ль я угрюм и печален,
что за год, различимый насквозь,
ни в одной из известных мне спален
мне себя наблюдать не пришлось?

*

Держась то в стороне, то на виду,
не зная, что за роль досталась им,
есть люди, приносящие беду
одним только присутствием своим.

Все цвета здесь — убийственно серы,
наша плоть — воплощенная тленность,
мной утеряно все, кроме веры
в абсолютную жизни бесценность.

*

Как губка втягивает воду,
как корни всасывают сок,
впитал я с детства несвободу
и после вытравить не смог.
Мои дела, слова и чувства
свободны явно и вполне,
но дрожжи рабства бродят густо
в истоков скрытой глубине.

*

В жестокой этой каменной обители
свихнулась от любви душа моя,
и рад я, что мертвы уже родители,
и жаль, что есть любимая семья.

В двадцатом — веке черных гениев —
любым ветрам доступны мы,
и лишь беспечность и презрение
спасают нас в огне чумы.

*

Тюрьма, конечно, — дно и пропасть,
но даже здесь, в земном аду,
страх — неизменно верный компас,
ведущий в худшую беду.

*

Моя игра пошла всерьез —
к лицу лицом ломлюсь о стену,
и чья возьмет — пустой вопрос,
возьмет моя, но жалко цену.

*

Тюрьма не терпит лжи и фальши,
чужда словесных украшений
и в этом смысле много дальше
ушла в культуре отношений.

Мы предателей наших никак не забудем
и счета им предъявим за нашу судьбу,
но не дай мне Господь недоверия к людям,
этой страшной болезни, присущей рабу.

*

В тюрьме нельзя свистеть — примета
того, что годы просвистишь
и тем, кто отнял эти лета,
уже никак не отомстишь.

*

Какие прекрасные русские лица!
Какие раскрытые ясные взоры!
Грабитель. Угонщик. Насильник. Убийца.
Растлитель. И воры, и воры, и воры.

*

Как странно: вагонный попутчик,
случайный и краткий знакомый —
они понимают нас лучше,
чем самые близкие дома.

Я лежу, про судьбу размышляя опять
и, конечно, — опять про тюрьму:
хорошо, когда есть по кому тосковать;
хорошо, когда нет по кому.

*

В тюрьме о кладах разговоры
текут с утра до темноты,
и нежной лаской дышат воры,
касаясь трепетной мечты.

*

Тюрьма — не животворное строение,
однако и не гибельная яма,
и жизней наших ровное струение
журчит об этом тихо, но упрямо.

*

Сын мой, будь наивен и доверчив,
смейся, плачь от жалости слезами;
времени пылающие смерчи
лучше видеть чистыми глазами.

Смерть соседа. Странное эхо
эта смерть во мне пробудила:
хорошо умирать, уехав
от всего, что близко и мило.

*

Какие бы книги России сыны
создали про собственный опыт!
Но Бог, как известно, дарует штаны
тому, кто родился без жопы.

*

Тому, кто болен долгим детством,
хотя и вырос и неглуп,
я полагал бы лучшим средством
с полгода есть тюремный суп.

*

Скудной пайкой тюремного корма
жить еврею совсем не обидно;
без меня здесь процентная норма
не была бы полна, очевидно.

Под каждым знаменем и флагом,
единым стянуты узлом,
есть зло, одевшееся благом,
и благо, ряженое злом.

*

Здесь очень подолгу малейшие раны
гниют, не хотят затянуться, болят,
как будто сам воздух тюрьмы и охраны
содержит в себе разлагаюший яд.

*

Жизнь – серьезная, конечно,
только все-таки игра,
так что фарт возможен к вечеру,
если не было с утра.

*

Мне роман тут попался сопливый –
как сирот разыскал их отец,
и, заплакав, уснул я, счастливый,
что всплакнуть удалось наконец.

Беды меня зря ожесточали,
злобы и в помине нет во мне,
разве только облачко печали
в мыслях о скисающем вине.

*

Сея разумное, доброе, вечное,
лучше уйти до пришествия осени,
чтобы не видеть, какими увечными
зерна твои вырастают колосьями.

*

Под этим камнем я лежу.
Вернее, то, что было мной,
а я теперешний — сижу
уже в совсем иной пивной.

*

Вчера, ты было так давно!
Часы стремглав гоняют стрелки.
Бывает время пить вино,
бывает время мыть тарелки.

Страшна тюремная свирепость,
а гнев безмерен и неистов,
а я лежу — и вот нелепость —
читаю прозу гуманистов.

*

Я днями молчу и ночами,
я нем, как вода и трава;
чем дольше и глубже молчанье,
тем выше и чище слова.

*

Курю я самокрутки из газеты,
боясь, что по незнанию страниц
я с дымом самодельной сигареты
вдыхаю гнусь и яд передовиц.

*

Здесь воздуха нет, и пощады не жди,
и страх в роли флага и стимула,
и ты безнадежно один на один
с Россией, сгущенной до символа.

Не зря из жизни вычтены года
на сонное притушенное тление,
в пути из ниоткуда в никуда
блаженны забытье и промедление.

*

Тюремные насупленные своды
весьма обогащают бытие,
неведомо дыхание свободы
тому, кто не утрачивал ее.

*

Мои душевные итоги
подбил засов дверей стальных,
я был ничуть не мягче многих
и много тверже остальных.

*

Исчерпывая времени безбрежность,
мы движемся по тающим волнам,
и страшны простота и неизбежность
того, что предстоит однажды нам.

Овчарка рычит. Из оскаленной пасти
то хрип вылетает, то сдавленный вой;
ее натаскали на запах несчастья,
висящий над нашей молчащей толпой.

*

Клянусь я прошлогодним снегом,
клянусь трухой гнилого пня,
клянусь врагов моих ночлегом —
тюрьма исправила меня.

*

Ломоть хлеба, глоток и затяжка,
и опять нам беда не беда;
ах, какая у власти промашка,
что табак у нас есть и еда.

*

Я понял это на этапах
среди отбросов, сора, шлаков:
беды и боли горький запах
везде и всюду одинаков.

Снова путь и железная музыка
многорельсовых струн перегона,
и глаза у меня — как у узника,
что глядит за решетку вагона.

*

И тюрьмы, и тюрьмы — одна за другой,
и в каждой — приют и прием,
и крутится-вертится шар голубой,
и тюрьмы, как язвы, на нем.

*

Веди меня, душевная сноровка,
гори, моя тюремная звезда,
от Бога мне дана командировка,
я видеть и понять пришел сюда.

*

Я взвесил пристально и строго
моей души материал:
Господь мне дал довольно много,
но часть я честно растерял,
а часть усохла в небрежении,
о чем я несколько грущу

и в добродетельном служении
остатки по ветру пущу.
Минуют сроки заточения,
свобода поезд мне подкатит,
и я скажу: «Мое почтение!» —
входя в пивную на закате.
Подкинь, Господь, стакан и вилку,
и хоть пошли опять в тюрьму,
но тяжелее, чем бутылку,
отныне я не подниму.

Загорск — Волоколамск — Ржев — Калуга —
Рязань — Челябинск — Красноярск
1979—1980 гг.

В лагере я стихов не писал,
там я писал прозу.

ПРОГУЛКИ ВОКРУГ БАРАКА

Глава 1

Еще в самом начале века замечательно заметил кто-то, что российский интеллигент, если повезет ему пробыть неделю в полицейском участке, то при первой же возможности он пишет большую книгу о перенесенных им страданиях. Так что я исключением не являюсь. Правда, срок у меня много длинней и пишу я не только что издать не надеясь, но и не будучи уверен, что сохраню. Это дневник, хотя все виденное и слышанное я пишу в него с запозданием — спохватился уже год спустя после ареста. Впрочем, нет — оправдывается вполне и в моем случае эта давняя усмешливая констатация: появилась возможность у интеллигента — вот он и сел писать. А что еще не выйдя на свободу — это детали, частности. Когда опомнился, тогда и начал.

Ибо вполне я ощутил, что нахожусь в заключении, что еду в лагерь, что ступил на дорогу, пройденную миллионами далеко не худших людей, — уже в поезде, везущем нас в Сибирь, да и то только где-то за Уралом. После пересыльной тюрьмы Челябинска я оказался в поезде в одной клетке со своим почти ровесником, чуть постарше, много лет уже отсидевшим, ехавшим куда-то на поселение. Очень быстро мы разговорились, а вечером он вдруг сказал мне запомнившуюся фразу:

— Ты в лагере нормально будешь жить, потому что ты мужик нехуевый, но если ты, земляк, не бросишь говорить «спасибо» и «пожалуйста», то ты просто до лагеря не доедешь, понял? Раздражает меня это. Хоть и знаю, что ты привык, а не выебываешься.

Я тогда засмеялся, помню, а потом вдруг ясно и ярко сообразил, что началась совершенно новая жизнь и действительно, может быть, от многих уже в кровь въевшихся привычек следует отказаться. И тогда же решил не спешить подделываться под общий крой и самим собой оставаться как можно дольше. В тюрьме я не задавался такими мыслями, оттого, быть может, и запомнился мне тот день как какое-то важное начало.

А писать этот вроде как дневник я начал тремя месяцами позже, даже знаю, почему его начал. Недалеко от моего места в бараке на стене висят часы-ходики, неизвестно как попавшие сюда, а главное — непонятно почему не сдернутые кем-нибудь из приходящих надзирателей. И под утро вдруг проснувшись до подъема, я услышал уютный звук их мерного хода, смотрел на них долго — очень уж не вязался их мирный домашний вид с интерьером полутюрьмы-полуказармы, потом снова попытался заснуть — и услышал их звук опять, только он переменился явственно. «Ты кто? Ты кто? Ты кто?» — говорили часы. Я даже уши заткнул, надеясь, что спустя минуту услышу снова их привычное «тик-так», но ничего у меня не получилось. Так и пролежал до подъема, слушая их бесконечный вопрос, оказавшийся вовсе не случайным. Очевидно, и раньше зрела во мне жажда подумать, кто я, и вот — нашел замечательно удобное время и место для своих самокопаний. Тут я и решил делать записи, чтобы с их, быть может, помощью разобраться слегка в себе впоследствии — ибо очень ведь немало говорит о человеке то, как и что записывает он из своих текущих впечатлений. Вот посмотрю на себя со стороны, подумал я. И, как говорится, замысел свой в тот же день привел в исполнение. Не без надежды, что и читатель найдется, когда (и если) мои листки попадут на волю.

Пусть только любители детективов, острых фабул и закрученных сюжетов сразу отложат в сторону эти разрозненные записки. Ибо в них не будет приключений. Ни огня, тускло мерцающего в заброшенном доме, ни внезапных нападений из-за угла, ни щекочущих душу грабежей, ни утонченного воровства, никакой занимательной уголовщины. Кстати, и о страданиях — заранее извиняюсь — тоже мне нечего написать, ибо не было их здесь особо тяжких. Тех близких, кто на воле оставался, мне все время жалко было — это вот и впрямь тяжело. А страдать самому не довелось. Даже стыдно за свою толстокожесть.

И еще одного не обещаю: здесь и связного повествования не будет. Приходилось ли вам заметить, читатель, сколь похожи и сколь скудны все наши беседы и разговоры? Разве есть в них связная тема? Нет, мы обмениваемся анекдотами. Байками, рассказами, случаями. Притчами, историями, слухами. Приходилось мне читать, как люди некогда обсуждали ночи напролет лишь одну какую-то проблему, поворачивая ее так и эдак, приводя мысли и аргументы, доводы и возражения, даже самые анекдоты и случаи нанизывая на шампур единого развития темы. То ли наше общение стало сейчас иным, то ли слишком мы мало знаем, то есть недостаточно образованы, чтобы долго плести нить беседы, но только факт, что застольные наши компанейские и дружеские разговоры явственно и безнадежно раздроблены на короткие обрывочные монологи. То трагичные, то смешные, всякие. Нет, мы обожаем поспорить, даже пофилософствовать любим, наводя Монтень на плетень. Сохраняя только ту же череду анекдотов, перекидываясь которыми, как шариками пинг-понга, коротаем мы вечернее время и расходимся, весьма довольные, если было много новых баек. По тому, что рассказывает собеседник, мы даже судим о нем (и не напрасно) и решаем, звать ли его в следующий раз и с кем совмещать, чтобы друг другу не мешали, а стимулировали. Ибо если не будет созвучия или хотя бы взаимного немешания, то не поможет и водка, без которой вообще мы разучились общаться.

Только здесь у меня не было водки. Мы общались, чифиря — за чаем, накрепко заваренным по-лагерному: полпачки на небольшую кружку, и — по кругу, каждый по два глотка. Очень он поддерживал нас, уж не знаю насчет вреда его или пользы для здоровья. Думаю все-таки, что пользы было много более, чем вреда, ибо он стимулировал дух, он бодрил нас, чифир, а главное — он соединял нас. Ничего важнее этого я не знаю для человека в неволе.

Был я в неволе уже год. Повернулось где-то невидимо лотерейное колесо судьбы, а замшело-архаичные слова эти, если чуть поиграться ими, превращаются в судебное колесо. Что и вышло у меня буквально. Потянулось долгое следствие — я преступником себя не признавал, ибо не был, потянулись долгие дни, проводимые мной то в камерах предварительного заключения при милиции подмосковного городка, то в тюрьме, куда возили отдыхать, когда следователю я был пока не нужен. В тюрьме было много лучше: целый день играло радио, рассказывая то о новых стройках в лагере мира и социализма, то о стихийных бедствиях и безработице в странах капитала, бодрыми песнями и легкой музыкой освежая наш быт, были шахматы и много людей; легче с куревом было, и кормили три раза в день, давали книги, и по воздуху была прогулка (в такой же камере, но вместо потолка — решетка). Спали мы опять же на тюфяках, а не на голых и грязных досках, баня была еженедельно. Много было и других преимуществ, из которых далеко не последнее — водопровод и канализация в камере, а не мерзкая посудина-параша, отравлявшая и воздух, и настроение. Даже полотенце давали. Нет, настоящим отдыхом была мне тюрьма во время следствия (кстати, когда чисто вымыт, на допросах совсем иначе себя чувствуешь — полноценней, что ли, тверже и достойней, это я заметил сразу). Однажды, помню, чуть я не заплакал от обиды, как мальчишка, когда после четырех часов езды по морозу (в глухой железной коробке спецавтобуса) выяснилось, что оформлено что-то не так в моем путевом листе и в тюрьму меня поэтому не берут, надо возвращаться обратно.

А потом был недолгий и заведомый суд, и я снова увидел своих близких, сидевших в зале, и от нежности к ним, от чувства вины, что им столько за меня пришлось переживать, у меня влажно тяжелели глаза, и тогда я отводил их в сторону и все дни сидел, уставясь за окно, где бушевала, капала, текла, голубела и солнечно разгуливалась весна.

К лету ближе уже ехал я в лагерь, и почти два месяца ушло на дорогу. Одна за другой пошли камеры пересыльных тюрем и столыпинские вагоны в промежутках (бедный, бедный Столыпин — мало что его убил в театре запутавшийся еврей, еще имя его оказалось так идиотски увековечено этими вагонами, не имеющими к нему никакого отношения).

Уже в самом разгаре лета приехали мы наконец на зону. И когда нас высадили из вагона, то настолько тугой и душистый запах сибирского разнотравья оглушил меня с первой же секунды, что все те полчаса, что сидели мы на корточках у вагона, был я от этого запаха чуть ли не пьян и по-дурацки счастлив. Словно дивное меня ожидало приключение, и я прибыл уже, и вот-вот оно состоится. После был огромный грузовик (с нами в кузове и конвой, и собака), железные впечатляющие ворота — лагерь. Сбоку на здании — всюдошный, только всюду незаметный, ибо приглядевшийся, а тут видный, ибо звучащий двусмысленно, — здоровенный во всю стену плакат, что идеи Ленина живут и побеждают. А в бараке, куда нас загнали, висели два кумачовых полотнища: на одном чеховское утверждение, что в человеке должно быть все прекрасно (поразительно, как у этого ненавистника пошлости и ханжества отыскали именно это пошлое и ханжеское заявление), а также не менее затасканное короленковское, что мы созданы все для счастья, как птица — для полета. Вообще в лагере было много наглядной агитации. Был, конечно, вездесущий и знаменитый плакат «на свободу с чистой совестью», где веселый красавец держал свой паспорт точно так же, как такой красавец на плакате «накопил и машину купил» держал сберкнижку. Был даже юмор, звучавший несколько палачески, ибо плакат висел над входом в самое страшное место лагеря — в штрафной изолятор: празднично пляшущие буквы сообщали, что «кто режиму содержания не подчиняется, для того режим содержания изменяется». Но все это я рассмотрел потом.

Только тот, кто про лагерные ужасы начитался всяких книг и рассказов (слава Богу, что растет их число), тоже ни на что пусть не надеется и бросает мои записки сразу. Не было в нашем лагере ужасов. Не смертельны нынешние лагеря. Много хуже, чем был ранее, выходит из них заключенный, только это уже другая проблема. Скука, тоска и омерзение — главное, что испытывал я там. Красноярский край, граница Иркутской области, самая что ни на есть Сибирь. Поселок Верхняя Тугуша, а по железной дороге — станция Хайрюзовка, на трассе знаменитой некогда комсомольской ударной стройки Абакан — Тайшет. Лагерь здесь еще с тридцатых годов, так что много всякого подлинно страшного рассказать могла бы эта заболоченная земля (и сам лагерь весь — на болоте), но земля молчит. И молчит наш остров из опилок среди болота, и молчит само болото, начинающееся прямо за забором с колючей проволокой, и молчит угрюмый плац в середине лагеря, утоптанный многими тысячами здесь прошедших и ушедших людей. Часть их (притом огромная) ушла недалеко — кладбище нам видно из-за забора, то место, вернее, где хоронят, ибо никаких внешних примет кладбища у него нет. Оно традиционно называется номером последнего отряда — раньше было семь отрядов, и оно именовалось восьмым, а после прихода нашего этапа сделали восьмой отряд, и кладбище стали немедленно называть девятым. А бараки тянутся сбоку плаца — каменные, двухэтажные, современные. За отдельной оградой они стоят — чтобы зря не бегали по лагерю зеки, а сидели в своих загонах. Это так называемые локалки — каждый отряд должен жить сам по себе, ибо чем разобщеннее мы здесь, тем надежней в смысле дисциплины. И вообще. За нарушение — изолятор. Если застанут в чужом бараке. Ходят, правда, все равно, но немногие. И не потому, что боятся они начальства, а лишь только (или главным образом) потому, что сидит одна молодежь и повсюду, как водится у дворовой шпаны, — на чужом дворе пришельца встречают искоса. Интересно даже, что выражения типа «гусь приезжий» и «не отсюда пассажир» служат в рассказах и историях как обозначение не просто чужака, но человека заведомо обреченного — на грабеж, на избиение, на пристальное недоброжелательное внимание.

Это лагерь общего режима. Самый легкий — для сидящих по первой ходке. Есть, кто сидит и по второй, и по третьей ходке, если нетяжелым счел суд его преступление, оттого он здесь, а не на усиленном или строгом режиме. Только на самом деле общий — самый тяжелый режим и на строгом гораздо легче. Это мне объяснили давно. Потому что на общем — сопливый, агрессивный и совсем еще зеленый молодняк. Рослые и здоровые жители общего режима, возраста от восемнадцати до двадцати с небольшим, —

в полном смысле слова просто не были еще вполне людьми. Мужчинами. Человеками. Были они великовозрастные дети и играли в свои детские игры. Проявляя при этом все черты, присущие детям и подросткам: безжалостность, эгоизм, драчливость, мелкую заносчивость, ребячливое хамство и бессердечие, притворство, необъяснимую жестокость, полную готовность к драке и сваре по пустякам. Взрослых в духовном смысле слова не было среди них — я во всяком случае почти не встретил. А незрелость и избыток энергии оборачиваются такими чисто животными проявлениями, что и впрямь очень тяжко на этой зоне. Кстати, она так и называлась в разговорах зеков из других лагерей — лютый спец. Били здесь кого-нибудь ежечасно, а угрозы и сварливая перебранка, по-мальчишески вздорная, но по-взрослому опасная, просто висела в воздухе, образуя душную, затхлую, истощающую нервы атмосферу.

Некий порядок, если это можно назвать порядком, существует благодаря блатным, аристократам и надзирателям в одном лице, но это тоже порядок рабства. А еще надо всем и всюду висит безысходная слепая скука, тревожащая и будоражащая этих мальчишек, от которой они готовы делать что угодно, лишь бы не сидеть в тупом голодноватом оцепенении. Да притом еще очень хочется играть в умудренных опытом, повидавших жизнь мужчин, отчего непрерывно льется поток незамысловатого вранья о женщинах и водке, перемежаемый подначками, руганью и ссорами.

Поселили вновь прибывших не в бараках (лагерь зеков на шестьсот, навезли нас втрое больше), а загнали в клуб, где кино на время отменили. Клуб легко вместил наш отряд, только узкие остались проходы между тремя рядами наскоро сколоченных нар.

На промзоне, где предстояло нам работать — благо, рядом она была, — делали шпалы, барабаны для кабеля, дощечки для упаковочных ящиков и прочую нехитрую продукцию из огромных могучих лиственниц, подвозимых сюда с лесоповала.

Нет, не сразу я освоился здесь. Очень многое не то чтобы испугало и пригнуло меня, но скорее до отчаяния и тоски расстроило. Та жестокая и бездумная мальчишеская задиристость, о которой я уже говорил, — странно сочеталась в моих новых соседях с очень взрослой, дремучей, старокрестьянской прижимистостью и злобной скаредностью. Часто очень трудно, к примеру, становилось на зоне с табаком. И табак превращался сразу в некую ценность, вокруг которой собирались компании, объявлялись приятели, оценивались связи. Голая и неприкрытая корысть — не на золоте основанная, а на табаке! — поселялась в наши отношения. И впервые в жизни я вдруг совершил страшный и странный грех: неожиданно для себя сказал однажды, что закурить у меня нечего, хоть махорка еще была. Он спокойно повернулся и отошел, маленький слесарь Валера из Владивостока (покуривал опиум с приятелем, донесла теща, три года), он уже привык к отказам, он прекрасно знал, что табак у меня есть, но его нравственное чувство никак не было возмущено или даже задето моим отказом. Ибо он и сам поступил бы так же, просто очень хотел курить, не дали, вот и все, никаких проблем. Он давно уже от меня отошел, а я все еще стоял, вспотев внезапно, покрасневший, в невероятно омерзительном состоянии. Нет, не стыдно за себя — мне страшно стало, что по этой вот наклонной плоскости я легко покачусь и дальше. И я кинулся искать Валеру. Никуда он, конечно, деться не мог, и я вмиг его нашел на нашем крохотном дворике-загоне. Это первые были самые дни, нас держали еще в карантине, в так называемой этапной камере — было там, наверно, коек шестьдесят, так что наши полторы сотни умещались запросто, на полу вповал, тесно прижимаясь друг к другу. И такой же был рядом дворик, отгороженный от зоны забором. Валере сунул я махорку, что-то жалкое и невнятное бормоча, что достал, дескать, что забыл, что вот, пожалуйста, бери и подходи всегда. Он ее у меня взял, никакого удивления не выказав, тут же протянулся ко мне еще десяток рук, и в минуту я остался без курева.

Ах, дурак! И я тут же остыл от своего раскаянного порыва. Ну, а что я буду курить через час? Завтра? А еще через неделю? Нет, на неделю все равно бы не хватило. Очень долго я в тот день раздумывал, как вести себя впредь и далее и как разум, диктующий жлобство и скрытность, примирить с душой и совестью, привыкшими... погоди-ка, милый друг, к чему привыкшими? Только к тому, что ты щедро всю жизнь делился, отдавая нечто, что не обездоливало тебя самого, а здесь речь идет о последнем и трудно восполнимом. Это уже, брат, не филантропия, а потяжелей и посерьезней. И еще: отдавать ты будешь людям случайным и неблагодарным, кои сами с тобой так никогда не поступят. И поймут тебя, кстати, не обидясь, если будешь воздерживаться и ты. Ну, подумай-ка, подумай еще.

Я подумал и решил отдавать. Просто мне это было легче и проще. И до той поры так поступал, пока не узнал, что меня за глаза именует кто-то «профессором», только в такой тональности, как говорили бы «блаженный», знай они это слово. Тут я обиделся и стал поступать по настроению. Каждый раз мучаясь, когда проявлял жадность и зажимательство, и не менее того сожалея, когда расщедривался, как на воле.

А потом я не заметил и сам, как прижился и обжился на зоне. Просто лето очень быстро промелькнуло. И вот тут-то, к осени уже, втемяшилось мне это с дневником. Очень жалко мне стало вдруг, что сотрутся, забудутся впечатления — и от следственных трех тюремных камер, и от пересыльных пяти, и в «столыпинах» дни и ночи забудутся, и впустую вроде канут все встречи. И на зоне были разные разговоры, ибо скоро я оброс собеседниками. Я общался очень много с Писателем, тоже москвичом, белой здесь вороной такой же. Он писал какие-то книжки, о которых разговаривал неохотно, что писателям, похоже, несвойственно, а однажды был приглашен — с почтением — сотрудничать с лубянскими доброжелателями. Очень он был нужен им, потому что с кучей интересных людей общался тесно, а Всевидящее Око о них знать хотело поподробней. Отказался наотрез и безоговорочно. «И вот я здесь», — говорил он, совершенно этим, кажется, не огорченный. Очень жадно на все смотрел он и расспрашивал. Собирался, должно быть, бедолага, что-нибудь из увиденного потом художественно описать. Один зек хорошо ему сказал:

— Если у тебя, Писатель, про нас книжка честная получится, то ты сразу просись на эту зону, здесь прижился, легче будет новый срок тянуть.

После появился Деляга. Это инженер, институт закончил, но главное — заядлый коллекционер. Собирал он иконы, а подсел за покупку нескольких штук краденых, те же воры его и посадили, что украли иконы эти, привезли их ему и продали. Явление редкостное, чтобы воры сажали своего же собственного покупателя, но те были на него злы, что он их из дому выгнал, догадавшись как-то, что они сбывают краденое. «За такую подлянку этим сукам нож полагается по добрым старым обычаям», — сказал Костя, человек опытный и неболтливый.

А в санчасти жил Юра, или Лепила (общее на фене название для фельдшеров или врачей), хирург из Норильска. Молодой, взбалмошный и азартный. За то и сел по статье о жульничестве. А из тех, чье имя я до поры не называю (по причине простой и веской), был Бездельник — я люблю его больше всех. Он писал стихи, и уже две книжки его вышли за границей. «Такие сборники дерьмовые вышли, — говорил он беззаботно и не грустя, — даже как-то обидно за них срок отбывать. Видно, есть что-то ущербное в моих стишках — ни здесь они не нужны, ни там. Хоть зарежься». Его постоянный оптимизм и внезапно вспоминаемые байки — много раз мне жизнь облегчали в лагере.

— Красота, когда в чрезмерном количестве, — очень может оказаться вредна, — сказал он мне как-то назидательно, когда я несколько часов читал, не отрываясь, при слабом свете, и к вечеру у меня глаза опухли, и круги перед ними плыли, покачиваясь. У его знакомых домработница была, и однажды летом она рассказывала — Бездельник слышал — своим приятельницам об их коте, оказавшемся после пыльного города на природе и слишком жадно окунувшемся в ее радости. Васька-то, говорила домработница, этих всяких насекомых жрал, жрал, а под вечер гляжу: сидит возле дачного крыльца, и рвет его, бедолагу, так и рвет. И все, представьте, — бабочками, бабочками.

Очень мне жить помогло общение с этими людьми, разговоры их, подначки, споры, ибо давно было замечено и сказано, что без привычной человеку среды он неуклонно превращается в Пятницу. У меня эта среда — была.

Мы работали в общем-то немного. Не было каторжного труда. Сказывалась перегруженность лагеря, и промзона всех работой не обеспечивала. Да еще когда пошли дожди, то и дело не могли сквозь грязь пробиться, застревали тяжелые лесовозы. А то строили новый барак, на промзону нас не выгоняли, а в жилую — не подвозили материалы, и мы целыми днями отсиживались за полусложенными стенами нашего памятника лагерной архитектуры. И если многих молодых эта незанятость мучительно томила, то Бездельник ею искренне наслаждался. Мы часами бродили вокруг этого недостроенного барака, и все наши сумбурные разговоры захотелось мне тоже записать. Но с чего начать, не знаю. С давнего бы надо, с уплывающего, чтобы окончательно не стерлось. Но уже не сегодня. Не получится. Я пишу это в каптерке у приятеля, а ему пора ее закрывать.

* * *

Тюрьмы отличаются друг от друга приблизительно так же, как семьи, в которые ходишь в гости: атмосферой своей, кормежкой, всем набором ощущений, что испытываешь, в них находясь. На всю жизнь я запомню тюрьму в Загорске — и не только потому, что она была первой в моей жизни. Расположенная в здании бывшего женского монастыря (а другие говорили о женской тюрьме при монастыре, третьи — вообще о гостинице для приезжающих в Троице-Сергиеву лавру), поражала она своей на века могучей кладкой стен, сводчатыми потолками, и была она страшной по режиму. Кормили в ней скуднее всех тюрем, в коих мне довелось впоследствии побывать. Это после нее во всех тюрьмах просыпался я тревожно и лихорадочно от лязга ключей в замочной скважине — потому что при каждом обходе любого из надзирателей (а на нашей фене — дубака) надо было вскакивать всем и выстраиваться, а дежурному — рапортовать, что в камере такой-то столько-то человек и что все в порядке. Задержался на нарах — уводили и били. Молодые, совсем зеленые прапорщики и лейтенанты, румянощекие и чистоглазые юнцы. И кошмарно яркая лампа день и ночь горела в крохотной нише, густо побеленной и отсвечивающей поэтому, как рефлектор. Помню, как чуть позже переведенный в тюрьму в Волоколамске, я лежал, когда погасла дневная лампа и загорелась слабая ночная, и блаженно улыбался полумраку, казавшемуся дивным отдыхом.

В эти дни как раз в газетах писали, какому жуткому поруганию достоинства был предан Луис Корвалан в его чилийской тюрьме: ему три дня подряд не гасили в камере свет.

И режим был гораздо легче в Волоколамске — можно было, например, запросто «подкричать на решку» — перекликнуться со знакомым через решетку — слышно было камеры через две в сторону или вверх-вниз на этаж. Мы в Загорске и подумать о таком не могли. Но зато Загорская тюрьма была показательной — я потом об этом узнал, — и ее хвалили на совещаниях. А кормили там хуже, чем везде, я семь тюрем проехал после суда, добираясь до далекого сибирского лагеря. Жидкий суп без капельки жира мы съедали торопливо и жадно, всего чаще это была уха, только плавали в ней одни скелеты и головы — рыбок отбивали перед варкой, и все мясо сваливалось с них. А потом разливали второе в наши миски — теплую жидковатую мешанину из протухшей капусты, почерневшей свеклы и картофеля, изъеденного каким-то картофельным недугом. Есть очень хотелось, но есть это никак было нельзя. Ковырнувши ложкой пару таких гнилых кружков, мы выбрасывали второе в парашу. Оттого и хлеб, как бы ни был он похож на глину, мы съедали весь еще днем, чтобы затравить голод. А стояло на дворе — начало осени, и тревожили нашу еще свежую память мысли об огурцах, помидорах и картошке, политой маслом. Разговоры о еде, впрочем, были под негласным запретом. А на ужин опять была такая же уха или каша из крупы, никому неведомой на воле. После кто-то опознал в ней перловку, но и тогда я не нашел сходства с перловкой, что доводилось мне есть раньше. Полбуханки хлеба никому почти не удавалось дотянуть до вечера, но, по счастью, был у нас хоть табак. Что такое голод без курева, мне довелось узнать несколько позже. Очень много все-таки крали у нас в Загорске из тех тридцати семи копеек, что нам в день полагалось на еду. Тридцать семь копеек на воле — это буханка чёрного хлеба и пачка дешевых сигарет, это фантастически мало, но кормить на эти деньги можно — в этом я убедился в последующих тюрьмах, где уже не голодал. Потому что на рыбьих скелетах там бывала еще часто рыбья плоть, потому что на второе давали непременную кашу, потому что какой-то жир ощутимо и явственно попадал все же нам в еду.

Но зато именно в Загорске приобрел я свой первый опыт самого, быть может, страшного из того, чему учат тюрьма и лагерь: что в себе надо силой давить сострадание и сочувствие, что нельзя ни за кого заступаться. Чуть попозже, в Рязани, где сидели в камере скопом люди с общего и усиленного, строгого и особого режимов, довелось мне дня три пообщаться с интеллигентным средних лет ленинградцем, ехавшим на поселение. Ожидая этапа, встретиться на воле мы не договаривались, хотя очень этого хотелось обоим, но еще впереди были годы, а он знал, как меняет людей лагерь, и молчал, не прося у меня адрес, молчал и я, полагая, что не стоит навязываться. Однако же о будущем моем он, очевидно, думал, ибо как-то на прогулке отвел он меня в сторону, закурил и сказал как нечто очень-очень важное:

— Старина, посидевшие на зонах различают людей насквозь, ты еще научишься этому. А пока ты наивен, как щенок, несмотря на свои сорок пять, седину и возвышенное образование. Ты в лагере наверняка приживешься, и друзья у тебя будут, и приятели. Об одном только, с тобой пообщавшись, я хочу тебя сразу предупредить. Ты неизлечимо болен очень редкой даже на воле болезнью — ты ко всем суешься с добром. А на зоне это не просто глупо, это опасно.

Добро можно делать только в случае крайней необходимости, а по возможности — совсем не надо делать. За него тебе добром не отплатят, в лучшем случае — ничем не отплатят. Чаще — злом. Оно возникает само и ниоткуда. Ты меня сейчас не поймешь. Поверь. Я на воле жил, как ты. Но воспитался. Знаешь, на блатной фене есть замечательное выражение: попасть в непонятное. Еще не слышал? Ах, слышал. Так вот ты все время в него будешь попадать. Не суйся! Ты не веришь мне сейчас, я знаю. Только слушай, неужели ты еще ни разу в тюрьме в непонятное не попадал?

Попадал. Просто я не сказал ему об этом. В первый месяц в Загорске. В нашей камере было восемь шконок (это узкие нары на одного), а сидело нас пятнадцать человек — спали на столе и на полу. Помещались. Много было блох и клопов. Ловили. А у рослого симпатичного парня Мишки красная шла сыпь по всему телу — нервное что-то, как он нам объяснил, и его каждый день водили в санчасть мазаться. Он сидел за какую-то драку: то ли он соседа побил, то ли целую семью соседскую — так обычна была его история, стольким давали срок за пьяную стычку, что забылось всеми немедленно все, что он рассказал. Но однажды, уже с месяц спустя, принесли ему обвинительное заключение — скоро предстоял, значит, суд. Покажи, пристали к нему в камере, все показывали друг другу эти данные предварительного следствия, представляемые в суд. Называли их не иначе, как объебон. Покажи свой объебон, пристали к нему, а он категорически отказался. Завтра, сказал он хмуро, сегодня сам буду читать. Завтра так завтра. Но наутро этих листков не оказалось, только последний самый, где перечислялись вызванные в суд пострадавшие и свидетели. Были там перечислены пять или шесть женщин, а он, помнится, рассказывал о пожилом соседе. (Пожилом — это значило, что моих лет, молодые все сидели в камере парни.)

Коллектив нашей камеры возмутился громко и единодушно — все показывали свои объебоны, что могло там быть такого особенного? Потом затих общий галдеж, но тишина — самая опасная в тюрьме атмосфера. Переглядывались, перекидывались односложными словами в его адрес. Он отмалчивался и лежал на своей шконке, отвернувшись к стене лицом. Он еще сказал всем, что ночью отдал эти листки надзирателю. Но зачем? Это явная была и раздражающая камеру ложь. И когда его вызвали мазаться, двое твердо сказали, что сейчас они будут его бить, когда вернется. Чтобы знал, как нарушать традицию полной открытости любых бумаг по делу. Нет, о самом деле ты был вправе говорить кратко, в камере вполне могли быть подсадные утки, это на личное усмотрение каждого оставалось — устная откровенность, но бумаги — их никто не скрывал. Да и что в них было скрывать, в казенных бумагах? Скажет, мрачно говорили эти двое, подзадоривая на расправу и остальных. Разворотим харю, опустим почки — скажет. Поддержали их все. Кроме меня. Здесь всего скорей, честно сказать, сыграла роль моя неприязнь к двум этим типам, подмосковным полуспившимся бичам, игравшим сейчас в камере бывалых преступников, рьяных блюстителей тюремных традиций. А больше всего на свете я всегда не любил блюстителей. Чего бы то ни было. Даже самого что ни на есть хорошего. Ибо блюстители с непременностью опошляют и пачкают все, что усердно и добровольно защищают. И поэтому я сел на своей шконке и сказал, что только через меня. Что я бить его никому не дам. Не хотел он, вот и не показал. Не обязан. Вы обижены? А здесь обиженных ебут, это главная тюремная поговорка, вы мне ее сами рассказали. А наказывать Мишку — не за что, и не наше это дело — радовать ментов нашей дракой. Что-то в этом роде патетически сказал я тогда, упреждая назревавшую расправу. (Очень после страшно стало, только было уже поздно отступать.)

Камера хорошо ко мне относилась, и еще два дня этот Мишка, ни с кем не разговаривая, пролежал на своей шконке небитый. Только эти двое ворчали изредка и косились на меня, я же полон был, признаться, самодовольства, что не дал побить человека. А на третий день с утра его вызвали (по фене — дернули) из камеры, чтобы везти в суд, он ушел, ни с кем не попрощавшись, и почти сейчас же мой сосед и приятель выкрикнул голосом Архимеда:

— Мужики! А я знаю, по какой он статье. Он же по сто пятнадцатой, подонок! Вот почему там одни бабы!

И немедля, как бывает только в жизни и в плохих кинофильмах, надзиратель отомкнул нашу дверь и сказал ворчливо:

— Ну, ушел же, конечно, я ведь видел. Я в санчасти говорю: увезли на суд, а она говорит — не может быть, еще два укола осталось.

— Какие два укола? Он же мажется чем-то, гражданин начальник, — спросил кто-то из нас.

Коридорный посмотрел на него презрительно и сказал:

— Деревня! Кто же от сифилиса мазью мажется?

И добавил, нашим изумлением польщенный:

— Шестерых еще наградил, сукин сын. И даже собственную бабу.

И захлопнул дверь, что-то снова буркнув о врачихе. Все молчали и смотрели на меня. Я тоже молчал ошеломленно.

— Твое счастье, Мироныч, — хмуро и зло сказал мой сосед, — что ты — это ты, а то дали бы тебе сейчас оторваться, искал бы пятый угол до вечера.

— Что же они, суки, делают, как же его можно было к нам сажать, это же уголовное преступление по той же статье, — бормотал я, чтобы хоть что-нибудь говорить.

— А вчера и позавчера мы с ним все из одной кружки пили, — сказал кто-то.

— Да не убивайся ты, Мироныч, — добродушно сказал сосед. (Спасибо тебе, дружище, где ты, интересно, сейчас. Ломилось тебе лет восемь. Пьяный напарник вез тебя, пьяного куда сильней, на вашем тракторе, раздавил стоявший «запорожец» с мужем и женой, а тебя, когда все это увидел и отрезвел, посадил на свое место.) — Не убивайся. Мы с ним почти месяц сидели, на три дня бы раньше узнали — какая разница? А они и вправду суки. Подумаешь — тюрьма переполнена. Положили бы в санчасти где-нибудь. Им, козлам, плевать на нас. Пронесет, Бог даст, не заразимся.

Все в камере загалдели возмущенно, стали обсуждать, куда жаловаться и что за это будет (им, жалобщикам, а не начальству, с этой механикой уже все были знакомы), а я очень долго молча сидел и курил, обдумывая свой первый в заключении опыт соблюдения справедливости.

Грустная мудрость того встреченного ленинградца оправдалась на зоне, где один за другим были мне преподаны чрезвычайно наглядные уроки. Их героем оказался Писатель, я смотрел со стороны и ужасался — как бы это выразиться точней — краху гуманистического сознания. Нет, никаких особых трагедий не было, просто с четкостью взводимой пружины срабатывала логика непременного наказания за добро. Отвечая той же мерзостью, что сменила гибельный кошмар былых лагерей грязным растлением человека в лагерях сегодняшних. Было так.

У отряда нашего был завхоз, тоже зек, здоровенный мужик из Красноярска, бывший таксист, севший за кражу двух ковров. Эта странная фигура — завхоз (ибо не было никакого хозяйства в отряде, кроме нас самих) — просто старший зек в отряде зеков, тот рычаг, которым нами управляли, и тот кнут, которым нас погоняли, первый исполнитель воли и прихоти лагерного начальства. Одновременно следовало ему быть цепным псом и не забывать при этом, что тоже зек, чтобы после, а то и прямо в лагере не получить внезапно ломом по голове — очень распространенный вид воспитания любых лагерных активистов. Было у нас восемь отрядов (кладбище называлось девятым), и очень по-разному вели себя их завхозы, одинаково явно заботясь только о своем будущем. Наш был самым оголтелым псом — думаю, что просто по глупости, коей был наделен очень щедро. Его круглая большая голова с совершенно круглыми бараньими глазами (никогда ранее не видел я таких действительно скотских, неподвижных и тупых огромных глаз, только без влажной грусти, что всегда теплится в глазах животных) то и дело мелькала в бараке нашем, где всевластный он был хозяин. Бил он зеков по малейшему поводу, а проснувшись — когда не в духе, — без повода, и боялись его смертельно. Это он в значительной мере был причиной того общего душевного угнетения, что царило у нас в отряде с самого начала, превращая начинающих зеков в отупевшие бессловесные создания. Одной из его первых затей была команда никого не впускать в барак до отбоя, а как раз пошли дожди, похолодало, и продрогшие, мокрые жались зеки у дверей, даже после работы лишенные возможности отогреться и обсушиться. Ни в одном из отрядов такого не было. А Писателя как раз назначили культоргом, странная эта должность кем-то была придумана для показухи самоуправления зеков. Даже был такой балаган, что пришел офицер и предложил отряду самому выбрать культорга (завхоз — тот просто назначался), но при этом сразу назвал фамилию того единственного, которого начальство утвердит. Так что это были настоящие демократические выборы с голосованием и протоколом всеобщего единодушия. Кстати, и в бригаде каждой был культорг — этот явно и просто должен был помогать бригадиру, принуждая нас работать, отчего и брались в культорги (уже сам бригадир себе присматривал) кто пожестче и поздоровей (так что организаторами культурной жизни оказывались, как правило, могучие дебилы), а отрядный культорг — тот был заместителем завхоза. Хочешь — тоже бей, как он, хочешь — тоже набери себе шестерок посильней, только чтоб в отряде был порядок и тишина.

Так что Писатель попал в культорги случайно — по формальному признаку, что образован, да и пробыл им всего две недели, ибо в первый же час исправления своей должности сказал завхозу, что людей надо пускать под крышу в непогоду. Потому хотя бы, что ведь и скотину пускают, а тем более во всех отрядах принято, что, когда свободен, можно находиться в бараке. Был как раз день, когда лил дождь с утра и пронизывающий дул холодный ветер хиус, и казалось сумасшествием выгонять людей на улицу, как это делали сейчас шныри (дневальные, дежурившие по бараку), ибо собрание уже кончилось. Завхоз, естественно, ответил новоиспеченному культоргу, чтобы тот не лез в чужие дела.

— Я тогда вынужден пойти к дежурному офицеру, — сказал Писатель.

— Ты хоть на хер иди, а будет по-моему, — сказал завхоз. — А в культоргах тебе не жить. И пойдешь горбатить на промзону. Мокрых бревен еще таскать не приходилось? Давай, иди к офицеру.

Тут Писателю ничего и делать не оставалось, ибо выбор ему предлагался простейший, вековечный, человеку всегда и всюду предстоящий: человеком оставаться или при должности. Оставаться самим собой или сдаться, обвиняя время и обстоятельства, но зато на прекрасном теплом месте (и от работы культорг отряда освобожден). Зона вообще интересна тем, что обнажает догола, снижает до простейшего варианта очень многие узловые проблемы бытия, здесь ты можешь исповедовать любое мировоззрение, только не словами, что пусты здесь, а поступком.

Победили прочитанные книги, победило то спасительное нечто, что задавливало в себе большинство, чтобы жить на зоне было легче. И Писатель поплелся к офицеру, ища поддержку своему сочувствию зекам.

— Вполне в такую погоду можно пускать в барак, — сказал встреченный им лейтенант с испитым, но не злым лицом. — Я скажу сейчас. Не пускает кто? Дневальный?

Писатель что-то промямлил нечленораздельное, очень уж не хотелось жаловаться на этого барана, тоже зека, хоть и подонка. А не пускал действительно дневальный — только по приказу завхоза и боясь его кулака.

— Что же ты, сукин сын, людей под дождем держишь? — обратился лейтенант к дневальному.

Шнырь этот, здоровенный тоже детина, только с мягким лицом семейного баловня, сидел за грабеж — отобрали у кого-то бутылку, потому что не хватало самим. Три года. Лучше его было бы высечь и отпустить, здесь этот маменькин сынок на глазах превращался в лагерного блатного, в неминуемого будущего преступника, только настоящего уже, а не бутылочного масштаба. А пока что ему очень нравилась возможность безнаказанно бить.

— Кто не пускает в барак? — сказал подобострастно дневальный. — Я, что ли, гражданин начальник?

И спокойно обратился он к сгрудившейся толпе заключенных, мокрой и окоченевшей толпе:

— Я кого из вас не пускал? Тебя? Или тебя? Нет, ты скажи — я тебя, что ли, не пускал? — он поочередно обращался к стоящим впереди, а они, к ужасу и стыду Писателя, опускали глаза, молчали, отводили взгляд в сторону, пятились назад.

— Нет, ты мне скажи — тебя? — наседал шнырь, распаляясь праведной обидой. — Кто же это вам наплел, гражданин начальник?

— Когда холодно и дождь, можно пускать, — сказал лейтенант брезгливо, недосуг ему было разбираться. Повернулся и ушел, скользя по размытой глине плаца для построений. А Писатель стоял, как оплеванный, а за шнырем стоял завхоз, усмехаясь, и стояли молча зеки вокруг, и никто не осмеливался войти.

— Мерины вонючие, настучали, — сказал шнырь громко. Он всего неделю назад был такой же, как они в этой толпе, но уже он поднялся на ступень по крутой лестнице лагерной иерархии, и уже он был совсем другой, и уже его следовало бояться, и невероятно сладостно ему было чувство, которое он теперь внушал, и то право, которым он теперь обладал. Ибо, кроме права бить, он еще назначал, кому мыть сегодня полы, а полы были в бараке обширные и донельзя грязные, естественно. А завхоз молчал торжествующе и величественно. И Писатель, постояв секунду, ушел. Не хотелось ему идти в барак, хотя он туда входил, когда хотел. И прилечь он мог поспать, когда хотел, — и всего только молчанием заплатить. Означающим согласие и сотрудничество с этим вот назначенным бараном. Как они выискивают таких? Безошибочно, быстро, наверняка. Только вот с Писателем ошиблись, гипноз образования ослепил их. Но вольны исправить ошибку. И плевать. Но зеки-то хороши. Сволочи. Бедняги затравленные. Вот на этом все и держится здесь. А, да разве только здесь? Это все уже Писатель говорил подошедшим вскоре Бездельнику, Деляге и мне. И душа его прямо на глазах отходила и оттаивала, просто-таки светлела с каждой минутой, ибо срабатывала привычка анализировать и обобщать, а утоляемая привычка — это же и есть радость в ее чистом виде, так что уже не о поражении своем и не про обиду он рассуждал, а о потрясающе ярком факте. Ибо в сущности — повезло ведь неслыханно, если правильно рассмотреть происшедшее.

— Как воочию убедился я сегодня в правоте этих засранцев англичан, — бормотал нам Писатель торопливо. — В самом деле, всякий народ достоин своего правительства. На какой же крохотной модели это ясно видно!

— Ваша склонность обобщать, сэр, делает вам честь, но может завести гораздо дальше, чем вы находитесь сейчас, — благодушно сказал Бездельник.— Из культоргов ты вылетишь на днях. Но неважно. Потому что я в тебе уверен — ты и в рядовых зеках сможешь попасть в непонятное. Ибо в тебе эта склонность не угасла. А как говорит моя теща, вообще никакое добро долго не остается безнаказанным. Очень уж ты, брат, гуманитарий. Это я тебе как зек говорю. Набирающийся опыта зек.

— Я и добро отныне несовместны, — сказал Писатель с патетикой провинциального трагика. Было видно, что он уже отошел. А потом мы еще и чифирнули. Интересно, подумал я, вспоминая того провидца с пересылки, — будут еще какие-нибудь уроки?

Не прошло с этого дня и двух месяцев. Хотя завязка была намного раньше. Дело в том, что, сюда приехав, кинулся Писатель в библиотеку, вожделея, как молодой любовник. И вернулся темнее тучи. Ничего, просто буквально ничего не было в этой крохотной комнатушке. То есть книг-то было штук двести: биография Ленина и воспоминания о нем, толстые тома белиберды о преимуществах социализма и пособия трактористам, слесарям и штукатурам. И газеты, дней на десять опаздывая, здесь укладывались в ровные стопки. Вот и все. А считалось — библиотекой. Как потерянный, бродил в тот день Писатель, утративший надежду на чтение. Ибо хоть что-то привычное должно оставаться человеку, чтоб и он человеком оставался. Так что с этой точки зрения, как Бездельник не преминул заметить, прижигая йодом душевную рану друга, лагерная библиотека пуста не случайно, а естественно и закономерно. Чтобы никаких поплавков у души, сюда попавшей, не осталось. Это, правда, была идея слишком тонкая, ибо ранее когда-то книги были, но их все растащили офицеры, как потом нам объяснил библиотекарь, севший за аварию деревенский шофер. Хуже, что и личных книг здесь почти ни у кого не было — вчерашние трактористы, слесари, плотники и монтеры сразу после школы бросили читать книги, появились у них иные (и куда острей) забавы.

И тогда пошел Писатель (не отряхнув с себя прах былой наивности, как выразился Бездельник) прямо к заместителю начальника лагеря по политической и культурно-воспитательной работе (так он именовался) с превосходной (по мнению Писателя) и простой идеей: он, Писатель, напишет своей жене, а та пришлет на адрес лагеря (а не мужу лично) три-четыре книжные посылки (зеку полагается на общем режиме одна посылка раз в полгода, но только после отбытия половины срока). Книги эти Писатель сразу и заведомо дарил лагерной библиотеке, а так как известно, что литература (издаваемая, разумеется, у нас) непременно сеет разумное, доброе и вечное, то и зекам эти несколько десятков книг скрасят жизнь и послужат перевоспитанию. И получил в ответ Писатель вполне благожелательное согласие. Где-то через месяц вызвали его в штаб лагеря, и принес он, веселясь и торжествуя, груду книг из собственной библиотеки. Их немедля расхватали читать, и приятно было (и смешно) смотреть, как нескрываемо радовался Писатель, на это глядя. И во что-то сам уткнулся, и наш треп почти забросил, и шахматы. Книги были средненькие, признаться, но уже ему жена написала, что купила кучу только что вышедших и послала новую посылку.

Прошло два дня всего, как у нас появилось чтение, и Писателя вдруг выдернули в штаб. Никогда ничего хорошего эти вызовы для нас не означали. После сразу объявились мудрецы, задним числом клятвенно утверждавшие (век мне свободы не видать!), что предвидели такой оборот, но нельзя было такое предвидеть. В штабе Писателя немедленно провели в оперативную часть.

Я уже предупреждал тебя, читатель, что не будет здесь красивых ужасов — только мерзость монотонной бессмыслицы, глупой и по-глупому жестокой, опишу я тут, как сумею, поручившись лишь за полную достоверность всех моих свидетельских показаний. Да нарочно такое и не придумаешь.

В кабинете сидело человек пять — это была зловещая комната, били обычно здесь. Заместитель по режиму капитан Овчинников сидел, поигрывая связкой ключей. Их зажав в кулаке, внезапно наносил он первый удар и почти всегда сбивал с ног, остальные били сапогами. Все они сейчас были тут. Среди них и инспектор политчасти, что присутствовал сам при разговоре, когда Писатель договаривался о посылке. Красное, всегда воспаленное лицо Овчинникова было сейчас свирепо донельзя. Очень страшная была рожа у этого тридцатилетнего капитана, ярого вымогателя денег у зеков, идущих на свидание с родными. Делал он это обычно через своих доверенных лиц, но не брезговал требовать и лично, угрожая, что в противном случае человек сгниет в изоляторе. Это было вполне в его власти, а что сгнить в изоляторе легко, знала превосходно вся зона, ведь не зря лагерь целиком стоял на болоте.

— Ну ты, хуета, — сказал Овчинников сорокапятилетнему Писателю, — что за книги ты заслал на зону?

Был отчетлив в его зловещем «заслал» отзвук будто бы идейной диверсии, совершенной злокозненным врагом.

— Обычные книги, — пожал плечами Писатель. — Современные. Советских изданий. А потом — договаривался с политчастью. Это подарок библиотеке.

— И, конечно, книги разошлись уже по отрядам? — спросил инспектор политчасти, деревянный какой-то, малопонятный капитан Коломыцев, никому не делавший добра, но и зла, надо сказать, не делавший тоже.

— Нет, — сказал Писатель, — они все у нас в отряде. Читаются.

— Ну-ка быстро их тащи все сюда, — вдруг взорвался Овчинников, привставая. — В изоляторе я тебя сгною. Мухой чтоб летел за книгами!

Книги собирали молча, быстро и недоуменно — в воздухе висел страх и непонимание того, что происходит. Лагерная метафора, образ «попасть в непонятное» был сейчас удивительно буквален и точен. Ведь нормально за такое благодарят. Собранную груду книг Писателю помогли донести до штаба, сам он ронял то одну, то другую книгу. В оперчасти его встретили враждебным молчанием и сейчас же набросились на принесенную охапку этих кораблей мысли (кажется, Монтень их так назвал). Стало все чуть ясней, когда инспектор Коломыцев, быстро перехватив с десяток книг, чуть разочарованно сказал:

— Нет, ничего такого нету.

Все расселись по своим местам, и уже почти спокойно, только недружелюбно до крайности глядя на Писателя, капитан Овчинников спросил его:

— Зачем ты это сделал?

— Но на зоне нет книг, — беспомощно ответил Писатель, — я хотел подарить сюда книги, чтоб читали.

— Зона что же — нищая и не может купить сама? — спросил капитан.

— Очевидно, может, — сказал Писатель. — Только книг ведь нет. И потом я же в подарок, из своей библиотеки.

— Нам не надо твоих подарков,— зло сказал капитан.

— У меня жена работала в музее Пушкина несколько лет, — сказал Писатель. Он уже чуть оправился, но было все равно еще очень страшно — и от непонятности этой злобы, и от всевластия тех, кто злился. — И музей Пушкина получает в подарок экспонаты со всего Союза. (При чем тут музей? — с ужасом подумал он.) Что же тут особенного — лучше ведь пускай читают, чем сидят на бревнах, когда свободны.

Он хотел еще добавить, что колония по названию исправительная и что лучшего, чем книги, он не знает для целей исправления, но сообразил замолчать.

— Это нам поручено знать, что лучше, — гневно и презрительно сказал Овчинников, и рука его крепко сжала ключи. — Иди. Я не буду тебя наказывать. А все книги мы отошлем обратно. И еще посмотрим, за чей счет.

— Можно за мой, — сказал Писатель. — Пожалуйста.

И таков был, интересно, наш общий страх, что мы прекрасно понимали Писателя, когда он рассказывал нам, что совсем не обиду он испытывал, выходя из штаба, и не злость на этот взрыв самодурства, а огромное душевное облегчение, что все выяснилось и не обернулось хуже. Тон начальства и сама атмосфера были такими, что худшего следовало ожидать.

— В чем тут дело? — спрашивал Писатель вечером, когда мы, раздобыв заварку, чифирили. — Ну решили они, что я получил какие-то злокозненные книги из какой-нибудь враждебной разведки. Идиоты могли решить именно так. Взял, мол, и заслал пропаганду. Хотя все книги видел замполит, когда получал посылку. Убедились теперь сами. Но откуда такая злость? Я ведь и не требовал благодарности, хотя мог ее ожидать. Но откуда этот взрыв негодования? Достоевского сюда бы хорошо, это явно что-то темное с их психикой.

— Почему же? — возразил Бездельник. — А по-моему, очень ясная логика и простой душевный порыв: да, мы нищая зона, и нам не на что купить книги, но пускай этот жид из Москвы не выебывается со своим благородством.

— Думаю, что так, — сказал Деляга. — И не надо усложнять их души. Темноты там много, но несложной.

— А быть может, — сказал Писатель, после пережитого страха вновь вернувшийся к склонности усложнять, — это в них говорит вообще вражда к книгам?

— Да навряд, — усомнился кто-то. — Книги-то у всех у них есть. И библиотека здесь была, но раскрадена. Ведь они же ее разобрали, мне библиотекарь говорил. Просто он боится им напомнить. А они еще берут почитать, если что-нибудь у нас видят. Уж не знаю, читают ли, но берут. Потому и книг на зоне нет. А попадают.

Он был прав — не помню кто, сказавший это. Потому что книги эти так и не вернулись домой к Писателю, офицеры растащили их по домам. А вторая пришедшая посылка — сразу была отправлена обратно. Без единого какого-нибудь слова. Много позже написала об этом жена Писателя. Тоже спрашивала — в чем тут дело? Только он ей объяснять ничего не стал, потому что письма с некоторых пор мы писали очень сдержанно и ни о чем. Тут сказался урок Бездельника — он попал в непонятное из-за писем. Только это уже — другая история.

А пока мы отучались от того, чему нас учили всю жизнь: от стремления безоглядно спешить с добром. Преуспеет ли зона в своих уроках? Пока не знаю. Очень этого боюсь, признаться. Ибо ясно вижу, что намного осмотрительней сделался я в порывах, ранее машинально мне присущих. Что сложнее, кстати, но разумней. Или это говорит во мне лагерь?

Замечательное понятие — гонки — навсегда мне подарила зона. Или я услышал его раньше? Да, конечно, в Челябинской пересылке. Что-то я спросил у приятеля, он не оглянулся, задумавшись, а сидевший рядом наркоман Муса сказал:

— Не слышит. Гонки у человека.

(Кстати, чтоб не забыть о толстом, немолодом и постоянно грустном башкире Мусе. Он после суда был оставлен при тюрьме в обслуге и работал в столовой. Безупречная честность Мусы резко выделяла его среди кравшего все подряд персонала вольных, и начальство очень им дорожило. Он охотно соглашался работать по две смены подряд, если было нужно, и ему обещали условно-досрочное освобождение. Но прошло полсрока — полтора года, и освобождение все откладывалось и откладывалось. Наконец ему по секрету шепнул кто-то из тюремных офицеров, что его потому не освобождают, что он безупречно честен и работает прекрасно и безотказно — где они найдут такого же другого? Он очень долго это рассказывал как-то ночью, заново свою обиду переживая и немного побаиваясь лагеря, куда, по его письменной просьбе, его теперь отправляли, чтоб досиживать полностью свой срок. А потом, я уже спал давно, вдруг он разбудил меня и зашептал горячо:

— Слушай, ты меня, быть может, не понял? Я хочу тебе сказать, что честный труд — ни в коем случае нельзя, нам от этого всегда только хуже.

Я его успокоил, что прекрасно понял его и что я об этом сам уже догадывался давно, так что пусть он совершенно не волнуется за меня.)

Так вот гонки — понятие, ничего не имеющее общего со спортивным смыслом этого слова. И нет общего у него со словом «гнать» (тоже из уголовной фени), означающим, что человек что-то утверждает — гонит. Или следователю гнет свою версию, или в споре отстаивает что-то, или вообще рассказывает. Гонит. Но бывает, очень часто здесь бывает, — ясно видишь, как тускнеет и уходит человек в себя. От общения уклоняется, не поддерживает разговор, нескрываемо стремится побыть в одиночку с самим собой. (Что на зоне вообще очень трудно, и от этого сильно устаешь, часто хочется — особенно если привык, — побыть хоть немного одному.) Что-то думает человек тяжело и упорно, что-то переживает, осмысливает, мучается, не находит себе места, тоскует. Сторонится всех, бродит сумрачный или лежит, отключенно глядя в пространство, но вокруг ничего не видит, вроде и не слышит тоже. Гонки. Это после свидания с родными почти у всех бывает, это вдруг из-за каких-то воспоминаний, это мысли могут быть пустячные, но неотвязные. Гонки. После писем у многих гонки. И внезапные, беспричинные — от обострения вдруг чувства неволи. Не из лучших и очень странное состояние. У меня они от писем были. И чем лучше, чем роднее были письма, тем острей были недолгие гонки. Долгие — суток двое — были у меня после свидания. Лишь испытав их сам, я перестал пытаться выводить приятелей из этого состояния. Потому что только хуже от вмешательства. Необходимо переболеть самому. Или история нужна какая-нибудь, чтобы отвлекла и встряхнула. Так вот у Бездельника случилось.

В понедельник утром, в середине сентября, в дождь прибежал за ним стукач и подонок, шнырь штаба. Кстати, был он раньше завхозом карантина, до сих пор я помню, как он петушился перед нашим неподвижным строем измочаленных этапом зеков. Угрожал, болтал нам что-то о дисциплине и карах, очень хотел к чему-нибудь придраться. На его предложение задавать вопросы вдруг отозвался какой-то зеленый мальчонка, даже странно было, что уже он не малолетка и что такой еще дурак наивный. Он вдруг спросил, по-школьному подняв руку, можно ли будет на зоне доделать татуировку, начатую им в тюрьме. А запрет на татуировки — категорический: в случаях, когда кого-нибудь ловили, то и художника, и желающего украситься опускали немедленно в изолятор. И такой вдруг вопрос, все засмеялись. А этапник этот, Иван его звали, выволок мальчонку из строя и очень ловко, умело и с удовольствием жестоко перед строем избил. Весьма картинно при этом надев предварительно замшевые перчатки. Только было это не утолением его жажды проявить власть, а еще в этом расчет был, какой — я понял через час, когда нас по одному вызывали в его комнату, где жил он и двое его подручных шнырей. Вызвав, отбирали они все, что сохранилось после этапа и шмона в лагере, когда нас принимали. Отбирали они опытно, лишь у тех, по кому видно было, что жаловаться не посмеет. (Две недели спустя, кстати, я первую в жизни кражу совершил — в их комнату без них попав однажды случайно, вытащили мы с приятелем из стенного шкафа большой пакет махорки, который они у нас же и отобрали. И не жалею. А тогда вообще был счастлив.)

Да, так вот потом Ивана этого перевели за что-то в шныри (а они, лагерные добровольные полицаи, вечно друг на друга доносы писали, стучали устно и через знакомых подсиживали, если хотели на чьето место сами попасть), и теперь он прибежал звать

Бездельника. В оперативную часть, что добра отнюдь не сулило. Там сидели двое лейтенантов. Сразу же с порога спросили:

— Что это за письма ты домой пишешь? Вот, вернула цензура. Что здесь, мол, маленький убогий поселок при лагере, что медвежий угол и болото, что дожди и холодно, что осеннее у тебя настроение. Охуел ты, что ли? Мы его тебе сейчас мигом поднимем!

Лейтенантам было вместе чуть поменьше, чем одному Бездельнику, но он был зек, он понуро стоял перед ними, сняв шапку, и смиренно отвечал на вопросы.

— Так поселок ведь и правда здесь маленький, гражданин начальник. А что медвежий угол, это образ такой, не мной придуман. Мамин-Сибиряк, должно быть, сочинил. Еще в прошлом веке, стало быть. А что холодно, и дожди, и настроение — что ж тут страшного? Я не понимаю.

— Посидишь в изоляторе — поймешь, — сказал лейтенант. — Не хуя писать про настроение. Оно у тебя должно быть бодрое. И на погоду не хуя клеветать.

Тут он покосился на окно, за которым лил и лил — уже пятые сутки хлестал — холодный дождь. И с усмешкой посмотрел на Бездельника.

— Для исправления полезно, — сказал он. — Понял? А расписывать про это в письмах запрещено. Понял?

Тут Бездельнику показалось, что он понял главное — в изолятор его не упекут, и он с искренней живостью сказал:

— Конечно, гражданин начальник. Давайте мне это письмо, я его пущу на сортир, а сейчас напишу другое. Что у нас тут тепло и солнышко, что цветы на зоне разводим, а в субботу — кино для всех и настроение вполне отличное.

Тут мгновенно перед ним успел промелькнуть одобрительно кивающий образ бравого солдата Швейка и еще почему-то институтский военрук, часто говоривший к общей потехе, что «дела идут у нас отлично, даже, можно сказать, удовлетворительно».

Лейтенант, однако, ничего про Швейка не знал, ибо идиотом не обозвал Бездельника. Но и не рассердился.

— Про цветы лишнее, — снисходительно ответил он. — А письмо напишешь после изолятора. Отправляйся сейчас на вахту к дежурному, и пусть он тебя опустит на пять суток. Постановление я ему после напишу.

— Да за что же? — грустно сказал Бездельник. — Я перепишу письмо, гражданин начальник.

— Сдуло! — закричал лейтенант, свирепея и привставая со стула. И второй поднял голову от бумаг. И Бездельника мигом сдуло в коридор. Тут ему пришла в голову великолепная спасительная мысль. Раз в неделю он писал по заказу замполита доклады для офицеров лагеря. Это были краткие выжимки из газет, страниц на пять из тетрадки, чтоб читать их по отрядам в четверг, назначенный для политического просвещения.

Зекам же самим, кто пограмотней, эти доклады и заказывались в каждом отряде. А для трех или четырех отрядных офицеров их писал по средам Бездельник. Он писал всего один экземпляр, а потом его превращали в три или четыре красивым почерком, чтоб офицеры свой доклад могли прочесть, не запинаясь. И Бездельник сразу помчался в кабинет майора Тимонина — это был, кстати, единственный в лагере офицер, приглашавший зека сесть при разговоре, никогда не бивший никого и вообще человечности не утративший, отчего странно очень выглядел среди других. Думаю, что именно потому, дослужившись до майора, был он всего-навсего замполитом в захудалом таежном лагере, где его начальник был по чину только капитан. Этот майор и разрешил тогда Писателю книжную посылку, но был в отъезде, когда поднялся скандал.

— Разрешите, гражданин майор? — спросил Бездельник и, войдя, даже не доложил по всей форме, что осужденный такой-то явился и просит разрешения обратиться, а сразу же, просто поздоровавшись, сказал:

— Гражданин майор, никак я не смогу к четвергу доклады написать, потому что меня лейтенант Решетников опускает вниз на пять суток.

— Это за что же? — спросил майор приветливо. И кивнул головой на стул. Но Бездельник не стал садиться, тут был натиск нужен и поспешность. Быстро и четко объяснил он, что плохое было настроение, и что правда ведь льют дожди, и что выйдет он теперь только в субботу из изолятора, потому что понедельник сегодня, и доклад уже напишет только следующий, а этот не напишет он никак.

И майор Тимонин, по-отечески задумчиво глядя на него, сказал именно то, на что рассчитывал коварный зек Бездельник:

— Ты иди сейчас обратно в отряд, бери газеты и готовь доклад, я поговорю с лейтенантом, и на первый раз тебя простим. Потому что никак нельзя переносить или откладывать день политзанятий. Свободен.

Как на крыльях, шел Бездельник из штаба. А что были у него вчера гонки, вспомнил только вечером и со смехом. Но с тех пор никогда, никогда, ни разу не сгущались тучи над поселком Верхняя Тугуша и не лили дожди, не дули ветры, а сплошное сияло бодрое солнце. И поэтому все письма наши доходили до адресатов.

А про гонки я здесь должен добавить, хотя мерзость, из-за которой они меня постигли, было б лучше забыть совсем, но я дал себе тогда же честное слово, что себя накажу разглашением.

Тоже в понедельник это было, когда утром сам себя я поймал с поличным на подло быстром шевелении души, вдруг начавшей реагировать на жизнь по-лагерному. Вялые еще после сна, очень мятые (привозная здесь у нас вода, умывались не во всех бараках, а пока мы жили в клубе, где не было умывальника, — вообще почти никто не умывался), сразу прохваченные на пороге холодным ветроми промозглой сыростью, толпились мы возле дверей, ожидая очереди идти в столовую, чтобы сразу после нее плестись на развод. Трое ребят сказали бригадиру, что они сегодня работать не пойдут, их вчера освободили в санчасти.

— Я что-то не знаю, — сказал он. Остальные подтвердили. Да, вчера, когда все были на осмотре (в лагере свирепствовала чесотка), этих троих освободили от работы на неделю.

— Ну, тогда санитары отдали ваш список нарядчику, дело не мое, ваше счастье, что заболели, — пожал плечами бригадир.

И внезапно явственно я поймал себя на остро вспыхнувшей неприязни к этим троим, на желании поспешить, вмешаться и сказать, что вчера я тоже там был, и что это просто им велели всю неделю после смены ходить в санчасть мазаться дегтем, и что никто, никто, никто их не освобождал от работы. Похолодев и весь обмякнув, ослабев, я стоял и с ужасом вслушивался в себя. Что за подлость, откуда она во мне, что за дело мне до того, что им повезло или просто они пытаются закосить? Все равно ведь если нарядчику дали список, то они освобождены, если же не дали, то за ними сбегают в барак, и хорошо, если только обматерят за задержку развода. При чем здесь я? Отчего так остро и гнусно захотелось мне, чтобы всем было так же тяжело, как мне, отчего так взбурлила во мне эта грязь, когда кому-то удалось ускользнуть? Мне от их отсутствия, кстати, не пришлось бы ничуть трудней, мы на разных работали местах, оправдания не было и в этом. И ужасно муторно мне стало от короткого порыва к чисто лагерной подлянке. Да, я вжился в местную жизнь, это было ясно теперь. И смотреть за собой надо было куда внимательней. С этим я и вышел на работу. Заодно убедившись на разводе (нарядчик кричит фамилию, отвечаешь имя-отчество свое и проходишь вперед), что и впрямь освободили их в санчасти — по кошмарно запущенной чесотке, просто мест пока не было, куда их класть. Да какая мне теперь была разница.

И пожалуй, сильнее гонок не было у меня на зоне. Только разве после свидания с женой. Но тут были другие причины.

Глава 2

Здравствуй! Или добрый вечер, скорее. У тебя ведь время на четыре часа меньше нашего, здесь ночь уже — значит, у тебя только вечер. Наконец-то я сел, чтоб написать тебе подробное и длинное письмо. Знаешь, я сижу сейчас и тихо радуюсь заранее, что смогу его тебе написать. О том, как я люблю тебя и как по тебе скучаю. Напишу открыто и раскованно, не боясь, наконец, что письмо это будут читать чужие люди с липкими глазами. Кроме цензора (здесь это, кажется, женщина) письма мои читают в оперативной части — если бы ты знала, как это мешает мне писать их тебе! Ты ведь тоже от присутствия чужих замыкаешься, а насколько чужие здесь, ты себе вряд ли представляешь. Но, по счастью, до этого письма они не дотянутся, и я спокойно могу писать тебе, как я тебя люблю. Знаешь, ты не обижайся, я очень мало скучаю о тебе как о женщине — здесь об этом вообще забываешь, но тем более я здесь ощутил, как ты жизненно мне необходима, как душе моей нужно твое присутствие. Очень я тебе благодарен, что ты есть и что ты такая, как есть.

Я уже вполне освоился здесь, отстоялись чувства и ощущения. Ты просила меня, когда была на свидании, рассказать о лагере подробней — я отделывался шутками и уверениями, что ничего здесь нет интересного, да и страшного ничего не происходит. Ну конечно же, я врал тебе. Знаю ведь я твою впечатлительность, видел, в каком ужасе ты была только от вида поселка, от железных ворот лагерных, от решеток, сквозь которые проходила, сдав паспорт, и от встречных морд офицерских (да и наших, разумеется), от всего этого дома свиданий, как называется он официально. А вполне была пристойная у нас комната, правда? Спасибо тебе за эти сутки. Очень только тяжко было, когда расстались. Вспоминал почему-то твои волосы — как старательно ты их закрасила, ко мне собираясь, чтоб исчезли седые пряди. Словом, так я тебе ничего и не рассказал. Но сейчас напишу подробно. И не буду вовсе опасаться испугать или расстроить тебя, и спокойно хвалиться буду, если к слову придется, и пожалуюсь на что-нибудь, расслабясь, ну а главное — опишу, как живем. Безо всяких скидок на цензуру, потому что я не буду отправлять это письмо. Сейчас не буду. Хотя многим обзавелся уже на зоне, в том числе — и возможностью отправить письмо мимо цензора, я еще воспользуюсь ею. Ну, а это письмо пока оставлю. Обещаю тебе, что сохраню его до воли и вынесу, ты его тогда прочтешь, но уже тебе не будет страшно. Очень мне не хочется тебя волновать, очень больно думать, что от меня, и только от меня — все твои неприятности последних лет. Знаешь, интересно, что чувство вины перед близкими очень обостряется в неволе — отсюда, наверно, такое количество покаянных сентиментальных песен, обращенных к матерям и подругам. Я это испытал сполна. Знаешь, лежишь на нарах, и плывут на тебя неотвратимые, как галлюцинации, разных лет и разных масштабов сцены тех обид и горестей, что я тебе причинил. Зримые, будто прокручиваешь кинопленку. Интересно, что мелкие ранят еще больней — ты наверняка забыла большинство, я и сам был уверен, что забыл,— оказалось, что прекрасно помню. Мелкие до глупости случаи заставляют чуть ли не стонать, так остра их отразившаяся эхом боль — через много лет вдруг всплывающая. Ну, к примеру, ты не помнишь уже наверняка, как мы шли с тобой однажды в гости и условились встретиться у метро: очень было холодно, я опоздал минут на сорок, ты стояла. Нет, один раз у метро такое было, а второй раз — у подземного перехода через Садовое кольцо, даже помню, куда мы шли. Было это лет восемь тому назад, а то и больше. Вспомнил тебя, съежившуюся, скорей расстроенную, чем злую, вспомнил, как что-то врал тебе, а ты видела, что вру, но промолчала. Просто так опоздал, по расхлябанности. Если бы ты знала, как плохо было мне в тюрьме от этого глупо всплывшего воспоминания. Тебе наверняка будет смешно это читать, а я и после не смеялся, вспоминая, — такую сильную и острую ощутил я боль в ту ночь. Да, в основном ночами, в полудреме плывут такие воспоминания. А Танька! Я просто воочию видел, как тащил ее, трехлетнюю, в детский сад десять лет назад. Было холодно, ранний полумрак, снег, в котором она вязла и плакала, просясь на руки, я же, идиот-воспитатель, все не брал ее и еще ругал. Так зареванная она и приходила в свой садик. Это все от теории дурацкой, что нельзя, мол, баловать детей. Можно! Очень нужно баловать их. Изо всех сил, чтобы детство вспоминалось им как счастье — сплошное светлое счастье в облаке родительского тепла. Только нас ведь не учили этому. Смутно я что-то понимал — помнишь, я еще сказал, что садисты — это родители, отдающие детей в сад? Оба мы глупы тогда были, но свои промахи я здесь вспомнил явственно, как вчера.

Ладно, я отвлекаюсь все время. Дай-ка я расскажу тебе о лагере. В Красноярске в пересыльной тюрьме с нами сидели ребята уже из этого, красноярского куста очень многочисленных лагерей. И о нашей будущей двадцать восьмой зоне говорили они с брезгливостью и отвращением. Почему — я не мог добиться толка. Я просил их, чтобы внятно объяснили, но они мне отвечали очень кратко: беспредел. Это слово я, положим, знал еще из подмосковных тюрем; означало оно, что бьют и вообще своевольничают либо менты-охранники, либо свои же зеки, либо те и другие. Произвол. Ну, а кто его творит на двадцать восьмой зоне, свои или менты? Те и другие, отвечали мне. Отнимают посылки, бьют, забирают крохи, купленные в ларьке, заставляют вкалывать на промзоне. Кто, менты? Да нет, свои же, зеки. Как, и вкалывать свои же заставляют? Поезжай, увидишь, разберешься. Зона ведь не зря так названа — лютый спец. Это было что-то новое, пугало очень и интриговало чрезвычайно, ты ведь знаешь мое щенячье любопытство. И еще мне говорили в Красноярске, что объявлена давно двадцать восьмая — сучьей зоной, потому что все стучат друг на друга, помогая ментам хозяйничать, все святые понятия зековского бытия спутаны, испоганены и запущены. Для меня это было туманно, ибо я еще и с понятиями не был знаком, так что рано мне было горевать об их оскудении. Настораживало только полное неумение собеседников (не косноязычных, отнюдь) объяснить мне, что это за понятия. Поживешь — увидишь, отвечали они уклончиво. И успокаивали сразу: ты там не пропадешь. Почему? А ты мужик нехуевый (это очень, дружок, поверь мне, высокая похвала). А расспрашивать подробней было тяжко: в камере стояла дикая жара и духота, нас там было человек восемьдесят, а рассчитана клетка человек на тридцать, и все время перебои с водой. И еще боялся я расплескать впечатления дороги и тюрем, так что я часами их в уме перебирал, чтоб не забыть. В том числе и красноярские тоже.

Нас водили когда там на прогулку, со второго этажа мы шли на первый, а на завитке в пролете лестницы стояла там овчарка на площадке. Молодая очень, судя по виду. Рядом с ней, чуть держа за ошейник, стоял кто-нибудь из надзирателей. Это так ее натаскивали на нас, на наш вид, на запах запущенности, бессилия и страха, на понятный ей, запоминающийся запах. И натаска приносила видимые плоды — две недели я видел эту собаку, очень преуспела она в ненависти и злобе. Первые дни она просто смотрела на нас, от жары далеко вывесив язык, а спустя дней десять ее всю трясло от нашего вида, аж слюна текла из-за клыков, и хрипела она от ярости, и торчком стояла шерсть на загривке. Отделяли ее от нас только перила лестницы и рука, чуть лежавшая на ошейнике. Стыдно вспомнить, но от злобы затрясло и меня, я их много уже видел, этих собак, просто первый раз увидел, как их учат. Интересно только, как ей подсказали, что идущие мимо — ее враги? Или это просто следствие многочасового раздражения — камер в тюрьме под сотню, так что шел поток с утра до вечера. Хорошо подготовили собачку. Собственно, людей готовят так же. А теперь давай вернемся на нашу зону.

Не серчай, что я так не по порядку, я и дальше все смешаю в салат, не случайно ведь я и из закусок больше всего люблю салаты и винегреты. Как мне хочется выпить с тобой, если б ты знала. Уложив детей, сесть на кухне и выпить, не торопясь. Покурить, обсудить наши проблемы. Казавшиеся нам серьезными тогда, а сейчас — смешные и пустые, как вспомнишь. Что мы будем обсуждать теперь, интересно? Я ведь очень переменился, дружок.

Или это только пока здесь?

Все ужасно смещено в этом пространстве, и смещается в самих нас тоже многое из того, что выглядело и казалось незыблемым. Ну, смотри, к примеру: я пишу это сейчас в санчасти, куда лег с температурой за тридцать девять — здесь типичная болотная лихорадка косит почти каждого зека, вот не миновала и меня. Сделали мне пяток уколов, спала температура, спала мутная хмарь, заливавшая голову весь первый день, я хожу, и уже все хорошо. И сдружился я с матерым нарушителем лагерного порядка, уже больше года не вылезает он из штрафного изолятора, но еще здоров, как бык, только легкие вовсю хрипят — его и подняли сюда ненадолго из-за легочной температуры. Этот Володя наполовину чеченец, наполовину русский, чисто русской внешности, умен очень, по характеру же — горский убийца. К нему ходит сюда навещать его побратим и друг Джемал — он осетин, тоже тип вполне открытый и ясный, не приведи Бог быть на воле их врагами. Познакомились и сошлись они на зоне, только не здесь, а где-то рядом, в Ингаше (это такой же точно лагерь, их полно тут). Как-то вечером собралось там в бараке десять земляков, и договорились они назавтра запереться в здании школы и потребовать от начальства перевести всех на другую зону — к ним куда-нибудь, к Кавказу поближе. Но наутро только двое из них — Джемал и Володя — свое слово осмелились сдержать (очень мало оставалось другим досиживать, вот они и передумали к утру).

А Володя и Джемал забаррикадировались в школе так прочно, что начальство зоны, сообразив, что после штурма не оберешься шума и комиссий, предложило им мирные переговоры. Сам начальник и его зам по режиму, отослав остальных охранников, прошли в открытую им дверь. А Володя и Джемал тут же заперли дверь, и мгновенно испарился весь задор и пыл у начальства. На столе у ребят ножи лежали, и они сели при офицерах демонстративно пить чифир — правда, предложили и им. Бравые эти два начальника очень вежливо отказались даже сесть и замерли, как рассказывал Джемал (он слишком прям и темен, чтобы сочинять), не шевелясь и звука не произнося, а один из них тихо, но очень сильно испортил воздух, из-за чего оба густо покраснели. Слишком привыкли эти люди к согнутым и сломленным зекам, оттого они, собственно, и решились на такое легкомысленное геройство. Первым чуть опомнился начальник зоны (правда, Джемал с чисто восточной логикой утверждал, что это именно начальник испортил воздух, но ему поэтому и стало легче прийти в себя) — он сказал, не уговаривая их и не торгуясь, что дает им честное слово советского офицера, что их требование удовлетворит и переведет обоих на какую-нибудь зону в их края. Но до этого времени, сказал он, согласитесь посидеть в изоляторе, чтобы не был дурной пример другим. Сдайте сейчас ножи, разберите баррикаду из скамеек, убедитесь, как держит слово советский офицер.

Что им оставалось, как не поверить? Ведь безумная была, заведомо обреченная затея. Так они спустя два дня и оказались у нас в Тугушах, километрах в ста (если не меньше) от зоны, из которой думали попасть на Кавказ. Бить их, правда, побоялись — не из-за их буйволиной мощи, а из-за характера, непонятно страшного для начальства, избалованного российским покорством. Только знаешь, я отвлекся, прости, но я хотел писать о прошлом этого Володи, с кем сейчас я играю в шахматы, пью чифир, обсуждаю свои дела и общих знакомых с зоны и приятельством чьим очень дорожу, ибо он не просто интересен, а весьма симпатичен мне. Так вот о том, что привело его сюда.

Года два назад в Енисейске был ограблен один странный нищий старик. Да, да, нищий старик, я совсем не оговорился и не ошибся. Да еще запойный к тому же. Он с утра отправлялся к магазину с дряхлой сумкой, всем известной в районе. В сумке был стакан, буханка хлеба и банка с солеными грибами. Всем, кто скидывался выпить, он предлагал стакан, хлеб и по два грибка на закуску. А ему за это отдавали бутылку и еще на донышке оставляли. К вечеру он напивался вдребезги и, понурясь, брел домой, в удачный день еще что-то неразборчиво напевая. Вот его-то у магазина подстерегши, двое молодых парней соблазнили выпить у него дома, а не возле магазина, как обычно. После этого через день он подал на них заявление в милицию, что они напали на него, напившись, били, требовали какие-то несуществующие деньги. Он их имен не помнил, только описал внешне и сказал, что у них нерусский выговор. Их искали, но нашли только одного — Володю. А второго отыскал сам старик и, несмотря на дряхлость и многолетнее пьянство, очень грамотно всадил в него нож и успел скрыться, хотя его узнали все у магазина, где это произошло. Из дому старик исчез — а что его утопили в Енисее, до сих пор никому не известно, потому что тело не всплыло. А того, кого разыскали — Володю, — судили после долгого и бесплодного следствия, но настолько было темное дело и столь глупым казалось бить нищего старика, что сочли это бредом старческим, но поскольку и старик сам убил человека, и за всем этим явно было что-то темное, дело повернули на хулиганство, и Володе дали три года, меньше никак не получалось, явно пахло чем-то грозным и крупным. А еще два Володиных приятеля — те как раз, что поймали старика после убийства и доволокли до Енисея, имели глупость предложить следователю деньги, а потом — и судье, это только усугубило дело, а то вовсе его, быть может, отпустили бы.

Дело было очень простое. У запойного рваного старика был под бочкой с теми самыми деловыми грибами небольшой тайник, а лежали в нем — ни больше ни меньше — двадцать тысяч крупными купюрами, главное же — где-то рядом было еще спрятано и золото. Если от чего страдал старик всерьез — то от граничащей с безумием скупости. Никаких не находил в себе сил, чтоб начать проживать запас — согревала ему, видно, душу самая цельность, неразменность сокровища. Много лет назад крал он золото где-то на окрестном прииске, кто-то знал и навел грабителей. А кто именно, Володя сам не знал, а скорей мне не говорил.

Старик этот, когда распили две бутылки, стал слезливо жаловаться на какую-то давнюю обиду, причиненную ему советской властью, но едва его спросили о деньгах, отрезвел мгновенно и начисто. Здесь вот прояснится сейчас и облик моего близкого сегодняшнего приятеля.

Они стали бить старика, но побои ничуть не помогли. Угрожали ножом и пистолетом. То же самое. Тогда на грудь ему поставили и включили электрический утюг. И уже запахло паленой кожей, когда он яростно замычал — кляп во рту не давал ему кричать. Он повел их и показал тайник с деньгами. А добиться золота не успели — по двору стали ходить соседи, возвратившиеся с работы. Подавая заявление в милицию, ничего старик об отданных деньгах не написал и об утюге промолчал, так что выглядело это все вымогательством у нищего алкоголика (кстати, было ему чуть за пятьдесят, здесь ведь и меня не раз называли дедом).

Собственно, историй здесь таких десятки излагают подобных, страшная лишь деталь — утюг. Ставил же его, как ты уже догадалась, мой теперешний приятель Володя. И сама идея, что очень важно, тоже именно ему пришла в голову, потому что его друг, ныне покойный (старик его зарезал) Зелимхан (замечательное имя, правда?), говорил, что ему надоело, пристрелим старика и пойдем. Но Володе пришла в голову идея.

Ты когда-нибудь могла полагать, что с таким человеком я сойдусь — и даже буду чувствовать приязнь? А я сам — мог предполагать? А как выглядели в нашем воображении такие звери? Извини, впрочем, — в твоем они выглядят по-прежнему и сейчас, а в моем — но о моем и разговор. Ты поверь мне, на слово поверь, — это очень симпатичный человек. Из немногих, с кем тут можно дружить. Офицеры, кстати, что пестуют нас здесь, — все до единого могли бы такое сделать, но в них мне все понятно, а в Володе — ты бы видела его улыбку и лицо его, когда от жары у меня разламывалась голова и он таскал мне, смачивая водой похолодней, носовой платок на лоб.

Ну, оставим это, все равно не объясню, потому что здесь и мне все непонятно. В большинстве же тех, кого узнал я тут, — поражает ничтожество их, убогость и темнота, не преступники здесь сидят, а несчастные. Это полностью относится и к блатным — хозяевам и героям зоны, высшей касте в сложной лагерной иерархии. Со многими я познакомился близко. Ты, наверно, хочешь спросить — каким образом? Или не хочешь, помня, как легко я сходился с людьми на воле? Но тогда я похвалюсь тебе сам. Это непросто, ибо гонор их чрезвычаен, подозрительность острейшая (не стукач ли?), удивительное (и смешное, глядя со стороны) ощущение своего превосходства, значительности и посвященности. От мальчишеской главным образом глупости и петушиного зеленого задора.

Очень грустное, страшное чрезвычайно, главное же — разочаровывающее впечатление от близкого знакомства с блатными. Тот привлекательный образ вора или жулика, тот романтически-черный образ бандита, что вынесли мы все из читанных в детстве книг, он незримо витал, конечно, над моими здесь ожиданиями. Встретился же я — со множеством мальчишек, самая разнокалиберность, несхожесть, полная разнохарактерность которых не давали ни малейшего основания, чтобы видеть в них некое единство. Да еще единство с уважительно звучащим названием — блатные, о которых столько рассказывается в тюрьмах. Что же все-таки общего было у них у всех? Агрессивность? Не больше, чем у прочих. Или ненамного больше. Отвага, то преступное мужество, что делает столь привлекательным образ преступника в кино? Есть немного, это есть. Потому что именно блатные все-таки единственные, кто живет в лагере, не смиряясь с его режимом. Это они организуют себе время от времени перекиды — когда ночью через забор летят продукты и немедля их надо подобрать и пронести, с полной готовностью попасться, вынести побои и отсидеть в штрафном изоляторе. Только это мелкая смелость, тоже мальчишеская вполне, что же им еще надо иметь, чтобы к высшей касте лагеря принадлежать? Ум? Наоборот! (И это очень важно.)

Странной мне сперва показалась фраза одного очень хорошего человека — лагерного нашего хирурга, вольнонаемного врача, сделавшего даже карьеру некогда, но спившегося потом и сюда опустившегося, как на жизненное дно. Он спросил у меня, знакомясь, появились ли уже блатные в нашем только что возникшем отряде. Я чуть удивленно ответил, что отряд наш — сброд испуганных или хорохорящихся сопляков и не в лагерь их надо было сдать, а просто высечь в домоуправлении при соседях. Потому что большего наказания ни их преступления, ни их характеры (в смысле грядущей опасности для общества) никак не заслуживали. Появятся у вас блатные скоро, сказал хирург. Они ведь появляются, как вши, — сами, неизвестно откуда. Я в ответ усмехнулся недоверчиво. Через месяц я убедился в полной правоте этого грустного доброго человека. Тут и мелькнула у меня мысль, быстро обросшая мелкими доказательствами или скорее ощущениями. Я не смогу их описать, просто не умею это делать, так что лучше сразу объясню суть моей сложившейся убежденности. Кстати, чуть о важном не забыл: выдающаяся сила — тоже вовсе не обязательный для блатного признак. Очень средние, порой даже плюгавые ребята. Раз видел я, как за бараком худосочный мелкий мальчонка бил здорового и рослого парня, тот ему и не думал сопротивляться, только что-то бормотал, прикрывая лицо руками. Некое, значит, право знал избиваемый за этим хлюпиком в черном костюме блатного (мужики носят серый — тот же самый материал, но цвет стал знаком касты).

Право силы знали оба, очевидно, никаких других они не понимают прав. Кто же дал право силы хлюпику в черном?

Коллектив.

Да, да, да, коллектив, то человеческое единение, о котором веками со сладострастием твердили гуманисты всех мастей и направлений, на него возлагая надежды в построении замечательного светлого будущего. Коллектив. Община. Артель. Мафия, если хочешь. Партия.

А когда я это сообразил, сразу все стало на свои места. Потому, кстати, с каждым в отдельности блатным очень трудно и странно разговаривать. Он мужик как мужик (в смысле кастового понятия: мужики — это те, кто не блатные, вся лагерная масса зеков), он ниже среднего — по уму, по развитию, по всему. Ниже среднего — вот что очень важно, он ничто без своего коллектива. А когда они все вместе — то хозяева. Очень грустным и очень мерзким оказалось это сплоченное единство, так что только любпытство понукало меня с ними общаться. Западло работать, если ты блатной, и боятся бригадиры их принуждать, но зато не западло им вместе заставлять работать мужиков — кулаками, палками, чем придется. Как только попросит их об этом бригадир или кто-нибудь из вольного начальства. И в бараке за порядком и послушанием наблюдают очень тщательно блатные, выполняя функции надсмотрщиков и внутренних полицаев, только сами они это не осознают. Потому что убежденно полагают, что мужик должен работать и молчать. Почему? Я рискнул это спросить не однажды. Пожимали презрительно плечами. И презрение это поровну относилось к мужику и ко мне, кто спрашивал, потому что я не мог, как видно, сам понять простейшие вещи, а мужик — он позволял с собой такое, потому ведь и мужик он, а не блатной. Большего я добиться не мог, да и не надо большего, мне кажется. Позволял с собой мужик такое и тем самым плодил себе хозяев.

Их немного было в каждом отряде — человек по двадцать, не более. И везде они отдельно жили, лучшую комнату в бараке забирая или как-то еще отгородившись, если позволяло помещение. Сами они жили семьями, человек по пять в семье, и в каждой был негласно старший, но все семейники друг за друга отвечали, если что случалось. Смысл был и в этой ответственности, и в опоре коллективной, если драка, и в дележке поровну всего, что удавалось добыть вдобавок к казенной пайке.

Слушай, а тебе не надоело это все читать про наш лагерь? Может, лучше рассказать тебе какую-нибудь воровскую историю? Я их много слышал здесь и в дороге. Мы давай с тобой поступим вот как: я сейчас закончу о кастах лагеря (мне уже немного осталось), а в другом письме расскажу тебе что-нибудь сугубо преступное. Ладно? Знаешь, очень мне приятно делать записи в форме писем к тебе, у меня ощущение, что я рассказываю это все тебе лично, а ты сидишь, как бывало, напротив и покорно слушаешь мою чушь. Спасибо тебе за доброту, очень ты настоящая женщина. И послушай дальше, пожалуйста, мы пришли с тобой к нижним ступенькам лагерной иерархии.

Чуханы — это опустившиеся мужики. Это те, в ком не хватает сил и духа — даже чтобы содержать себя в чистоте. Интересно, кстати, — не отсюда ли бытующее на воле слово зачуханный? Или наоборот — не от него ли слово чухан? Не знаю. Но звучит оно очень выразительно. Это и оскорбление в разговоре, если хочешь кого-нибудь оскорбить (хотя главное оскорбление — козел, уж не знаю, при чем тут это симпатичное животное), даже есть такой глагол на зоне: зачуханить, довести до такого состояния, когда опустятся у человека душа и руки. Рваные, грязные, мерзнущие, понукаемые и презираемые, чуханы выполняют на зоне те тяжелые и грязные работы, на которые не шлют мужиков. От надрывного труда они катятся дальше вниз. Это главным образом у чуханов развивается дистрофия или дикие вдруг идут нарывы по телу. Я здесь понял нечто очень существенное о таких крайних человеческих ситуациях: не в здоровом теле — здоровый дух, а наоборот — сильный дух охраняет и держит тело. Это чуханам начинает не хватать еды, и они готовы на что угодно за птюху хлеба, они лазят по ночам на помойки, чтобы собрать в целлофановые пакеты (вот единственный в их жизни знак двадцатого века) неразделимо слипшуюся гадость — выливаемые отходы и остатки. Лучше я не буду продолжать о них. Только их здесь чрезвычайно много, чуханов в разных стадиях распада и падения. И плохие у них очень глаза. Тусклые, мутные, отчужденные. Сразу видно, что надломлена коренная какая-то пружина.

Кроме работы на промзоне, кроме мытья полов, кроме стирки одежды для блатных, кроме приноса в барак воды, которую привозит машина, чуханы еще стоят на атасе. Это то же самое, что на стреме или на шухере. Ходит возле барака человек, словно привязанный на незримом длинном поводке, или стоит неподвижно на одном месте, невзирая на дождь и ветер, холод, снег или жару; длится это долгими часами. Атасник. Все его назначение — вовремя предупредить кого-то, что поблизости лагерное начальство. Страшная это мука — зимой, но атасники сезона не разбирают. Что угодно может происходить в бараке — просто дружеская встреча за чаем, но атасник все равно стоит. Потому что нам нельзя уходить из своего барака в другой, а кого застанут в чужом — пятнадцать суток изолятора. Иногда атасник выставляется на кого-нибудь конкретно: например, оповестить, если кто-то нужный блатному пройдет к себе в барак или в штаб. Только чаще всего это дозорные и часовые. На промзоне вообще без атасников не обойтись: кто-то должен загодя увидеть начальство, чтобы вовремя предупредить спящих или чифирящих в биндюге блатных — чтоб успели они встать и сделать вид, что участвуют в работе. Их нещадно бьют, атасников, если прозевают или предупредят поздно, и не менее сильно бьют, если потревожат зря, а начальство проходило мимо. Кулаками, сапогами, досками — здесь не разбирают, чем бить. Окровавленные приходят они в санчасть. Что случилось? — спрашивает врач, зная заранее одинаковость ответов. Споткнулся, упал, расшибся. И застывшее в их глазах покорство, и животный затаившийся страх.

Выставляют еще атасников всюду там, где делают масти. Несколько умельцев ежедневно работают на зоне в полной тайне от охраны и начальства. Мастюшники. Масти — это все, что делается на зоне: изумительные по отделке выкидные ножи, мундштуки, трубки, браслеты, перстни. И даже коронки для зубов. Да, да, превосходные медные коронки. Тем же самым напильником, что точилась эта коронка, обрабатывается и зуб под нее. Ты бы видела, как это делается! Двое держат несчастного, терпящего ради красоты, пока мастюшник точит ему зуб напильником, а он корчится, потеет и мычит. Но при всей этой гигиене железно-каменного века я не слышал о каких-либо заражениях. Стоматолог, вольный врач из санчасти, — я спросил его специально — отозвался о таком протезировании весьма положительно. Чистят эти зубы пастой для медных пуговиц, но они — украшение и знак престижа. Черт его поймет, человека.

А все остальные масти, особенно выкидные ножи (превосходно отшлифованные вручную), пользуются большим спросом за зоной. Продают их там охранники или вольные шоферы, а блатным за это платят консервами, часто выпивкой, непременно чаем. Все оказываются довольны при этом — кроме того, кто делает это сам. Ибо сам мастюшник получает лишь возможность не таскать к пилам бревна и не катать баланы — заготовки шпал, малой частью перепадает ему чай, а работает он — с утра до ночи. В полном, подлинном смысле слова оказывается в рабстве каждый, кто умеет что-то делать и свою способность обнаружил. Ибо еще нещадно бьют его хозяева — блатные, если он вдруг отвлечется, не уложится в срок, нужного не выдаст качества или вообще склонен трудиться медленно. Кроме того, особенные побои ждут его, если выяснится, что он что-то сделал на сторону, пачкой чая или сигарет прельстившись. Вот такая здесь жизнь у мастеров. Знаешь, кажется, где-то у Достоевского — ну, скорей всего, в «Записках из Мертвого дома» — высказано горькое сожаление, что такое количество умов и талантов губится в тюрьме и на каторге, будто бы Россия специально себя сама решила обеднить. Нет, я не скажу насчет умов, но умелых ремесленных рук, изумительно одаренных природой, — их на нашей только маленькой зоне было несколько десятков (это те, которых видно, которых знаю, а их намного больше, скорей всего). И работают они украдкой, тайно, добывая с трудом жалкий материал, под угрозой наказания изолятором, если обнаружится их занятие. Почему? Почему нельзя делать, например, браслеты и перстни из меди, мундштуки и трубки из дерева и пластмассы? Это ведь никак не подрывает никакую монополию государства, это ведь и есть как раз те почти умершие народные промыслы, о которых вопят газеты. Почему это здесь запрещено, здесь, где должен именно трудом исправляться и воспитываться человек? Не знаю. Словно злобный какой-то идиот сочинил однажды этот запрет; и он так и остается нерушимым. Найденные при шмонах изделия отбираются и бесследно исчезают. Как и сам материал, если он попадается при обыске в руки. А между тем сами охранники — из тех, кто подторговывает мастями, тайно приносит на зону этот материал. Вот такая замечательная здесь творится постоянно карусель.

Слушай, ты еще не устала от моего этнографического очерка? Я, как ты уже догадалась, — мужик. Но из тех, кого не бьют, — не волнуйся. Да и сам не ударил никого ни разу, хотя, честно сказать, хочется иногда.

Но теперь о самом главном, ради чего я все это писал, кроме удовольствия с тобой заочно поболтать. Удивительно (здесь нет иного слова), как наш лагерь представляет собой страну в миниатюре. Все грубее, обнаженнее, конечно, многое смещено и чуть иначе. Но модель! Образ. Карикатура. У блатных на воле — черные «Волги», а у наших — черные костюмы. Но уверен я, что сходство взглядов, душевная мизерность и на все готовность — сходятся, как две удачные копии друг друга. А сплоченность, круговая порука, замкнутость в своей касте?! Сила черных костюмов — в их единстве, остальные — каждый сам по себе. А охранники, они только снаружи, и блатные — позарез им нужны. Нет, не зря матрешка изобретена именно в России: удивительно похож наш лагерь на свой величественный прообраз. И еще: тут борьба за должности (со взятками, интригами и доносами) — такая пародия на волю, что хоть плачь. Я сказал здесь одному грузину: «Слушай, Дато, а ведь у нас в лагере стать заведующим баней так же трудно, кажется, как в Грузии стать, к примеру, директором магазина?» Он ответил, не задумываясь: «Что ты, здесь гораздо трудней!»

Но отложим лагерь на потом. Я недолго здесь пробуду, я уверен. Эта мерзость вся настолько не по мне, что я чувствую, как и я ей чужероден. Я не знаю, как она меня извергнет, просто я уверен в этом. Лучше досиживать в тюрьме. Ты только жди меня, пожалуйста, и почаще думай обо мне. Ты себе представить не можешь, как это здесь важно — знать, что на воле о тебе кто-то думает. Ты не бойся, я с ума не сошел, я прекрасно помню, что пишу, отсылать это письмо не собираюсь. Просто очень хочется лишний раз написать, как я тебя люблю. Очень. И та мерзость, что я вижу вокруг, укрепляет во мне уверенность, что мы очень с тобой правильно жили, раз на воле так с ней мало соприкасались. Хорошо бы так и впредь удалось. Ты пиши мне, ладно? Очень жду. И еще: пожалуй, только здесь начинаешь понимать настоящую, подлинную цену своим близким, и себе самому, конечно, своей жизни, и многому другому, о чем просто нету времени поразмыслить на воле. В этом смысле я очень счастлив, что судьба мне подарила это время. Ну, пока. Я опять тебе скоро напишу. Если все будет в порядке, конечно. Здесь нельзя предвидеть свое завтра.

* * *

Свое завтра здесь предвидеть нельзя. Ну а послезавтра? Да и стоит ли — предвидеть, планировать? Я вчера, закончив письмо, только мельком призадумался об этом, а сегодня получил в подарок историю, словно присланную мне в ответ.

Плотнику Косте лет пятьдесят пять, он совершенно лысый, маленький, сморщенное старческое лицо, зубы съедены цингой на Колыме еще лет тридцать тому назад. Он в те годы много сидел, но об этом говорит неохотно и мало что помнит почему-то. Потерял за это время две семьи, так что сидит, очевидно, по третьей ходке. Ненадолго в этот раз, за тунеядство. Года уже два как бросил плотничать и сдавал бутылки, собирая их в Красноярске на стадионе. Зимой и летом уносил их по мешку после матча, хоть футбол, хоть хоккей, бутылки были. Получил за тунеядство год. Ни о чем не сожалеет, лучезарен. С ним приятно и странно разговаривать — он немного отрешен от жизни, хотя жил достаточно на свободе — был большой между отсидками перерыв. Только кажется, он чуть побаивается воли, будто нечего ему там делать и незачем. А уже скоро сроку конец. Планов он никаких не строит. Когда вечером гомонят в бараке, обсуждая, кто куда пойдет после зоны, Костя слушает их с полуулыбкой. Надорвался? Безразличен? Я не знаю. У него довольно много специальностей: и на тракторе он может, и сварщик, и шоферские есть права, и слесарь. Но о будущем он не говорит. Снова бутылки собирать — опять посадят. Значит, что-нибудь надо соображать. Когда выйду, тогда соображу, ни к чему загадывать заранее. Как получится, так и будет. Вот он рассчитывал, загадывал, а где он нынче? Это ты о ком, Костя? Ну, садись, Мироныч, присаживайся. Курить есть?

И удивительную рассказал вдруг историю. О человеке, загодя рассчитавшем свою жизнь.

Было это под городом Вяткой в большом, очень раскинувшемся поселке. Жили в нем отбывшие часть срока и вышедшие на поселение, жило много вольных, крупная какая-то варилась там стройка, даже было отделение госбанка. А при нем, как водится, дежурный милиционер. Даже не один, а несколько — посменно приходили они на пост, в комнатку, где спали часы дежурства. Ночью, разумеется, а днем — болтались у дверей. Один из них, некий Козлов, некрасивый, тщедушный и кривозубый, — был женат на отменной красавице, на высланной из Ленинграда тамошней потаскушке, Ирине. И сейчас, работая буфетчицей где-то на стройке, путалась она вовсю с кем попало, но Козлов этот ей все прощал за ему перепадавшие ласки.

А еще там жил некий Иван Куща — отбывший долгие срока в лагерях здоровенный мужик лет шестидесяти, очень еще крепкий. Жил он там с женой и детьми, работал на стройке бригадиром, зарабатывал совсем неплохо и жил тихо. Но повадился он ходить к Козлову, когда тот дежурил по ночам. Принесет бутылку самогона, разопьют они ее, из кисета Кущи белорусской махорки крепкой покурят — специально из родных мест ему присылали, — и идет Куща домой обратно. Так проходит примерно с месяц, когда Куща говорит Козлову, что не думает ли тот, что он поит его за просто так. Ну и я тебе поставить могу, говорит Козлов. Мне другое от тебя надо, говорит Куща. Мы давай с тобой очень просто разбогатеем. Сделай мне на пластилин слепки ключей от комнаты, где сейф, и от сейфа, и в ночь, когда привезут большие деньги, я этот сейф открою. Козлов на этот ход подписался с легким сердцем, он давно свою Ирину с работы снять хотел, чтоб она там совсем не истрепалась. И уже через неделю, ночью, вытащили они из сейфа все, что днем туда положено было, а всего шестьсот тысяч. (Это было в пятьдесят, считай, седьмом или восьмом году, до реформы, так что на деньги нынешние им досталось шестьдесят тысяч — сумма крупная, да, Мироныч?) А договорились они сразу так: что Козлов прячет пока Кущу в чулан, где стояли веники и ведра уборщицы, сам сдает смену и спокойно идет домой, чтоб ему вовсе быть ни при чем. Куща тут вылезает, мочит его сменщика наповал и спокойно уходит сам, и еще час останется до прихода банковских конторщиц. Деньги они сразу унесли и упрятали в подготовленное место неподалеку от банка. А когда вернулись, Куща спокойно и расчетливо всадил Козлову нож между лопаток, тот не нужен ему был теперь ни как свидетель, ни чтоб деньги делить.

Утром поднялась паника. Понаехала толпа сыскных ментов с собаками. Но человек, убивший Козлова, не оставил никаких следов, даже сапоги его были предусмотрительно обмотаны бинтом, пропитанным соляркой, — собаки отказывались искать. Перетаскали многих поселенцев, нескольких арестовали даже, но вскоре выпустили. И через месяца два закрыли это дело полностью. Никто, никто в поселке не знал даже, что к Козлову в ночное время кто-нибудь когда-нибудь приходил.

Кроме одного человека.

А спустя месяца три вообще все забыли о Козлове, и о краже тоже стали забывать. А вдова Козлова, красотка Ирина, та пустилась во все тяжкие, дома у нее теперь дневали и ночевали кто придется, жизнь поселка продолжалась по-прежнему. Но однажды Иван Куща (на него, кстати, даже тень подозрения не упала, очень исправившийся товарищ, прошлое свое забыл начисто, висел на Доске почета и был по уши в грамотах за ударный труд), крепко выпив, тоже попал на ночь к Ирине, а попав, зачастил туда постоянно.

И тогда в милицию поселка пришла его жена и показала, что муж ее Иван Куща часто перед убийством пил с Козловым — она думала, что он ходит к женщине, и выслеживала его. А теперь, когда он и вправду ходит к шлюхе, она все решила рассказать.

Следствие было очень коротким, ибо даже крупицы махорки — только у Кущи была такая махорка — отыскались в щелях стола дежурки. И какие-то еще нашлись улики. Припертый к стене, Куща только убийство категорически отрицал. Да, он действительно ходил к Козлову, и в ту ночь он был у него — очень уж там уютно было и спокойно распить бутылку. А придя в ту ночь, кого-то спугнул. Был уже убит Козлов, уже был открыт сейф, но грабителей спугнул, видно, Куща — или думали, что он не один, или думали, что это милиция. Деньги он взял, не удержался, но готов их сполна отдать. Сразу бы отдал, но было страшно, когда пошел трезвон. Он хранит их в двух тайниках и пожалуйста — сейчас же покажет. Поехали в хилую рощицу, так захламленную строительным мусором, что туда уже никто не ходил. Откопали, где он сам показал, вытащили действительно большую хозяйственную сумку с деньгами. Триста тысяч. А второй тайник оказался уже кем-то раскопан, и на дне его сиротливо валялся только грязный пустой рюкзак. Кто-то его случайно обнаружил.

Ничего не добилось следствие в смысле доказательства убийства. Осудили Кущу только за кражу, да еще с учетом его чистосердечного признания и активной помощи следствию. Срок он получил очень маленький и привычно отправился на зону.

Там провел он уже около двух лет, когда в лагере сперва слухи поползли (параши, по-лагерному), а потом и точно объявилось, что на воле — денежная реформа. Деньги старые будут еще годны в течение года, а потом, кто не поменял, — извините. Поезд, как говорится, ушел, рельсы убрали. И заключенный Иван Куща, до той поры веселый и безмятежный, начисто потерял покой. Шевелил губами на ходу, во сне стонал, очень сильно побледнел и осунулся. Заговаривал с людьми, но осекался вдруг, словно раздумал, шлялся по зоне как неприкаянный. Так оно катило с месяц, а потом не выдержал Куща и открылся Косте, своему соседу по нарам, как он обманул следствие. Было у него предчувствие, что завалится. Почему и как, он не знал, но душе своей, дикой и матерой, — верил. И на всякий случай, подумав, сделал не два тайника, а три. Два действительно тайника, а один — понтовый, то есть будто бы там что-то было когда-то, а на самом деле — только ямка и рюкзак. Это он так предусмотрительно приготовился, если безвыходняк, играть в раскаяние и чистосердечие. У него, таким образом, целехонькие лежали в захоронке триста тысяч. Старых денег. Либо надо было их превратить в тридцать тысяч новых, либо все мероприятие целиком пропадало и напрасен риск был, напрасна кровь, и крушение всей жизни напрасное. А устройства ума и склада душевного этот самый Куща был такого, что, по себе о людях судя, никому на свете не доверял. Костя посоветовал ему разумно: положиться на кого-нибудь из тех, кто уходит, отбыв свой срок. Пусть они раскопают и обменяют постепенно в разных местах. Часть возьмут, естественно, себе, а основную долю спрячут снова, пока Куща освободится. Это был единственный выход, но Куща молчал, набычившись, а решиться никак не мог. Даже так на Костю порой смотрел, что тому становилось страшно за свою жизнь, хоть и поганую донельзя, но свою.

Время между тем катилось стремительно. Это только так говорится про томительный и бесконечный день на зоне, а недаром и другое сказано: долог день, да месяц короток. И уже шла середина года, лето. Может быть, другие были сроки обмена денег — меньшие, возможно, чем год, не помню. Костя тоже. Только летом, напряжения не выдержав, превратившись на глазах в доходягу, просто в нервную худую тень от былого могучего бодряка, Иван Куща как-то ночью повесился. Это было для него, как видно, легче, чем доверить свои деньги другому.

— Так что вот, — сказал мне Костя назидательно, — чем кончается планировка жизни. А уж ведь все, все на свете подлец предусмотрел и спланировал. Так что я не загадываю, Мироныч. Как получится оно, так и будет. Все равно ведь будет лучше, чем здесь.

Очень мне сейчас этот лысый, сильно траченный жизнью человек напомнил почему-то Бездельника — той же птичьей отрешенностью от забот и страхов завтрашнего дня. Что бы жизнь ни принесла — прекрасно, и спасибо ей за то, что она есть. В Косте это было от зековского опыта — жить, покуда удается жить, а Бездельнику — дано от природы. И я мысленно порадовался за обоих.

Уловив мое искреннее расположение, Костя как бы подтаял душевно, улыбался, скаля корни зубов, говорил куда больше, чем обычно. И когда я попросил, чтобы он еще что-нибудь рассказал, засмеялся и отнекиваться не стал.

— Я тебе расскажу сейчас, Мироныч, — начал он, — охуенно патриотическую историю. Хочешь верь в нее, хочешь — нет, лично сам я в нее не верю, но прикалывал мне как-то на зоне эту историю один человек, так он клялся, что сам присутствовал.

Очень оказалась действительно патриотическая и красивая легенда. Я ее немедленно записал.

Был в Германии гитлеровских времен знаменитый танковый фельдмаршал, теоретик танкового удара, автор книг о танковой войне — Гудериан. Уж не помню, как его звали. Так вот был у него, оказывается, младший брат, и его будто бы звали Карлом. Был он молод, но в солидном уже чине за храбрость, и командовал, старшему подражая, танковым каким-то подразделением. И под Сталинградом взят был в плен. И по военной неразберихе попал не в лагерь для ихних военнопленных, а в обычный наш уголовный лагерь. И прижился там очень быстро. Язык русский он скоро выучил в совершенстве — настолько, что писал по просьбе зеков их бесплодные жалобы. И мужик был, очевидно, стоящий — очень быстро подружился с ворами, чуть не сам стал вором в законе, его даже на сходняк допускали. И одно только в нем не устраивало его лагерных многочисленных друзей: что совсем у него нет татуировки. Карл, говорили они много раз, сделай себе какой-нибудь монастырь или битву русского с татарином, на худой конец — русалку с танком. Он отказывался и был непреклонен. Вдруг однажды на зону через вахту очень важно прошествовал старичок. У него был в руках фанерный чемоданчик, и на вахте его не только не обшмонали, но держались вообще очень вежливо. Это оказался татуировщик, знаменитый на всю лагерную Россию, первый кольщик по Союзу и невыразимый мастер своего дела. Тут пристали воры к Карлу опять: ты воспользуйся этим случаем, думаешь — он здесь долго будет, этот мастер? Нет, недолго! Думаешь, он только нам татуировки делает? Здесь рассказчик, повествовавший это Косте, поднял палец вверх, демонстрируя, что и там тоже делают себе татуировку — если им все доступно, как не сделать красоту себе на теле? — так что скоро призовут. Видно, этот неопровержимый довод и подействовал на Карла Гудериана. И, ложась под иглу старичка, он просил только учесть и подумать, что еще он вернется на родину, и чтоб не было поэтому на нем ничего такого, чтоб стыдиться. Старичок сказал, что понимает.

Пил этот мастер-кольщик страшно, кто-то водку доставлял ему исправно, и работу начинал он со стакана. Безупречно трезвым сохраняясь. На груди у Карла Гудериана появился изумительный танк, а пониже его — надпись по-русски, что «Германия превыше всего». А еще было ниже написано «Гот мит унс», что уже, как было всем известно, означает «Бог с нами». А на бедрах, на живот немного заходя, очень скоро появились две пушки (несколько фаллического вида, что весьма соответствовало месту), а поверху их вилась надпись: «Боже, покарай Англию».

Очень был доволен работой заключенный Карл Гудериан. Делал все старик в меру больно и очень аккуратно. Правда, через день, перебрав немного, на руке он у самого плеча написал Карлу —«Боже, храни королеву», что относится, как известно, к жизни английской, но и это было страшно не очень, потому что надпись была маленькая, просто ювелирная надпись, а изображенная от плеча до локтя красотка могла быть кем угодно, кроме королевы Англии. Карла затем повернули на живот, и старик принялся за его спину. Что-то бодрое неразборчиво напевая, он работал до позднего вечера, когда вдруг произошло предсказанное: срочно вызвали его на вахту, и он так же степенно и неторопливо отбыл куда-то с нешмонаемым чемоданчиком в руке. Впрочем, он успел сказать Карлу, что работу уже, в сущности, закончил, так что пусть клиент не беспокоится, а насчет оплаты — уже все оплачено друзьями.

Шли годы. Вскоре после войны многих пленных действительно отпустили, остальных отпустили позже, с ними вместе, объявившись, кто он есть, уехал и Карл Гудериан. И сейчас он еще жив и здравствует, стал он тоже известным танковым военачальником, но нигде, никогда, никто, даже самые близкие из близких не видали его раздетым. И понять его, беднягу, очень можно: во всю спину его ярко и сочно изображена татуированная схема окружения немецких войск под Сталинградом.

* * *

Я в связи с татуировкой вчера вспомнил и спешу сегодня записать, чтоб не забылось, как наша камера-осужденка, где получившие приговор ждали отправки в лагеря, превратилась в хирургическую палату. Операцию делали себе человек двадцать, такое поветрие, как зараза, охватывает молодых, — операция делалась уникальная, убежден, что ни одна хирургическая клиника в мире не знает и не делает таковой, разве только в Африке где-нибудь, где еще и не такое делают с собой туземцы. Слово «спутник» витало в те дни в камере, и о спутниках были все наши разговоры. Только здесь это означало не космический аппарат, а пластмассовый шарик (точнее — большую фасолину из пластмассы), вживляемый в член для усугубления ощущений партнерши. Никого не интересовало, что до акта любви кому оставалось три, а кому — и пять-шесть лет, приподнятость царила такая, словно завтра уже всех ожидало свидание с требовательной многоопытной любовницей, которую так приятно было бы ошеломить новинкой. Ибо спутник вживлялся не один, а две-три такие крупные фасолины делали член скорее орудием пытки, чем наслаждения, и двое в нашей камере, у которых уже давно были спутники, в сотый раз рассказывали, как сладостно кричали их подруги. Не могу не описать технологию изготовления и вживления этой мерзости в условиях камеры, где не только о чистоте и стерильности не могла идти речь, но и орудий для операции не было никаких, однако нашлись, и у всех все прошло хорошо, и надо было видеть счастливые лица добровольцев, чтобы понять неизведанность нашей психики и ее глубинное дикарство. Впрочем, по порядку. С утра.

Или точнее — с вечера, ибо все начали готовить еще вечером. В большом грязно-буром куске хозяйственного мыла аккуратно вырезается небольшое отверстие. Ножом служит черенок заранее украденной алюминиевой ложки — он заточен о бетонный пол до полной похожести на скальпель. Несколько часов непрерывного первобытного труда ушло на это у кого-то из чуханов камеры. Далее над этой ямкой, проделанной в куске мыла, плавится на спичке целлофановый пакет. Издавая мерзкий запах, частично сгорая, он черно-бурыми каплями льется, заполняя отверстие и застывая в нем. Тут кусок мыла разрезается, вытаскивается образовавшийся твердый сгусток, и его долго-долго шлифуют о тот же бетонный пол камеры, доводя до вида большой и гладкой фасолины. Есть любители, которым кажется мал этот размер, тогда изготавливается фасолина размером с желудь. Спутник готов, теперь его будут запускать. Существует здесь откуда-то взявшаяся убежденность (безапелляционным суждениям знатоков вообще очень верят в тюрьмах), что раны от острых режущих орудий заживают медленнее и хуже, поэтому бритва, хоть и есть она обычно в камере, для операции не годится — надрез должен быть рваным и неровным. Поэтому употребляется ручка от зубной щетки, обточенная о тот же пол. Итак, доброволец, идущий на эту косметическую операцию (просто не знаю, как ее назвать по-другому), кладет член на стол, за которым камера обычно ест (вокруг толпятся болельщики и ожидающие своей очереди), и двумя пальцами оттягивает на нем, распластывая по столу, кожу у основания головки. Эксперт по спутникам наставляет острие ручки зубной щетки и сильно бьет сверху. Тут очень важное отступление. В камере нечем бить, это издавна предусмотрено устроителями тюремного режима. В качестве молотка используется (о книга, источник знаний!) самый толстый том из книг, читаемых в камере. У нас в камере честно служил этой цели (и боюсь, что не в одной нашей камере и не одной смене заключенных служил) увесистый роман Фадеева «Молодая гвардия». (Так что книги действительно имеют свою судьбу — древние, как всегда, были правы. Замечательным показалось мне созвучие названия с возрастом и занятиями сокамерников.) Иногда, если толстых книг нет, используется коробка с костяшками домино, только удар тогда слабей, а ручка щетки должна пробить кожу и воткнуться в стол — высший класс операции, когда ее вытаскивают с трудом. От удара доброволец охает, закусив губу (вскрикивать неудобно, очень ведь мужская операция), бледнеет (хочешь быть красивым — терпи, к сексуальному обаянию это тоже, безусловно, относится), но покорно смотрит, как эксперт-оператор, не обращая внимания на кровь, быстро и ловко заталкивает в образовавшуюся рваную щель заготовленную фасолину-спутник. Справедливости ради не могу не отметить, что стерилизация предмета производится — его уже ополоснули под краном, смыв пыль от шлифовки о бетонный пол. Далее рану посыпают истолченной таблеткой белого стрептоцида (если он есть) и перевязывают подручной тряпкой, чаще всего это разорванная на полосы майка. Первую ночь оперированный обычно кряхтит, ворочается, часто стонет во сне. Дня через три-четыре (молодость есть молодость) уже моется со всеми в бане, горделиво демонстрируя любопытным свою новую сокровенную деталь. Некоторые вживляют по три штуки, симметрично располагая их вокруг члена, и ожерелье такое всегда внушает новичкам уважение. Интересно, что случаев заражения я не видел ни одного, разве что у двоих (а вживляло, повторяю, спутники у нас в камере человек двадцать) фасолины эти в процессе заживления просто вываливались из разреза, и горе свое неудачники даже не пытались скрывать, хотя повторно пробовать тоже не пытались. Администрация, знающая, естественно, о повальной этой моде в тюрьме, борется с ней замечательно гуманно и разумно: сажает в карцер и старается не давать стрептоцид. Жалующийся на простуду получает какие-то таблетки, но если прямо попросит стрептоцид, то не получит ничего, будет обруган, осмотрен и предупрежден. В этом смысле я был в нашей камере находкой: человек пожилой (операцию себе делают молодые, а меня медсестра, совершающая врачебный обход с коробкой всяких заветных таблеток, звала дедом, и камера не удивлялась, я был вдвое старше большинства), явно интеллигентный, я был вне подозрений. До поры. Когда мои жалобы на простуду и просьбы дать стрептоцид («всегда на воле помогал только он, сестрица, больше ничего душа не принимает») стали хроническими, я был заподозрен, и таблетку заставляли меня проглотить сразу. Но уже со второго раза я выучился прятать ее под язык или за щеку, делать явное глотательное движение и честные, чуть обиженные недоверием глаза, после чего вынимал ее и отдавал очереднику. Так как таблетки, как бы их ни называла медсестра, даются в камере уже вытащенными из упаковки, не поручусь, что на раны всегда сыплется именно стрептоцид. Но так как оперируемый всегда верит, что это стрептоцид, то и эффект всегда безусловный и стрептоцидный.

Только скоро, очень скоро (в тюрьме это знают, но идут на операцию все равно, ибо никогда не теряет человек надежду и вечно живо будет великое русское «авось») вступают в действие воспитатели зоны, лагерные врачи. Им предписано: спутники неукоснительно вырезать. Причем — в целях воспитания гуманного, неозлобляющего и разумного — вырезать не сразу при поступлении человека в лагерь, а только за час перед свиданием, когда приехала к нему жена и он пришел на обязательный перед свиданием врачебный осмотр. Ладно еще, если приехали отец или мать — а я видел, как огромный, баскетбольного роста, наглый и отважный блатной Генка плакал, как сопливый мальчишка (сразу как-то и возраст его сопливый обнаружился, двадцать всего лет ему было, этому лагерному законодателю), умолял врача не взрезать его, вынимая спутники, кидался от плаксивых жалоб к угрозе вскрыть себе вены — к нему приехала жена. Так как в лагере и начальство из различных соображений все стучит друг на друга, врач остался непреклонен. Генка отказался от свидания и сидел в изоляторе за то, что вскрыл себе вены, а его жена, в крик порыдав часа два в доме свиданий, уехала обратно.

Что касается сексуального удовольствия, причиняемого спутниками, то я слышал мнение только одной стороны, так что думаю, что это делается более для самоутверждения в процессе акта (крохи садизма живут ведь в каждом из нас), и рассказы взрослых зеков, шедших по второй и третьей ходке, о том, что на воле они все вскоре вырезали себе спутники, убеждают меня в этом. Но так странно и сильно влияет климат камеры на каждого, кто находится в ней, что любое поветрие заражает стремительно и вопреки неубедительным доводам разума. Сошлюсь хотя бы на то, что, глядя на бледные лица добровольцев, на всю антисанитарию, в которой делалось вживление спутников, на льющуюся кровь и грязные повязки, трезво понимая и оценивая происходящее, несколько раз я ловил себя в тот месяц на довольно сильном желании тоже попробовать это сделать. Удержался.

Глава 3

Хоть малолетки и в тюрьме сидят в отдельных камерах и зоны у них свои, но какие-то отголоски их буйной жизни (дети остаются детьми — и в энергии своей, и в жестоких играх) доносятся до взрослых камер и взрослых зон. То в отстойниках при тюрьме, где долгими часами десятки зеков, идущие на этап или прибывшие с него, ожидают отправки или сортировки, то на зонах, куда «поднимаются» достигшие восемнадцати лет, и уж конечно, в камерах при милиции, где вообще перемешаны все подряд и подследственный мальчонка лет шестнадцати с упоением выслушивает строгача, идущего уже по третьей, а то и пятой ходке. Самый стаж заключения предполагает опытность и обилие интересных рассказов, отсюда и авторитетность бывалых, а почтение новичков побуждает разглагольствовать и учить. Соблазняются даже самые молчаливые и замкнутые зеки. Мне повезло с малолетками в Загорской тюрьме, ибо она была переполнена втрое, если не вчетверо в канун московской Олимпиады, и трое, в молодежных камерах не ужившиеся по разным причинам, попали к нам.

С какой-то настолько пронзительной ясностью ощутил я после общения с ними, как складывается их жизнь, что даже мало расспрашивал потом других, ибо новых черт уже не добавлялось к образу их тюремного мальчишеского быта.

Первым к нам попал Андрей. Было ему около семнадцати, только-только получил он десять лет за групповое (двое их с приятелем было) изнасилование одноклассницы. Но родители как-то настояли на пересуде, вскоре срок ему скостили до семи, и счастью его не было предела — вижу, как сейчас, как он метался по камере, нелепо размахивая руками и осторожно пританцовывая. Осторожно, ибо к нам он попал сразу после больницы: в камере малолеток он играл с кем-то в шашки, они повздорили из-за неправильного хода, и партнер тяжелой железной миской (шленками называются они на фене) ударил его наотмашь по голове, но не плоско, а краем по виску. Нет, не зря все в камерах прочно приделано к полу или стене, а миски и ложки выдаются лишь на время еды. Но их крадут, верней, пытаются не отдать обратно, и если ложки дежурный строго-настрого пересчитывает по ту сторону кормушки (сточив о бетонный пол, из ложки можно сделать прекрасный нож), то миску часто удается утаить. Огромный безобразный шрам шел у Андрея от виска к уху — след самого удара, а еще один шрам, поменьше, был с другой стороны головы — то ли от удара при падении, то ли резали и здесь, вскрывая кровоподтек. По-мальчишески симпатичный, ясноглазый и мягкий, Андрей роста был невысокого, сложения отнюдь не богатырского, отчего (пока не заговаривал и не становилось очевидным дремучее его невежество, хоть и учился в девятом классе) мог показаться сыном интеллигентных родителей, запустивших по занятости, предоставивших школе и улице свое явно любимое и балуемое чадо. Позже как-то, в ночном случайном разговоре, он под великим секретом признался мне, что отец его — крупный работник в горкоме партии, оттого и удалось добиться пересуда и уменьшения срока, оттого и передачи он получал чаще, чем положено, и зримо иного качества, чем у других. А под секретом (всем он говорил, что отец его работает мастером на заводе) потому, что жестоко преследовали малолетки детей любого, а особенно партийного, начальства. Кстати, во взрослых камерах и на зоне скрывают зеки, если были в партии, спасаясь от непременного потока оскорблений, издевательств и вообще совершенно иного отношения, чреватого даже побоями при первой подвернувшейся возможности. Для всех же, кто на воле был причастен хоть косвенно к органам порядка и правосудия, вообще отводятся в тюрьмах отдельные камеры и особые существуют зоны, ибо их участь была бы просто кошмарна. Даже только подозреваемые в работе в милиции часто становятся объектами придирок и поношений.

Но вернусь к Андрею. Он лежал в обычной городской больнице, ибо травма его была слишком сложна для врачей тюремной санчасти, а в коридоре возле его палаты день и ночь дремал на стуле, изнемогая от прикованности к месту, дежурный милиционер. Убежать Андрей никуда не мог в своем состоянии, да и не собирался, не тот характер, но инструкция есть инструкция. А потом, еще с повязкой на голове, слабый после сотрясения мозга и тяжелой операции, был он возвращен в камеру для малолеток, но там ему житья уже не было. Вообще тюрьме чуждо сострадание, а у малолеток и подавно. Андрея начали обижать — он был не в силах ответить. Страшная есть тюремно-лагерная поговорка, точно передающая ситуацию: «обиженных — ебут». Правда, в каждой камере для малолеток полагается держать (и держат) одного, а то и двух взрослых из таких же заключенных — это и воспитатели, то есть укротители, и надзиратели одновременно. О непорядках, с которыми они не в силах справиться сами, они должны сообщать администрации. Но сообщить — значит донести, а кто возьмет на себя этот самый тяжкий тюремный грех, предвидя впереди лагерь, куда сведения о нем рано или поздно просочатся? Не говоря уже о том, что и сами малолетки — рослые здоровенные жеребцы, ни секунды не медлящие с расправой, если она кажется справедливой по тюремным нормам, соблюдаемым ими строжайше, словно в любимой увлекательной игре. Так что максимум того, что может сделать взрослый, — это вслух сказать, кого, по его мнению, следует убрать из камеры — не из числа зачинщиков драк и молодецких игрищ, не из главарей, а из обижаемых, презираемых и угнетаемых — из так называемых чушек, или чушкарей. Убрать, так сказать, наиболее соблазнительную жертву, которая самой слабостью и незащищенностью своей стимулирует и провоцирует вспышки жестокости и злобы. Специальная камера для таких существует, она так и называется — обиженкой. Но, в свою очередь, там такая вершится битва за ступень в иерархии (ибо из обиженных «чушкарей» можно еще вернуться в «пацаны»), что Андрею не удалось прижиться и там. В результате — он сидел у нас и медленно приходил в себя. Он был жертвой, но не следует думать, будто сам был участлив, сострадателен и добр — вовсе нет. Повернись по-иному его тюремная фортуна, отыщись два-три дюжих приятеля, будь он сам физически покрепче — и он так же лихо бил бы других, отнимал у них передачу, заставлял за себя мыть полы и стирать в лохани одежду и дрессировал бы, как зверей, самых слабых, забитых и уже опустивших руки, сдавшихся чушкарей: по щелчку пальцами — немедленный принос сигареты, два щелчка — подать спички, три — принести воду, и так далее, а за секунду промедления (если, к примеру, спал и услыхал не сразу) безжалостные куда попало побои. И ели бы у него эти несчастные не за столом, а около параши, и спали бы в грязи под нарами, и ни о каких высоких материях («все мы люди, мы друзья по неволе» и прочее из гуманистического репертуара) он бы не помышлял. Вот — как пример его нравственного кругозора — наш короткий разговор однажды о деянии, приведшем его сюда. История в общем-то банальнейшая (очень много молодых сидит за изнасилование, что странно при сегодняшнем изобилии и доступности): выпили с приятелем бутылку, отправились вечером побродить, встретили одноклассницу (с авоськой, мать за молоком послала), показали ей нож, и она покорно пошла за ними. Забавно, что они еще раньше, месяца за три до того, совратили ее точно таким же образом (девицей она тогда оказалась, они этого даже не ожидали, в их классе уже многие сверстницы приобщились к плотским утехам), но тогда она промолчала, а на этот раз — рассказала матери. (Очевидно, оправдываясь, почему не принесла молоко.) Мать заставила ее заявить в милицию, и все закрутилось. Но существенно здесь (для нашего героя) вот что: совершалось это все зимой, в лютый мороз, на кладбище.

— Андрей, — спросил я его, — ты замерз, пока твой напарник с ней был?

— Ой, Мироныч, — по-мальчишески бодро и звонко ответил он. — Просто задубел даже, а не замерз. Пока он на ней прыгал, я вокруг прыгал, рядышком, все никак согреться не мог.

— Ну, а ей-то каково было? — спросил я. — Ведь на снегу же, бедолага, лежала, всего-навсего, небось, на своем пальтишке, да еще полураздетая. А?

— Нет, Мироныч, — серьезно и истово ответил мне Андрей. — Нет. Мы же ей бедра снегом обтирали.

Таковы были его понятия о человеческом сострадании. И здесь вот, когда он уже испил свою чашу унижений и бессилия (ох, как пополнится она в лагере — ибо, кроме личных данных Андрея, надо учесть, что статья сто семнадцатая вообще не уважается на зоне, презирают почему-то тех, кто «обмакнул конец, а теперь десять лет сушит»), неожиданно в камеру к нам попал второй, полный сил, задиристости, отваги и готовности гнуть и ломать что угодно, а уж тем более — кого угодно. Он был из главарей, заводил и зачинателей, этакий центр кристаллизации — таких тоже старались из камер малолеток убирать. Куда придется. И он попал к нам.

Но сначала — еще одна история, чтоб ее потом не забыть, — попутная. Из этого же маленького городка. Орава молодых сорванцов изнасиловала вечером женщину. Кляпом каким-то заткнули рот, задранную юбку завязали над головой узлом, и прошлась по ней вся компания с шуточками и смехом. А на следующий день мать сказала своему сыну-подростку:

— Звери твои дружки, а не люди. И ты такой же. Я в суд не подам, чтобы мне судье в глаза не смотреть, родной сын надо мной поиздевался. Ты скажи им только, пусть кольцо вернут, что сняли, — это об отце память.

И сын ее повесился в ту же ночь. Тогда она и подала заявление в милицию — участники сидели теперь в камере малолеток. Это как раз один из них ударил Андрея.

А пришедшему после него Сергею было всего шестнадцать, но роста он был прекрасного, широк в плечах, плотен, красив уже не мальчишеской, а вполне мужской красотой. Женщинами самых разных возрастов был он уже настолько избалован, что они даже, кажется, интересовали его не очень, слишком рано и слишком доступно оказалось ему это в подмосковном дачном городе Пушкине. Душа его жаждала острых развлечений, притом непременно коллективных. Рассказы его о них были довольно однообразны: то они всей компанией били кого-то (что десятком набрасывались на одного, казалось ему в порядке вещей и не смущало), то бесцельно мчались куда-то на украденных мотоциклах (которые потом просто бросали), то крали коней в соседнем колхозе и устраивали в лесу скачки. Но в основном все-таки били кого-то, не дрались, нет — именно били, что-нибудь отнимая у позднего прохожего, сошедшего с поезда, а чаще всего — просто так, за косой взгляд или отсутствие спичек. Тут Сергей всегда старался рассказать поподробней, кто именно из их компании ударил первый, кто сбил с ног, а кто потом и куда именно бил ногами. Нет, нет, это не было садизмом, то есть некоторой душевной ненормальностью, это была форма развлечения, отсюда и интерес к подробностям. Добыча его не волновала, его волновал процесс. Он, к примеру, мог поймать с приятелем кошку или собаку и подвесить их на веревке как боксерскую грушу — попади ему в руки оружие, он бездумно и спокойно пустил бы его в ход, придумав ситуацию понеобычней. Незадолго до ареста мне довелось читать журнальную большую статью о загадочных и загадочно многочисленных безмотивных, то есть совершенно бескорыстных преступлениях. Естественно, они объяснялись следствием гниения западной цивилизации и растленного бездуховного общества. Я о них вспомнил, разговаривая с Сергеем. Странным образом этих молодых не устраивали развлечения, предоставляемые им широко и разнообразно, — им хотелось их найти самим, и в образе, хоть немного, но преступающем черты дозволенного и общепринятого. Кстати, Сергей показался мне более добрым, чем Андрей, более очеловеченным, более готовым к душевной привязанности и отзывчивости — понимаю, что говорю нечто прямо противоположное тому, что только что писал чуть выше, но могу лишь повторить: вижу противоречие, но объяснить его не умею. Сергей как-то очень тянулся в камере к нам, кто старше, готов был с радостью и благодарностью принять и впитать новые знания (слушал, по-детски забывчиво раскрыв рот), даже чисто нравственные, если в них не было прямого назидания или морали, которыми его так уже, очевидно, обкормили в школе, что он автоматически закрывался, как раковина или ежик, слыша что-нибудь созвучное школьным прописям. Андрей был холоднее, разумнее и более уже вылеплен, чем Сергей, из которого с равным успехом мог получиться или закоренелый бандит (именно грабитель, а не вор), или упоенный, отдавшийся душой и телом — спортсмен, к примеру, или что-нибудь в этом роде, если бы увлекся (а точнее — кто-нибудь увлек, сильная в нем и явная ощущалась жажда в старшем мужчине). Мать его работала на фабрике, отца не было, вряд ли подберет его, как в кино или рождественской сказке, какой-нибудь добрый фанатик тренер или наставник. Думаю, что уже сейчас, когда я пишу это, год почти спустя после встречи (дело плевое какое-то было, мелкая кража в школе, сама же школа и брала на поруки), он избивает кого-нибудь со своей компанией на скудно и тускло освещенной дороге от станции к центру. Или раздевают пьяного — все никак не мог он объяснить мне, почему они при этом бьют его, а не просто отнимают плащ, пиджак или часы. Ведь не сопротивляется? Нет. Почему же бьете? Злость что-то берет. Ну, а если сопротивляется? О, того уж так метелим, будет помнить. А прохожие, неужели не вступается никто? Женщины иногда — прикрикнет и спешит дальше, а мужики отворачиваются, как не видят. Или, может быть, мчатся они куда-нибудь на уведенных мотоциклах, чтобы бросить их при первой милицейской попытке остановить, а возвращаются уже на автобусе всей компанией, задирая кого-нибудь, чтобы потом сойти с ним вместе и разом накинуться всем на одного. Или у винного магазина отнимают бутылки у выходящих. И еще деталь его мировоззрения: твердо и убежденно защищает он идею, что мир попрежнему делится на бедных и богатых и богатых грабить не западло. А богатым они считают каждого, у кого есть что-нибудь, чего нет в данный момент у них. Это у них в таком виде задержалась в голове марксистско-ленинская идея о равенстве и справедливости в распределении общественного продукта.

И вот при всем при этом, хоть ясно было, что растет подонком этот могучий сопляк, что отпетым скорее всего станет мерзавцем, — очень нравился мне Сергей. Полной, повторяю, и явственной, жаждущей готовностью раскрыться навстречу кому-то, кто так скорее всего и не появится. С Сергеем у меня связано воспоминание о страхе, сильней которого я не переживал.

Дело в том, что он стал тиранить слабого Андрея. Не сразу, нет, а дней через пять, когда полностью обжился и осмотрелся. Издевался над ним, угрожал и замахивался, играя в домино или шахматы, поминутно требовал что-нибудь подать, принести или убрать, уже Андрей жался на краешке скамьи, когда мы ели, покорно ожидая, что его вот-вот сгонят есть куда-нибудь поближе к параше. Мне смотреть на это было невтерпеж, и я громко сказал вечером Сергею, что камера у нас взрослая и нечего здесь устраивать детскую площадку зоопарка, где животные, кто посильней, гоняют слабых. Сергей долго молча смотрел на меня, чуть заалев (относился он ко мне очень хорошо и все время расспрашивал о гипнозе, о телепатии, о Бермудском треугольнике), а потом очень, очень спокойно сказал:

— Знаешь, Мироныч, ведь не драться же мне с тобой... — Было здесь нескрываемое пренебрежение к моей очевидной неспособности драться с этим жеребцом, но еще и понимание неуместности этого здесь, в тюрьме. И повторил:

— Ведь не драться же мне с тобой. Я тебя зарежу.

Он сказал это так просто и искренне, что мне стало совершенно понятно, что сделать он это может с легкостью, не дрогнув, не задумавшись и не убоявшись. Нет, мне не сразу стало страшно (или просто пути назад уже не было), — во всяком случае я сухо повторил, что здесь у нас зверинца не будет, и уткнулся поглубже в книгу. Только думал я уже совсем о другом. Все мы знали, где у нас в камере спрятана бритва, давно украденная у дежурного надзирателя, раздававшего по субботам бритвы (одну на троих), кисточку и зеркальце, а потом строго считавшего бритвы при возврате (в случае недостачи — шмон строжайший и карцер для всех). Там же хранился и супинатор — отточенная о бетонный пол полоска стали, что вкладывается для упругости в подошвы сапог, ботинок и туфель. Супинаторы непременно вынимались (вырезались, вырывались, выбивались) из обуви во время обыска при поступлении в тюрьму, с ними были те же строгости, что с бритвами, но сохранить его или пронести считалось делом такой доблести, что почти в каждой камере хранилось такое лезвие — миниатюрный, но все же нож. Брать их сейчас при всех было мне совершенно неудобно, только так и стояли у меня перед глазами две эти стальные пластины. Ох, как долго я не спал в ту ночь! И не только потому, что был настороже. Все равно я не справился бы с Сергеем, да и закричать успел бы вряд ли, а на помощь ни на чью не надеялся — сопливцы сидели в камере нашей, а двое постарше — спившиеся бичи. Нет, не только потому, что был настороже. Ибо я и верил и не верил в исполнение угрозы. Немедленно — он бы мог, легкую истерическую взрывчатость я давно уже заметил во многих молодых, занимающихся кражами или мелким грабежом. А спустя некоторое время — вряд ли мог. Так что нет, не только от опасливой возбужденности не спалось мне в ту ночь. Третий раз вот повторяю, что не очень боялся — чтобы себя, что ли, тоже убедить задним числом? Возможно. Только я и вправду очень горьким предавался мыслям: виделось мне в эти часы бесчисленное количество таких Сергеев (он, кстати, по-прежнему оставался мне искренне симпатичен) на необозримых пространствах империи, готовых легче всего к массовому какому-нибудь движению — разрушительного, разумеется, характера. Против кого угодно, если сплотят и убедят. И до любой крови. А что с этим делать, я не знал и не мог придумать. А всяких прекрасных книг я к тому времени начитался столько, что считал себя почему-то обязанным что-то придумать. Противопожарное нечто. Или утешающее хотя бы, обнадеживающее — за что бы спрятаться могли всякие прогнозы и опасения. С этим смешанным чувством понимания, бессилия и страха (сколь традиционная для интеллигента троица!) уснул я где-то на рассвете, когда к ярко-серому свету прожекторов в решетчатом окне добавилось розовое, синее, желтое.

Утром, словно не было вчера ничего, Сергей у меня что-то спросил. Я сперва ответил сдержанно и суховато, но тут он, помня мою слабинку, предложил поиграть в нарды. А я только-только научился в них играть, и очень мне это нравилось. Доска у нас была расчерчена на столе, фишками служили шашки, а кубики — из хлебного мякиша. И вчерашнее было перечеркнуто. Больше он не задирал Андрея, просто не замечал его, словно тот был пустым местом — сам боялся, очевидно, что сорвется, и не хотел этого. А я свой страх помнил еще довольно долго. И еще два дня спустя мне пожилой бич Мишка сказал, что тоже не спал всю ночь, чтобы мне помочь, если что. Но врал он все, спал и храпел нещадно, просто хотел подмазаться, потому что мне из камеры сверху спустили по нитке трубочного табаку, и я его никому не давал, потому что курево и так было, а Мишка, как истый бич, всегда хотел того, что есть у других, свое оставляя про запас на черный день, хотя знал, что такого дня у него здесь не будет, ибо мы все поровну делили. А чем занять этих Сергеев и как ввести их в уровень подлинно человеческих отношений, так я и не знаю до сих пор. Только совершенно уверен, что и вернувшись на свободу, буду опасливо настораживаться теперь, проходя мимо кучки молодых. И убежден, что скоро эта проблема станет вообще из самых острых, ибо есть в ней очевидная расплата за успешное и повальное увлечение техникой, наукой, плотью бытия, материальным засасывающим процветанием.

Имя третьего я не помню и даже лица его в истинном виде не повидал, ибо пробыл он в камере всего неделю, а когда пришел, вместо лица у него был один вздувшийся темно-серый волдырь с двумя желтыми полосками гноящихся затекших глаз и багрово-синими пятнами кровоподтеков. Собственно, привели его под руки, а не пришел. Так надзиратель и сказал, что привели его отлежаться и пускай он на лице постоянно держит мокрое полотенце. Был он из малолеток, хоть из-за вида своего казался старше. Слезая в своей камере со второго этажа нар, наступил он — нечаянно, разумеется, — на край подушки своего же приятеля (кента, по-тюремному). Очень многое у малолеток объявляется «западло» к употреблению — красный цвет, например, или еда, упавшая на пол. Западло и все, на что наступила нога,— так что, говоря по-камерному, наш сосед «опарафинил», то есть безнадежно испоганил, подушку случайным прикосновением ноги. Извинения тут помогли бы вряд ли, но приносить их — тоже западло. Так что он растерянно что-то буркнул. Не зная, как поступить, малолетки спорные вопросы часто решают дракой, и приятель, сам того не желая, вмиг накинулся на него с кулаками, боясь, что иначе сочтут трусом. В завязавшейся драке появилась уже и ярость, и стимулирующий драку азарт. Приятель одолевал провинившегося. И вот здесь естественный вопрос: что сделали бы взрослые, тесно сгрудившиеся в тесном проходе камеры вокруг двух дерущихся, видя, что один одолевает другого? Дождались бы естественного конца драки. Разняли дерущихся. Уняли распалившегося победителя. Вот и все варианты — не правда ли? Ничего иного нормальный взрослый разум и не может, по-моему, изобрести. Малолетки же всей толпой набросились на поверженного, и неизвестно еще, что произошло бы, не загляни туда случайно надзиратель. Может быть, правда, были какие-то ранее накопившиеся к нему в камере чувства — не знаю. А возможно, виновата отчасти его статья. Странная, единственная в мире, должно быть, в нашем только кодексе существующая. За тунеядство.

Удивительная это статья. Воплощение и доведение до предела идеи «кто не работает, тот не ест» — а еще, значит, и исправлению подлежит. Перевоспитанию трудом. И к бичам, по статье этой попадающим, относятся почему-то плохо. Очень много мне их встречалось — частой сетью прошлась перед Олимпиадой милиция по множеству городов вокруг Москвы, не говоря уже о самой столице. А от кампании столичной яростно стараются не отстать и провинциальные коллеги. Толпами шли за решетку люди, даже случайно и ненадолго прервавшие свой рабочий стаж. Множество таких бедолаг я повидал и в тюрьмах, и на зоне. От совсем зеленых юнцов до зрелых сорокалетних мужиков. У одного в Красноярской тюрьме забавный был записан с его слов последний адрес: «Колодец номер три теплоцентрали по проспекту Красноярского пролетария». Интересно было бы сравнить их быт и понятия с их коллегами — западными хиппи: много общего, несомненно, нашлось бы в этих отщепенцах цивилизации, отказавших ей в праве на свою жизнь и ее течение. А общее отношение к бичам — непонимание с оттенком презрения — оно, возможно, и сказалось на судьбе этого третьего малолетки. Думаю, что и на зоне ему придется плохо — было в нем нечто, обрекавшее его на пребывание в самом низком слое лагерной иерархии. Объяснить я этого не могу. По ощущению. Но беда таких, как он, что чувства, вызываемые ими у окружающих, толкают этих окружающих на агрессию. Замкнутый выходит круг, некая обреченность тут просматривается. А куда она приводит беднягу — опишу я далее, потом.

Многим новым словам обучился я уже на зоне. Часть из них теперь останется со мной. Например, прекрасное здесь бытует слово — тащиться. Но не в смысле изнуренного медленного движения, а как понятие удовольствия, блаженства, отдыха и покоя. Тащатся от водки и чая, от каликов и колес (таблеток), тащатся от тепла и солнца (балды), просто растянувшись блаженно и на полчаса забыв обо всем — тащатся.

Так тащился я сегодня на промзоне в крохотном сарайчике позади нашего цеха — в тепляке, или биндюге, где стоит печь, сваренная из железной бочки, и вдоль стен идет низкая узкая скамья — можно сесть, можно лечь, если народа мало, подложив под голову чурку, и тащиться, глядя на огонь. Или на часок уснуть бдительным лагерным сном, когда слышишь все шаги возле биндюги, чтобы оказаться на ногах, если начальство. А покуда спишь. Но тащиться — куда приятней. Да к тому же кто-то вывернул лампочку (их катастрофически не хватает на зоне, так что крадут их повсюду и все), и лишь слабые блики пламени разрежали продымленную темноту. Отогревшись, только что разошлась бригада, а я остался — с понтом, чтобы караулить инструмент. (Понт — это любая показуха. Понтуются, создавая видимость работы, усердия, прилежания, благоразумия, с понтом все мы твердо стояли на пути исправления и перековки.) Инструмент весь состоял из топора, который просто надо было сдать на склад, но сдавать его я не шел, ибо остался специально, чтобы потащиться. С бригадиром нашим я жил дружно, так что мог себе такое позволить, а ребятам это не было обидно, так как они сами будут понтоваться возле штабеля досок — выдался прекрасный такой день, что начальства не было никакого.

— Ты бы мог описать это, Писатель? — спросил я его сегодня утром, когда вся бригада наша, тридцать мужиков, плотно сбившись, сидела в темноте, ожидая, пока печь разгорится и биндюга заполнится вожделенным дымным теплом. В щели между досками пробивались полоски света — позже сюда станет задувать ветер, очень быстро охлаждая биндюгу, мы поэтому решили щели забить, но тут все, с чем удавалось помедлить, мы откладывали на потом, а пока только эти полоски да мерцание сигарет освещали наши мятые, бледные и осунувшиеся лица.

— Нет, никак, — тихо отозвался Писатель. — Знаешь, как я жалею об этом! Но не мог бы. Надо быть черт знает каким художником, чтобы описать опустошенность нашу, странную отчужденность, что ли, от жизни, взвешенность, зыбкость, апатию полную, почти скотскую, и в то же время самые различные радости, которых вовсе не понять никому, кто здесь не был. Вот сейчас, например, мы же почти счастливы, послушай. Мы поели только что по трети миски отварной капусты с куском глинистого хлеба, запили полукружкой еле подслащенной теплой воды, сытости хватит часа на два, будем ждать обеда с нетерпением и приятностью, что он будет наверняка. А здесь тепло, безделье, безопасность от начальства, курево. Каждому сейчас непередаваемо хорошо и спокойно. Если хочешь — даже на воле редко так бывает, ведь же нету никаких забот и спешки, планов и суеты нет, наши головы обречены на отдых. А сейчас огонь займется, затрещат поленья, мы закурим по второй, не торопясь. Как же тут найти слова, чтобы хоть кто-то поверил, что мы счастливы сейчас — искренне, глубоко и полно. Не знаю. Я не найду. А посмотреть на нас со стороны — на грязную эту рвань на нас, на наши лица, уголовные уже давно, на этот сарай и бочку. Нет, я не смогу, к сожалению. Но при случае попробую. Обязательно.

И сейчас вот я лежал и тащился, и ужасно мне было хорошо, и совсем я не думал ни о чем, только изредка мелькали куцые обрывки о приятном: что свидание с женой уж вот-вот, что покуда с табаком все в порядке, и не все еще семь рублей, что можно тратить в месяц на ларек, я истратил, и что есть еще банка повидла, ее вечером съедим под чифир, и что в пятом отряде есть какая-то книжка у завхоза, мне сказали, ее надо будет взять, неважно, что за книга, ибо на день будет что-то почитать. И в санчасть надо к Юрке-хирургу забежать, обещал, что завезут ему чай, поделится. Вот такие приблизительно были мысли — и не выше, и не ниже, и не другие. Я тащился. Вряд ли кто-нибудь признал бы во мне сейчас того недавнего человека, почитавшегося за интересного собеседника, не последнего за дружеским столом, вообще удачника во многом, что считается жизненной удачей. А вчера еще был я в бане, добавлю, был чист и одет снизу в чистое, и об этом было тоже очень приятно на короткое мгновение подумать, и себя при этом как бы ощутить — продолжающего жить и сохранного.

Послышались осторожные шаги — я уже сидел; готовый вскочить, с понтом нес топор на склад, зашел подкинуть дров, чтобы биндюга не остыла до бригады, но в узкий и низкий дверной проем биндюги протиснулся, боком и чуть согнувшись, тихий мужичок Саша из третьего отряда, приходивший к нам погреться иногда — в их биндюгу мужиков блатные не пускали.

— Можно? Есть тут кто? — спросил он. — Не помешаю?

Вежливая робость его была разумна — здесь могли сейчас сидеть блатные из его же или другого отряда, да и самая темнота означать могла что угодно: кто-то роется в своем тайнике, к примеру, — это верная неприятность для внезапно пришедшего чужака; вообще никого могло не быть, но тогда чужому сюда и заходить было нельзя. Смешные мальчишеские игры, но отвечать приходилось собственным хребтом, вот и отнесись попробуй несерьезно.

— Заходи, Саша, — сказал я. — Заходи. Сигарету хочешь?

— О, — только и выговорил Саша. С куревом у него, как у всех почти в лагере мужиков, было плохо. Бережно и благодарно взял он протянутую сигарету, прикурил от моей, сел у печки и, коротко повозившись, смолк. Потащился. Очень уютно теперь мерцали два наших огонька и полоса от неплотно прикрытой печной дверцы. Я лениво подумал, что забыл или не знаю, по какой статье сидит Саша, задавать такой вопрос было небезопасно, ибо мог последовать часовой занудливый рассказ, изобилующий тягомотными подробностями, но любопытство мое взяло верх, и я спросил все-таки:

— Саш, ты за драку торчишь или палатку на уши поставил?

— Магазин, — ответил Саша благодушно. — Но у меня еще сто сорок седьмая.

Вот-те на: у недалекого тихони Саши статья за мошенничество. На зоне вообще было всего три-четыре человека, сидевших по этой статье, требующей все-таки умственных способностей и усилий. Стоило рискнуть и расспросить. Ладно. В крайнем случае засну на полдороге, подумал я, Саша на меня не обидится. Долговязый, вяловатый, очень добрый флегматик, ни на что на свете он не обижался, был покладист, малообщителен и застенчив. Ну и мошенник теперь пошел, прости Господи, подумал я. Что же ты наделал, Саша?

И прекрасный, в меру лаконичный, очень связный я услышал рассказ, в несчетный раз удивляясь тому, как я не разбираюсь в людях и как они замечательно неожиданны.

Саша, как он выразился, — преподавал тепло, то есть работал кочегаром в котельной школьного здания. В октябре прошлого года, когда вовсю уже топилась их система, Саша выходил в ночную смену, а часам к двум дня, отоспавшись уже после работы и не зная, куда себя девать, сидел у ворот на скамеечке, ожидая конца дневной смены и вечернего домино с приятелями. Каждый день. А напротив, у большого жилого дома через дорогу, каждый день в этот час останавливалась черная «Волга» и какой-то начальник поднимался домой обедать. Саша познакомился с его шофером, и тот пускал Сашу в машину слушать по приемнику песни, до которых Саша, как выяснилось, был еще в деревенской своей молодости чрезвычайный охотник. Даже флегма в его голосе исчезла, когда он вспомнил, как любит песни. Но конечно, пояснил он мне, где понятные слова, потому что все слова под музыку, сказал он, действуют на него необычайно сильно. Словом, отоспавшись после смены, каждый день он минут сорок тащился под музыку в персональной чьей-то казенной «Волге».

Приблизительно через два дня на третий хозяина машины обуревали, очевидно, идеи равенства, братства и демократии — тогда он звал шофера с собой, и того на кухне тоже кормили. Саша в это время оставался один, шофер проникся к нему настолько, что не вытаскивал даже ключ зажигания. Тут-то и возник однажды совратитель-узбек с расположенного неподалеку рынка. Рынок этого сибирского нефтяного городка изобиловал южными людьми, привозящими сюда фрукты — открыто для всех, а наркотики — для растущей с каждым годом тайной клиентуры. Узбек несколько раз хищно и тщательно осмотрел со всех сторон машину, грамотно и тактично, словно врач — по груди или спине пациента, постучал по ней легонько кончиками пальцев, проверяя, очевидно, корпус каким-то ему известным способом, после чего просунулся в окно и спросил, не продается ли эта «Волга».

— Купи, — ответил ему Саша равнодушно. На машине висел номер, ясно показывающий ее казенную, да притом еще начальственную принадлежность, что-то типа ряда нулей и последней значащей цифры, попросту такие запоминающиеся номера никогда не вешают на автомобили. Но узбеку это было, очевидно, все равно. Живо и обрадованно растворил он дверцу и плюхнулся возле Саши.

— Сколько просишь? — деловито спросил он. Отступать было поздно, неудобно. Саша безразличным тоном назвал цифру двадцать тысяч — сумма эта казалась ему столь астрономической, что узбек должен был немедленно убраться восвояси. В это время — Саша помнил точно — пелась песня «Я так хочу, чтобы лето не кончалось», которую он слушал уже в сотый, наверно, раз, почему и сейчас хотел дослушать спокойно.

— Пятнадцать, — горячо сказал узбек. И так как Саша отключенно молчал («Я так хочу, чтобы маленьким и взрослым удивительные звезды...» — пела пошлая потасканная певица пошлые затасканные слова, жарко любимые Сашей), то узбек немедленно добавил:

— Шестнадцать и две канистры виноградного вина.

— Крепкого? — спросил Саша, очнувшись. Эта надбавка прельстила его сразу и наповал, совратила с честного до той минуты жизненного пути, определив последующую судьбу надолго вперед.

— Градусов восемнадцать, — сказал узбек-искуситель. И тут же испугался, что мало. — Могу чачу налить, — сказал он. — У грузина возьму.

— Чача лучше, — солидно сказал Саша. — Деньги при тебе?

— У меня только пять тысяч, — захлебывался узбек, и глазки его сияли. — Сейчас же звоню брату, он завтра прилетит с остальными. И винограда еще дам. Или дыни хочешь?

— Посмотрим, — сказал Саша. — Пробовать машину будешь?

— Вижу, что на ходу, — отозвался узбек. Он-то знал, сколько стоит «Волга» на самом деле, так что с этим сонным дураком полагал за лучшее сладить немедля.

— Тогда сделаем так, — рассудительно и неторопливо сказал Саша, хотя мозг его работал сейчас остро и лихорадочно — вовсе не над тем, что подумают приятель-шофер и его начальник, не найдя машину на месте, и уж вовсе не над тем, как это может обернуться самому Саше. Не о последствиях, не о таких пустяках думал сейчас основательный человек Саша. Он решал куда более существенную проблему: где найти своего утреннего сменщика, чтобы тот и в ночь вышел кочегарить вместо Саши, потому что Саша будет занят чачей, которая, уже ясно было, как дважды два, как бы ни сложились обстоятельства, появится минут через пятнадцать, ибо до рынка и пешком-то было рядом, а тут — машина.

— Сделаем там, — повторил Саша задумчиво, а рука его уже включила зажигание, левая нога уже плавно выжимала сцепление, правая уже чуть-чуть ласково поддавала газ, и машина уже шла-катилась, набирая скорость стремительно, потому что кто его знает — мог и раньше выйти шофер из дома, если дали ему легкий обед. Этим рисковать было нельзя. Узбек очарованно и упоенно предавался прелести езды на машине, купленной им за половину ее стоимости на юге. Саша держал путь к базару.

— Я живу не там, — сказал узбек. — Я комнату снимаю, туда поедем.

— Сперва чачу нальем, — отрезал Саша. В багажнике — он знал это — были две канистры. Чистота их Сашу мало волновала, лишь бы оказались на месте. — А потом сделаем так, — в третий раз повторил он. — Я тебе машину отдаю, ты ее ставишь у себя, пять тысяч задатка — сразу, остальные — послезавтра сам зайду. Годится?

— Почему нет? — как можно хладнокровней сказал узбек. Все внутри в нем пело и играло, заглушая музыку из приемника.

Слепой, но снисходительный случай весь тот день улыбался Саше своей рассеянной улыбкой. И пустые канистры аккуратно ждали в багажнике, и грузин нашелся немедля, и налили чуть розовую почему-то чачу, даже дали сперва попробовать под кусочек острого сыра, и уже через какие-нибудь полчаса ставили они черную «Волгу» на замызганном каком-то дворе, где снимал себе комнату узбек в старом бревенчатом доме. И уже откуда-то с живота достал узбек две толстенные теплые пачки денег, где и сотни были и трояки, и сказал важно, что за ним можно не считать, не такой он человек, чтобы считать за ним деньги. И договорились здесь же вечером встретиться послезавтра, чтобы брату не лететь сломя голову.

— Пировать сейчас будем, — неуверенно сказал узбек, очень уж ему не хотелось дольше оставаться с Сашей, коего он полагал находившимся во временном затемнении рассудка, так что лучше пусть очнется уже дома. — Плов сейчас делать будем, — сказал он все-таки, нехотя повинуясь голосу вековых традиций.

— А оформлять как будешь? — спросил Саша. Узбек засмеялся и махнул рукой. Но, сочтя вопрос этот за начало прояснения Сашиного рассудка, больше не настаивал на пировании.

Сменщика тоже нашел Саша очень быстро, и еще тот был пока трезвый как стеклышко, и охотно согласился Сашу в эту ночь подменить. Все косился только на две канистры, которые Саша так и нес, и вез с собой в автобусе, словно две хозяйственные сумки. Но чачу ему Саша все равно не налил, потому что ясно понимал толк в сохранении уголовной тайны.

А друзей у Саши было и раньше в изобилии, а потом и новые набежали, и очнулся он как раз на послезавтра где-то в середине дня. Чтобы ему опохмелиться, заранее была налита и спрятана большая бутылка из-под вермута. Деньги тоже были надежно захоронены еще позавчера у одной знакомой — вспомнив о них, Саша улыбнулся задумчиво, потому что как таким богатством распорядиться, он еще пока не знал. За остальной суммой он идти к узбеку не собирался, справедливо полагая, что уже или узбек сбежал, или милиция нашла машину. Возвращаться на работу тоже никакого смысла не было. И, как соленая вода только обостряет жажду, мысль о спрятанных пяти тысячах за какой-нибудь час раздумий разожгла в Саше идею разбогатеть еще более, а потом уже куда-нибудь смыться. Трясина стяжательского азарта, до сих пор неведомого Саше, стремительно поглотила его.

— Как же тебя поймали, Саша? — перебил я, боясь, что история затянется теперь надолго, раздробившись на множество подробностей, выпивок и встреч с нудным перечислением выпитого и говоренного.

— А я, видишь, в тот же день, вечером, в магазин один залез. Там в мешке с вермишелью продавщица выручку прятала, чтоб деньги домой не тащить, а сдавала она их только утром. Там я сто рублей деньгами взял и ящик водки. Ящик в кочегарку отнес, чтобы с ребятами попрощаться по-путному, а деньги при себе оставил. Вот.

— Не поймали же тебя в магазине? — не понял я.

— Нет, я сам с повинной явился, — терпеливо объяснил мне Саша. — Тут меня и свели с узбеком. Он, оказывается, с милицией дрался, машину не отдавал, чудак. Я, кричит, ее купил у человека, задаток дал. Пуговицу у мента оторвал. Сопротивление властям.

— А с повинной ты зачем явился? — не понимал я.

— Для алиби, — объяснил Саша. — Алиби — это когда тебя нет, где тебя подозревают, что ты был.

Я сказал, что знаю, что такое алиби. Но зачем оно понадобилось Саше так, что он даже с повинной поперся? Понимал же, что за магазин посадят?

— Конечно, — снисходительно сказал Саша. — Но за магазин сколько могли дать? Если я еще раскаялся сам? Пустяки. А у меня в поселке, километров десять от города или двенадцать, кто их мерял, баба одна жила. А работала она на почте, и на почте той как раз в ту ночь в аккурат увели три тысячи — прямо в мешочке как привезли, так с мешком и украли. То ли там зарплата была совхозная, то ли что, не знаю. Только сторожа в ту ночь не было, он в деревню ушел на свадьбу к крестнице. А подумать всяко-разно на меня могли, потому что весь поселок знал, что я с той бабой путаюсь, а она могла сказать, что я от нее знал, что на почту деньги пришли. И что сторож уйдет на свадьбу, он тоже ей сказал. А сидел бы я для алиби у друзей, водку пил, кто бы им поверил, пропойцам? А я как раз в магазине был в аккурат, вот я и пришел с повинной, чтоб алиби. А узбек и подвернись — он там два дня уже сидел за драку с милицией. Понял теперь? Не повезло мне просто.

— Понял теперь, — сказал я успокоенно. Сон уже смаривал меня, брал свое душный жар от разгулявшейся печки. Черт его разберет с его логикой, думал я, — пойти с повинной о магазине только для того, чтоб не заподозрили в ограблении какой-то почты далеко в поселке, мало ли где еще можно было побыть на людях для этого алиби.

— Даже водки этой выпить не успел, — тоже сонно и печально бубнил из темноты Сашин голос. — Прямо утром взял и пошел. Дескать, ночью бес попутал, пьяный был, с утра раскаялся. Деньги вот. Может, говорю, простите или как накажете нестрого, сам пришел.

— Э-э, подожди-ка, Саша, — сообразил я, и даже сон с меня слетел разом. — Что-то ты, брат, темнишь. Если ты уже утром в милицию пошел с повинной, то как же ты узнал, что почта ночью обокрадена, что тебе это самое алиби срочно необходимо?

— Так это ж я ее и обчистил, — удивился Саша. — В магазине я все поворошил, с понтом я часа три деньги искал, пока, мол, до вермишели не добрался, а сам на мотоцикл сразу — я давно приметил, где поблизости стоит, — и на почту. Понял теперь?

«Вот тебе и глуповатый Саша», — радостно и изумленно подумал я. Выдумка какая безупречная.

— И не докопались?

— Где там!

Саша уже, кажется, спал. У меня, однако, возник еще один вопрос — даже задавать его было приятно здесь на зоне.

— Так ведь, Саша, ты теперь богатый человек будешь, когда выйдешь? Или ты узбеку вернул его пачки?

— Нет, — хвастливо сказал Саша. — Он, правда, от них и сам на суде отказался. Я, говорит, к этому человеку никаких претензий не имею, сам я просил его машину продать и от иска отказываюсь. Молодец узбек. Деньги-то я ведь не признался, что целы, сказал — украли по пьянке. Так я, этот узбек говорит, от иска отказываюсь, и ко мне поворачивается, смеется, я, говорит, как срок отбудете, приглашаю вас к себе в солнечный Нукус, мы, говорит, очень таких ловких умных людей уважаем, будете у нас жить в достатке. Даже в зале все засмеялись, и судьи, и кивалы.

Кивалами называются всюду народные заседатели — очень точное отыскалось слово для бессмысленных и бесправных этих двух лиц, представителей якобы общественности (вот уж понт!), могущих на заседании суда разве что кивать головой, когда судья ради соблюдения формы вопрошает их, во всем ли они с ним согласны.

— Здорово, даже иска у тебя нет, — засмеялся я, радуясь великодушию узбека. — А долежат до тебя эти деньги?

— Вряд ли, — вздохнул в темноте Саша. — Я их, видишь, в подполе спрятал, в доме у этой бабы как раз, в подполе их за эти четыре года крысы сгрызут. Их там тьма, крыс, они все подряд едят. Или сама баба найдет. Но вряд ли. Крысы, конечно.

— Так ты бы ей написал, чтоб нашла, мол, вытащила и сохранила, — сказал я рассудительно.

— Хрен ей, — сказал Саша, как отрезал. — У нее в выходной, бывало, на четвертинку не допросишься.

Хрен ей. Лучше пускай крысы пожрут. Да и зачем они мне, эти деньги? Только голове смута. Сопьюсь я с ними. Или воровать пойду. Ну их на хер.

Очевидно, жажда обогащения, столь внезапно обуявшая Сашу, но совсем не присущая его душевному строю, теперь полностью оставила его. Как нагрянувшая и схлынувшая болезнь. Удивительно мы все разные люди, думал я в блаженной полудреме. И какая замечательная хитрость. Рассказать это надо бы Писателю, что-нибудь непременно сделает из такого сюжета. Или нет, я же дневник веду, запишу все сам, как запомнил, и не надо никаких украшений, до которых так охоч Писатель.

Саша сопел и похрапывал в темноте, снилось ему что-то приятное. Вообще, я давно это заметил, что в тюрьме, что в лагере — одинаково снятся великолепные радостные сны. Потому еще здесь, быть может, просыпаться тяжелее, чем на воле.

Глава 4

Женщины лагеря — педерасты — парии и мученики зоны. Этот путь для большинства из них начинается издалека, еще в тюрьме. Чаще всего в наказание — за воровство в камере, за донос, в котором уличили (и просто по подозрению порой), за какой-то проступок еще на воле, о котором сообщили в тюрьму. Для других, для многих — ни за что, по системе игры, издавна существующей в тюрьме и особенно привившейся у малолеток. Взрослые в эту игру начинают играть от скуки, или если кто-то приходит в камеру всем особенно несимпатичный, или просто, наконец, если есть заводилы игры, инициаторы ее и активисты. Так однажды в совершенно спокойной взрослой камере следственной тюрьмы в Волоколамске, где сидели мужики под тридцать, появился при мне двадцатилетний мальчишка, за избиение кого-то в лагере привезенный для получения нового срока. За неделю его пребывания камера преобразилась, он послужил словно центром кристаллизации всего темного, что бродило в остальных, ища себе выхода. Сразу двоих — с разницей в несколько дней — превратила камера в педерастов, и нельзя было остановить этот на глазах совершающийся страшный процесс — я во всяком случае не сумел. Третьего, очередную очевидную жертву, мне спасти удалось. Путем неожиданно удачным: отчаявшись в уговорах и не в силах видеть побои, я громко заявил, что выламываюсь из камеры, то есть зову начальство и прошу меня перевести. Забавно, что подействовало это. И не столько в силу сложившихся превосходных отношений, а из-за некоего странного и смешного престижа: нашу камеру часть тюрьмы знала благодаря мне — я отгадывал кроссворды, и сокамерникам очень льстило, когда вечерами нашу камеру выкликали разные другие, прося, к примеру, чтобы срочно им назвали хищную рыбу из пяти букв. Как было лишиться такого человека? И остался нетронутым третий, хотя полностью уже был подготовлен: спал он под шконками, и глаза боялся поднять, и за общий стол не садился.

Тюремная игра эта — знаменитая прописка, ею пугают зеленых зеков еще раньше, еще в камерах предварительного заключения в милиции, где всегда находится бывалый или просто болтливый и охочий напугать сосед. Прописка новенького в тюремной камере — это система вопросов (или приколов), задаваемых ему старожилами. Начинается с простых и не сразу. Два-три дня живет в камере человек, и чего он стоит, обычно видно очень быстро. Если стоящий, свой, привычный парень — отменяется, забывается традиция. Если чем-то не понравился: труслив, например (это видно, ох, как сразу видно в камере), или жаден (тоже очень скоро становится заметно), неумеренно хвастлив или надменен, и дурак если к тому же, неряшлив, вызывающе забывчив к этикету камерной жизни... Впрочем, о последнем — отдельно.

Мы и едим в камере, и храним здесь продукты из передач и ларька, а параша — она стоит тут же, и никак не унять и не уменьшить естественные отправления человека, а если камера еще битком набита, переполнена или просто человек на тридцать — сорок... Так возникли простейшие правила, сразу же объясняемые новичку: на парашу — только если никто не ест, даже в дальнем углу если никто ничего не жует, и наоборот — если кто-нибудь сидит на параше, то нельзя даже на секунду приоткрыть занавеску, укрывающую полку с продуктами или дневными пайками хлеба. Если даже просто где-нибудь открыто лежит еда — хлеб, забытый на столе, например, или не задернута занавеска продуктовой полки — путь к параше запрещен. Весь нехитрый ритуал этот — разумная условность, если нам столовую и уборную унизительно соединили в одном пространстве, то мы их разделяем временем. Очень важный для душевной сохранности ритуал. Нарушаемый — что поразительно — то и дело. По неряшливости, по забывчивости, по невидимой для себя самого и неощутимой сдаче души тем силам, что неумолимо и настойчиво начинают в тюрьме, а потом на зоне толкать человека по наклонной плоскости вниз — к безразличию и опустошенной апатии. Это быстро выразится и внешне в полном равнодушии к своему виду, облику, состоянию. Но забывчивость эта, видимое пренебрежение к окружающим вполне могут явиться и следствием внутреннего, душевного хамства, наплевательства к чувствам и ощущениям других.

Итак, он замечен в этом. Да еще несимпатичен, неприятен сразу нескольким. И камера решает: прописка. Тут еще огромную роль играет, разумеется, и физическая сила новичка (хотя те двое, например, чье падение я видел в Волоколамске, были очень здоровые молодые ребята — главное все-таки в силе духа, во внутренних данных человека). Хилые — в куда большей опасности. Слабодушные, трусливые, нервные — в особенности. Но даже вполне развитый физически, с каждым по отдельности могущий справиться новичок — он ведь противостоит сейчас всем, да и камера кажется ему на первых порах монолитно сплоченным коллективом сжившихся и сдружившихся уголовников, знающих уже нечто, до чего ему еще далеко. Он обычно насторожен, сдержан и осмотрителен. Если же слишком он хорохорится и бодрится — верный признак внутреннего испуга, еще более привлекающий внимание желающих поразвлечься. Словно у страха есть легко различимый запах (а так и кажется порой, что есть), возбуждающий звериные инстинкты. И — прописка.

Предлагают поиграть в игру. От тюремных игр не отказываются. В летчики и шахтеры, например (игр много). Кем ты будешь? — спрашивают новичка. Неизвестно и непонятно то и другое. Ну, шахтером, отвечает он. Тогда ползи под шконками, там забой, собирай уголь. Он ползет, обтирая пыль и грязь под нарами. Вылезай. А теперь кем будешь? Ну, наверно, лучше летчиком, говорит он. Ему завязывают глаза полотенцем. С какой шконки будешь лететь — с нижней или с верхней? — спрашивают его. Испугался если, скажет — с нижней. Но уже он слышал и понимает, что главное — ни в каких обстоятельствах не проявить себя трусом. С верхней, отвечает он. А на домино будешь падать или на расставленные шахматы? — спрашивают его. Когда стоишь с завязанными глазами, очень живо, очевидно, представляется картина того, как летишь плашмя с двух метров на острия расставленных фигур. Плохо, если выберет новичок домино: и свалиться его заставят, и прописка начнет ужесточаться. Если же преодолеет себя и спокойно скажет: на шахматы, будут еще минуты три страха и только. Пока расставят фигуры, — пока подсаживают на шконку, и секунды самые страшные, когда надо самому слететь с нее — свалиться всем телом вниз вслепую. Резко дернувшись — была не была, — плюхается он, ожидая острой боли, но падает на растянутое одеяло.

Только игры эти не всегда так безобидны. Могут предложить другую (выбор целиком зависит от настроения камеры). Новичку могут предложить состязаться с кем-нибудь из старожилов в стойкости к боли. Им обоим завязывают глаза (сперва старожилу), сажают по обе стороны стола, и мошонку новичка, он чувствует это с ужасом, затягивают тонкой веревкой, конец которой — как ему объясняют —

дается в руки сопернику. И ему вручается конец так же привязанной веревки. Начало — строго по команде. Он стремительно натягивает веревку, ощущает невыносимую боль, кричит и тянет сильней, но боль еще острее, и он почти теряет сознание, ибо тянет сам себя — веревка просто перекинута вокруг стола. Ему развязывают глаза и смотрят, как он отнесся к издевательству.

Новая игра — автобус. Это новичок, становящийся на четвереньки, а ему на спину взгромождается кто потяжелей. Поехали! Новичок проходит метра два-три, то пространство, что есть обычно в камере, останавливается повернуть и передохнуть. Всадник-пассажир спрашивает его, какая остановка. Соблюдая тон игры, новичок называет какую-нибудь. Поехали дальше! Это будет длиться до тех пор, покуда он не догадывается сказать: остановка конечная.

Очень много вопросов на сообразительность. Вообще разум ценится в тюрьме и лагере. Не потому ли, что среди попавших сюда — множество умственно недоразвитых, отсталых и неполноценных? И еще нельзя в игре показывать, что обижен, уязвлен, оскорблен. Игра есть игра. Например — в звездочеты. Звездочет-новичок лезет под телогрейку и должен сквозь ее вытянутый кверху рукав — телескоп — считать громко звезды, нарисованные на бумаге, — он их ясно видит через рукав, как сквозь трубу. В это время на него через рукав неожиданно выливается таз холодной воды — таз для стирки, именуемый почему-то Аленкой, всегда есть в камере. Как новичок отреагирует на это, вылезая мокрый под общий хохот окружающих?

Ты меня уважаешь? — спрашивает кто-то из старожилов. Да! — готовно отвечает новичок. Тогда выпей за мое здоровье кружку воды. Он выпивает. А меня уважаешь? — спрашивает второй. Тогда и за меня кружку. А в камере, как правило, больше десятка человек. Кружек после трех-четырех это становится пыткой. Догадайся, новичок, на второй или на третьей кружке догадайся сказать, что уважаешь всех и пьешь последнюю за общее здоровье.

Сколько в камере углов? — спрашивают его. Четыре, — отвечает он, не задумываясь. Неверно. Угол на языке прописки (вообще-то не употребляется это слово) — уголовник, надо назвать число людей в камере. Но откуда новичку знать об этом? И не надо знать, цель большинства вопросов — именно в том, чтоб не было ответа, ибо глупые эти детские вопросы за неотвечание наказываются битьем — но об этом чуть позже. И полным-полно поэтому вопросов, на которые верных ответов не дашь, если их не знаешь заранее, — тут, кстати, заодно выясняется, с кем общался новичок на воле, ибо многие из сидевших ранее приносят домой рассказы о прописке. Для знающего делается скощуха — уменьшается число вопросов или отменяется прописка.

А за все неправильные ответы назначается число штрафных ударов — коцев. Коцы — это вообще любая обувь, коц — это сильный удар подошвой снятого туфля (или сапога) по слегка оттопыренному (новичок наклоняется сам) заду. Боль терпима, хоть и сильна, а от ударов десяти — пятнадцати на ягодицах появляются синяки, с неделю мешающие сидеть.

Но теперь-то и кончаются пустяки (прописка длится несколько дней). Теперь, когда он знает, что такое боль от коцев, задается первый зловещий вопрос:

— Триста коцев или глоток из параши?

И не дай тут Господи струсить перед ожидаемой болью. А на этом вопросе многие пасуют, бездумно предрешая себе будущее. Вообще в тех семи тюрьмах, что довелось мне повидать, была уже канализация, сделать чисто символический глоток проточной воды из параши кажется мало значащим перед несравнимо более страшной, уже известной болью. Но кто сделал это, становится чушкой, чушкарем — прозвище тюремного изгоя. Он теперь будет есть отдельно, и никто не подаст ему руки. Его может оскорбить и ударить любой — и не вздумай он дать сдачи — коллективная ждет его расправа. Он переступил порог, он в иной теперь тюремной касте. А ошалевшие от безделья двадцатилетние дети в эти жестокости играют всерьез. Чушка ест отдельно, а не за общим столом, убирает камеру он, скоро он будет и стирать на всех, а зайдет разговор о драках, он будет поставлен посреди камеры в качестве тренажного манекена, и на нем будут показывать удары и болевые приемы. Через небольшое время его почти неминуемо сделают педерастом, если не успеет он за этот срок уйти на этап, выломиться из камеры, попросив об этом начальство (но не объясняя, в чем дело, разумеется, доносы караются незамедлительно при первой возможности). Но и в новую его камеру подкричат через решетку или на прогулке, передадут записку, даже рискуя карцером и побоями от надзирателей, — нет, покой он получит на время только в специальной камере для обиженных. Но это только перерыв в его почти уже обозначенной судьбе.

Триста коц, отвечает не побоявшийся, разделяющий общее (чисто игровое, символическое) отношение к параше и всему, что связано с ней. Триста ударов лучше, отвечает он. И будет вознагражден: ударят его раз десять — скощуха. Но вопросы еще не кончены. Безобидные (не очень страшные, вернее) перемежаются со всерьез опасными.

— Пику в глаз или в жопу раз? — спрашивают его. Трудно верить, но я видел сам, как сдался молодой парень именно на этом вопросе. Пика предъявляется тут же, и это действительно серьезное оружие: очень остро заточенный длинный черенок столовой ложки выглядит, как нож или скорее стилет. И все-таки, найдя в себе силу отчаяния, новичок выбирает пику в глаз. Это очень страшно, ибо его еще ударить он должен сам. Завязывают глаза носовым платком, дают в руки этот стилет из ложки. Бей! Надо видеть в такой момент лица испытуемых, это словами не описать. Бей! Мешает инстинкт самосохранения, он осторожно приближает — прислоняет острие к глазу. Бей с размаху, рычит камера азартно и угрожающе. Он убыстряет движение, но все-таки останавливает острие перед самым глазом — все естество его сопротивляется сейчас, он дрожит, покрываясь потом. Бей, хуже будет! — настаивает толпа. И ведь бьют себя, вот что поразительно. С размаху, отчаянно. Стоящий сбоку успевает (говорят, всегда) подставить тетрадь или припасенную обложку книги, он для этого и стоит наготове. Это одно из последних, часто последнее испытание. Новичок теперь полноправный житель тюрьмы.

Таковы мерзкие и мрачные игры недоразвитых жестоких детей. Их традиция то затухает, то вспыхивает вновь, и не только у малолеток. Но когда я в разговорах осуждал их, мне возражали с жаром и убежденностью. Говорили об испытании мужества, о вообще проверке человека на вшивость, о возможности сразу определить, кто при случае, испугавшись боли (а менты, надо сказать, умеют бить), — выдаст, расколется, донесет. Что-то есть в этом оправдании, что-то есть, и навряд ли с этим стоит спорить. Только еще более явно есть в этих играх психологическое назначение: выделить сразу и отчетливо тех, на ком можно легко и невозбранно сорвать злость от своего бессилия, унижения и бесправия, тех, на ком сможет беспрепятственно разрядиться вся накопившаяся ненависть, весь запал воспаленных нервов — выделить кого-то, кто ниже, ибо это значит, что ты сам еще не на самом дне. В лагере это разделение продолжается более явно и еще более усложняется.

А бывает и вовсе просто: предлагает старожил новичку: давай, мол, сыграем в шашки. Под интерес? Нет, на просто так. И хищно настораживается камера. Это «на просто так» означает ставку на сдачу себя в педерасты, это все, кроме новичка, знают, он же узнает, когда будет поздно. И никак не сможет отказаться. Ибо рычаг принуждения — побои, носящие тут как бы законный по тюремной традиции характер. Коллективные, длительные, безжалостные. В перерывах — будут уговаривать, что, мол, ничего страшного, только один раз и тогда побои прекратятся. Не хочешь, так давай в рот. Последнее, как ни странно, соблазняет многих, отупевших уже от боли и унижений, отчаявшихся, ищущих любого выхода.

Но нет, не прекратятся побои. Он уже другой теперь, он петух (так зовут на зоне педерастов), и кошмарна его судьба — безнадежна до конца его срока. Он теперь отделен ото всех этим своим новым качеством, кто угодно бьет его, кто угодно унижает, что угодно можно заставить его делать. И уступит он себя скоро — полностью и таким поедет на зону. В лагере петухи выполняют самые тяжелые работы, и еще их поднимают раньше всех, чтоб они мели и убирали двор, очищая его от мусора или снега, мыли все углы и закоулки в бараке. И едят они отдельно ото всех, и посуда у них — отдельная, и вповалку они отдельно спят. Кому скучно — бьют их или издеваются, заставляют потехи ради драться друг с другом, человеческий облик большинство из них теряет совершенно. Их запуганность, опущенность и забитость — свидетельство того, как безжалостен ущемленный человек, сам довольно сильно поутративший в себе человеческое.

Посажу тебя за первый стол (где сидят прямо у входа петухи) — самая распространенная в лагере угроза. Превращение в петуха — самое страшное наказание. Это часто делают в изоляторах, если попадает туда известный доносчик (или крепко подозреваемый в этом) или крысятник — пойманный за кражей у своих, это делают с человеком, сводя за что-нибудь с ним счеты. Это очень страшная месть. Ибо нет здесь пути назад, возвращения в свое прежнее качество. Опустить, то есть превратить в педераста — можно, забыть это и стереть — никто не позволит. Первым — сам несчастный, знающий, что с ним будет за сокрытие где-нибудь на новой зоне своей былой принадлежности к презренной касте. Хорошо, если от неминуемой расправы он останется калекой, но скорей всего — добьют до конца. Ибо даже те, кто с ним общался, еще не зная, что он петух, тоже теперь могут быть при случае наказаны посадкой за первый стол. Нет, скрывать это никто не рискует.

Только снова о тайных свойствах человека — это, может быть, сильней всего потрясло меня в лагере, когда узнал. Дело в том, что почти все петухи через какое-то (разное у каждого, но сравнительно небольшое) время начинают сами испытывать сексуальное удовольствие. Совершенно полное притом — они так же, как мужчина, использующий их как женщину, — приплывают, как говорят на зоне. А начав испытывать удовольствие, порой сами уже просят о нем зеков — преимущественно блатных, олицетворение мужчины, хозяев зоны. А на воле у них у многих — жена и дети, — кем они предпочтут остаться, вернувшись? Не знаю. Как и не пойму никогда эту невероятную приспособляемость венца творения.

Часто здесь подходит ко мне, приволакивая заметно правую ногу, подходит, одного меня не боясь на зоне, петух Люся (всем им даются женские имена, прежние забываются начисто, они и сами называют свое женское имя, если их спрашивают, как зовут). Он стреляет у меня покурить. Лет ему чуть за восемнадцать, и огромные голубые глаза, и замученное, настороженное лицо. Из тюрьмы он уехал только чушкой — повезло, забрали из камеры на этап. А в столыпине — нелепая случайность: у него с собой было сало, и кусок у него кто-то попросил. Он его машинально протянул, забыв предупредить, что он чушка. А может быть, надеясь это скрыть. Били его там сапогами, повредив при этом позвоночник. Очевидно, ущемлены нервы, вот он и волочит теперь ногу. Педерастом он стал там же, в вагоне. Жалко его до боли, но уже ничем не помочь.

А с неделю назад лысый невзрачный мужичонка, скорей старик, встретился мне возле санчасти и остался стоять, когда я, подвинувшись, позвал его присесть на скамью. Он ждал врача, очевидно, а я — приятеля из того же отряда, что старик. Отказался — значит, петух, знающий, что ему нельзя садиться с остальными. Подошел приятель, подтвердил. А за что ж такого хилого и старого? Стучал? Нет, сказал приятель, еще хуже. Он сидит за то, что, заманив конфетами и пряниками, расковырял пальцем девственную плеву у двух девочек-сестер трех и шести лет. Мать случайно обнаружила это по раздражению кожи, купая их, а потом и пойдя к врачу. Их отец пытался его убить, но отняли. Судили, и вот он здесь. Остальную часть наказания взяла на себя зона. Согласись, что это справедливо? — спросил приятель, зная мою нескрываемую жалостливость к петухам. Абсолютно справедливо, ответил я, сам бы принял участие. Буду иметь в виду, радостно засмеялся приятель.

Там, где спят педерасты, шмонов не бывает никогда. Потому что даже ментам западло прикасаться к их вещам. По причине, кстати, весьма забавной: по заботе о своем будущем. Кто там знает свою судьбу: вдруг уволят из внутренних войск или даже не уволят — вдруг за что-нибудь сядешь? В безопасное, правда, место — в специальный лагерь, где содержатся преступившие закон охранители правосудия. Там свои у них есть петухи. И своя налажена информация. Вдруг дознаются, что когда-то где-то рылся ты в имуществе педераста? Непременно станешь петухом. Это мне рассказывал молодой лейтенант-отрядный, и такой в нем проступил наружу дворовый шпанистый мальчишка, что приятно и странно было вдруг увидеть в нем сохранного человека, а не затянутого в мундир блюстителя.

Одного петуха я запомню на всю жизнь. Мы с ним встретились в Калужской пересыльной тюрьме, где сидело нас в камере, как обычно, втрое больше того, на что она была рассчитана, и вповалку тесно спали на полу и на нарах. Было жарко, было грязно и душно, хотя потолки в этой тюрьме времен Екатерины Великой были очень высокие. Здесь сошлись этапы, идущие на восток из разных тюрем, в том числе — из знаменитой спецбольницы в Смоленской области, широко и зловеще известной своими нравами. В наказание за малейшее ослушание там кололи больным огромные порции галоперидола и сульфазина, вызывающие жуткую боль во всех мышцах тела, — человек пластом лежал несколько часов после укола, а потом еще долго отходил. Несколько таких, получивших порцию перед отъездом, ходили вялые, словно пришибленные чем-то, засыпали где попало, медленно приходя в себя. В этом этапе оказалось трое петухов — спали они отдельно ото всех, на полу возле самой параши, и весь день сидели там же, не осмеливаясь двинуться с места. Двое были уже в возрасте, а один, рослый парень с симпатичным большелобым и большегубым лицом — двадцати с небольшим. Было нас там человек шестьдесят — семьдесят, а когда все прижились и разместились в камере, то в углу отыскалось даже свободное место, его завесили рваным одеялом, кинули на пол замызганный тюфяк, и туда по вечерам двое-трое коротким окриком звали этого парня, как собаку, и он покорно и торопливо шел. Получал он за это две-три сигареты, иногда кусок сахара или печенье — у кого-то, видно, сохранились еще остатки тюремных передач. А потом нас выкликнули, собрали, подержали часа три в отстойнике, выдали хлеб и кильку (кажется, килька была в тот раз, не треска), затолкнули в автозеки, до отказа набивая нами эту железную коробку, последних уже собакой подтравливая, чтобы вместились, привезли на вокзал и всадили в столыпин в подошедшем составе. Это был очень тяжелый перегон — трое суток нас везли до Челябинска. А конвой попался просто дурной — все зависит от характера и настроения конвоя на таких перегонах. В каждой клетке-купе было нас человек по восемнадцать, и по очереди мы спали на вторых и третьих полках, где можно было лечь, а сидевшие внизу дремали, ожидая своей очереди блаженно вытянуть ноги. Молодые конвоиры в наказание за какое-то возражение закупорили наглухо окна-форточки, что были с их стороны, духота стояла неимоверная. А за что-то, уж не помню за что (кто-то выкрикнул, должно быть, какую-нибудь ругань в их адрес), не давали нам воду почти весь первый день. А кормились-то мы килькой и хлебом, да еще жара на дворе — июнь. Словом, трудный это был перегон. Целиком я помню его плохо.

Этот парень оказался в клетке у нас и лежал неподвижно на полу под лавкой, прижимаясь тесно к стене, чтобы сидящие не били его ногами, задевая и на него же озлобляясь — больше не на ком ведь было выместить чувства, что душили нас до красного марева в глазах.

А к исходу вторых суток полегчало сразу и сильно. На какой-то станции выкликнули и высадили ехавших на поселение, остальных распределили слегка, и камера наша показалась сразу просторной и для дыхания вполне сносной. К тому времени и конвой перестал лютовать, уставши; стало много свежей в вагоне от слегка приспущенных стекол, и не мучила уже жажда, только что напоили нас, разнося ведрами воду — пей, не хочу; и уже сводили в сортир, по пятнадцать секунд на человека, а потом тычок по голове или в спину, если задержался; и за окнами летние мягкие сумерки проступили, и тем, чья очередь лежать наверху, видно было, как мелькает, мелькает и проносится в окнах продолжающаяся всюду жизнь. Только ей мы любовались недолго, всех нас быстро сморил сон — первый настоящий полный сон за это время, а не дремотное тяжелое забытье.

И приснилось мне — я спал наверху, — что сижу я с друзьями, выпив водки, и кто-то из них поет одну из моих любимых песен. Я в тюрьме и потом на зоне слышал много разных песен, только те, что я любил, не пели — я был старше большинства остальных почти вдвое, и те песни, что я любил, были для них вчерашним днем. Как ни странно, пели молодые большей частью то же, что слыхали по радио и в кино — в содержание, что ли, они не вслушивались? Не знаю. Не о том сейчас речь. Ибо мне-то снилась одна из тех, из нашей молодости снилась песня. В электричках пригородных пели ее калеки-нищие в старых гимнастерках. Я проснулся, а песня продолжалась. Тихо-тихо, но пели ее прекрасно. Как я был батальонный разведчик, а он писаришка штабной. Я был за Россию ответчик, а он спал с моею женой. Я заглянул в люк, выпиленный в средней полке, которая откидывалась на петлях, соединяя две боковые полки в один настил.

Тихо пел, чуть высунувшись из-под нижней лавки и опершись головой на руку, тот несчастный парень-педераст. Голос был изумительный — нет, я не разбираюсь в певческих голосах, просто слушать было приятно, он был очень под стать песне.

Я перебрался через спящих и спрыгнул вниз. Он, увидев меня, насторожился, замолчал, но не спрятался — уже чувствовал, очевидно, и безошибочно различал людей по степени опасности для себя. Я попросил спеть песню с самого начала и впервые увидел на его лице слабую улыбку. Она очень красила и очеловечивала его, у большинства петухов — не лицо, а неподвижная маска. Настороженность, зачумленность, страх. Он запел. Очень негромко он запел, но постепенно просыпались наши попутчики. Когда один из них сказал что-то унизительное в его адрес, я резко оборвал, мог такое себе позволить, в клетке нашей ехали старые мои приятели по этапам. Больше ему не мешали петь.

Уже не помню, о чем он заговорил, — кажется, пожалел, что нет гитары. Я спросил его что-то, он ответил. Очень здраво, очень спокойно. Мельком вспомнил о друзьях, они на выпивках всегда просили его спеть. Что-то он сказал еще, оживился, на мгновение потеряв свою опасливую скованность, и я вдруг ясно увидел, что еще совсем недавно он был душой компании, его любили, все было ясно и привлекательно в его судьбе. А после — кража. Случайная, мелочная, глупая. Два года. Где и как он споткнулся в тюрьме, как попал в Смоленск, отчего начались побои, которых он не смог выдержать? Я бы спросил его об этом, будь мы вдвоем, но сейчас мне стало его жаль: неминуемы были бы насмешки над ним и издевательства, а могли вдруг проявиться обстоятельства, за которые снова его начали бы здесь бить, а такое я не мог остановить, по тюремному канону был не вправе. Так что я его толком не расспросил. А он вскоре с чуткостью всех гонимых и ущемленных понял, что уже достаточно, и молча нырнул под лавку глубже. Я еще покурил немного, дав сигарету и ему — с бережностью он взял ее, стараясь не коснуться моих пальцев — это строжайше запрещено касте петухов, и курил, блаженно и небрежно откинувшись головой на грязный пол вагона. Мы молчали оба. Я все время думал о нем, сочиняя себе его прошлую жизнь и соображая с ужасом, что помочь ему ничем не могу — эти люди обречены. Если он, даже приехав куда-то, где никто его не знает, скроет свою тюремную масть, это рано или поздно обнаружится, неисповедимы пути связи между лагерями. А тогда наказание неминуемо — коллективная расправа с очень частым смертельным исходом, видел я такое позже сам. Я кивнул ему головой ободряюще и благодарственно и полез к приятелям наверх.

А часов через семь-восемь был уже Челябинск, встречающий нас конвой, сидение на корточках, собаки, автозеки и тюрьма постройки годов двадцатых. То ли белые ее строили для красных, то ли красные для белых, как сказал мне спрошенный надзиратель. Нас, как водится, загнали в отстойник, где часа три-четыре предстояло нам дожидаться, пока нас обыщут, сводят в баню и рассортируют по камерам, и этап наш, тесно сгрудившись, заполнил отстойник до отказа. Но в углу все же нашлось место — группа молодых парней его собой оградила, стоя бок о бок спиной к остальным, и туда проходили по одному. Кто блудливо и косо ухмыляясь, кто деловито нахмурившись. Цепь стоявших размыкалась время от времени, и один раз я увидел своего попутчика-певца. Он стоял в углу на коленях, опираясь спиной о стены. Мне, естественно, бросился в глаза его рот с ярко-красными воспаленными губами. Я отвернулся и протиснулся ближе к воздуху, текущему сквозь решетку. Больше я его уже не встречал.

* * *

Кстати, там же, в Калужской пересылке, познакомился я с замечательно интересным человеком — очень жаль, что быстро мы с ним расстались. Вообще отстойник в тюрьме — одно из самых примечательных мест. Это огромная камера, только нар в ней нет и туда запихивают всех подряд, прибывших по этапу, — чтобы через несколько часов распределить в камеры по режимам: общему, усиленному, строгому. Это разделение по режимам принято, очевидно, чтобы опытные преступники не воспитывали начинающих. Глупо, все равно ведь в камерах при милиции все сидят вместе. А бывалые как раз куда лучше держали бы дисциплину в камерах — благодаря своему опыту. Но начальственная мысль не дремлет, и все режимы варятся в собственном соку. А в отстойниках есть возможность пообщаться.

Правда, связана она с риском, эта возможность — обособленными группками держатся этапы, опасаясь за свой нехитрый скарб, за остатки продовольствия, просто боясь попасть в непонятное. Я, когда удавалось, с радостью общался с теми, кого более уже не встречу, как понимал. И в Калужской пересылке, подойдя к группе строгачей с просьбой посмотреть роскошную самодельную доску для игры в нарды (не отобрали почему-то), встретил я Эдика Огороднико-ва. Он, точнее, сам ко мне придвинулся, когда я сел рассматривать доску.

— Мы однополчане, видать, — раздалось у меня над ухом негромко. Я обернулся.

— В смысле, что я тоже еврей, — сказал мне улыбчивый шатен безо всяких вполне отчетливых признаков семита. И мы отошли поговорить. Сначала я вцепился в него мертвой хваткой, спрашивая об отношении к евреям. Он рассказал то же, что почувствовал уже и понял я сам. Не встречал он открытой неприязни или вражды ни разу, хотя все, и всюду, и всегда помнили, что он еврей. В основном у всех была одна картина мира в этом смысле: евреи — некие страшные ловчилы, заведомо умные и заведомо хитрые, всюду умеющие проникать и устраиваться — в частности, в магазины и конторы всякие, но к каждому конкретному еврею неприязни на этой почве не было. Хоть и не упускали случая заметить порой, что совсем что-то не видно евреев среди шахтеров, каменщиков и прочих представителей тяжелого труда.

— Знаешь, я им на это что всегда отвечал? — победительно спросил меня собеседник, и на мгновение в нем глянул-таки сорокалетний еврей, хвастающийся за субботним ужином. — Я их на это спрашивал: а среди конвойных, среди тюремных надзирателей и лагерной псарни — много ты встречал евреев? А среди ментов — много? То-то же!

Замечательным обладал талантом Эдик Огородников — он подделывал любые документы и умело пользовался ими сам. А сидел всего четыре раза, да притом и неподолгу сидел. По два-три года. Тьфу. Но зато как просто и красиво зарабатывал он свои немалые деньги (никогда моя семья не нуждалась) в промежутках (и больших) между отсидками!

В маленький какой-нибудь городок приезжал капитан медицинской службы. Аккуратный, подтянутый, грамотный, донельзя общительный и со средствами. Даже танцами он не брезговал, до того был моложав и крепок, и знакомых угощал, не скупясь, ибо приезжал отдохнуть. Потаскушками явно пренебрегал. Не скрывая, что совсем не прочь постоянную завести себе подругу. Чтоб она душой и телом разделила его скитальческую жизнь, связанную с длительными поездками, носящими секретный характер. И желающие быстро находились. Прямо-таки совсем быстро, но капитан не спешил с объятиями, а наоборот — старомодно и изысканно знакомился сначала с родителями. Оказывались ими обычно люди весьма состоятельные или по роду занятий, где много крали, или по должности, где им носили сами. Родителям капитан нравился безусловно, а своей благопристойной неспешностью изумлял. До свадьбы дело доходило быстро (отпуск у меня больше двух месяцев никогда не бывал — разве в армии бывают больше?), а порою — и не доходило, ибо рано или поздно прибывало к капитану ожидавшееся им срочное направление на полгода в наш военный гарнизон в Восточной Германии. А к тому времени столько наслышаны были новые родные и близкие о баснословной дешевизне в Германии ковров, мохера и даже мехов сибирских (с целью пропаганды почти бесплатно продававшихся там), что все начинали нести капитану деньги. Делая это большей частью тайно — зачем разглашать стремление жить красиво? И, провожаемый слезами и напутствиями, Эдик отбывал, чтоб не вернуться. В случаях, когда он сидел, вылавливали его по приметам, сообщенным безутешными родственниками чуть ли не год спустя. (Даже фельетон обо мне был — «Урок невестам».)

Чутко уловив, что мне в этом методе стало жаль доверчивых юных дур, Эдик рассказал о втором своем амплуа, чистом на этот раз, как детская слеза.

В процветающий совхоз приезжал внезапно корреспондент столичного сатирического журнала «Крокодил». Да не просто приезжал на автобусе, а на «Волге» ближайшего райкома партии, ибо именно оттуда всякий раз начинал, соблюдая субординацию, предъявив мандат-командировку и уже вызнав кое-что там вверху, ибо приехал по сигналу, что не все в районе благополучно. И дня три-четыре исправнейшим образом занимался совхозными делами. Радостно и готовно ему нашептывали доброхоты и добровольцы (обычно тишком, оглядываясь), на что обратить внимание. А так как безбожно воровали всюду, а у Эдика даже образование кой-какое специальное было (три курса сельскохозяйственного института, выгнали за подделку экзаменационных книжек сразу пятерым приятелям), то материал накапливался очень быстро. На хороший и большой фельетон. И не пряча того, что вызнал, даже сожалея и сочувствуя, рассказывал обо всем журналист руководителям этого совхоза. И непременно был приглашаем на прощальный ужин. Проходивший по-разному, но с одинаковым концом: с глазу на глаз вручался приезжему конверт с деньгами. (И заметь, всегда одна и та же сумма — пять тысяч. Ни больше ни меньше. Один раз дали три, а в машину стали ящики со жратвой совать. Я таким тоном отказался, что директор меня зазвал в свой кабинет и дал еще конверт. Там было точно еще две.) И довольны очень были все, между прочим, потому что фельетон ведь так и не появлялся! И если бы не женолюбие Эдика, не стремление его покорять трепещущие сердца и млеющую плоть, вообще бы он, возможно, не сидел.

Очень здорово мы с ним поговорили. О жене его — она преподавала в школе и преданно его ожидала. И прощала все приключения, очень только боясь, что он вправду кого-нибудь полюбит. А изменами это все не считала — просто работа. Даже после фельетона ухитрился Эдик ей внушить, что в газете все правда, кроме того, что был медовый месяц. И о детях поговорили, и обменяться успели адресами. И расстались часа через четыре, ибо камеры нам вышли — различные.

А потом еще я видел его в вагоне — нас везли по общему этапу. Только там уже и словом не перекинулись, а в вагоне случившийся с Эдиком эпизод сильно меня к нему охладил. Я всего не видел, но из ругани и смеха конвойных мне легко было понять случившееся. Когда мы только тронулись, Эдик жестом подозвал конвойного (тот потом еще начальника вызвал), поднял рубашку и показал рубец от вырезанной язвы или аппендицита. Рубец этот он, очевидно, натер чем-то и объяснил жестами глухонемого, что ему операцию делали и что очень плохо себя чувствует. И его из душной тесноты битком набитой клетки перевели в крайнее купе-половинку, там обычно никто не ехал, оставляли его для женщин, если были такие на этапе, или для больных. Там всего две полки были сбоку, и при самой тяжкой загрузке больше шести-семи человек туда не всовывали. Там он и проехал двое суток с удобствами, а когда ссадили его на станции, куда следовал его этап (где-то на подъезде к Уралу, уже за Волгой далеко), то глухонемой пассажир обернулся и конвойным что-то крикнул благодарственное: мол, спасибо, хорошо довезли. Это они оживленно обсуждали, матерясь; но забавно, что не озлобились после этого, а наоборот, и открыли со своей стороны окна, ранее в наказание нам закрытые. Только мне это не понравилось тогда. Почему, я не берусь объяснить. Я тогда был так настроен романтически, что считал не очень достойным облегчать себе жизнь такими хитростями. Зона доказала мне, что я неправ, каждый пользуется чем сумеет, но свое мнение я не изменил.

Глава 5

Всю жизнь меня безмерно удивляли — встречаясь мне то и дело — разного рода совпадения. В изумлении останавливался я перед ними, всегда мне казалось, что чрезвычайно глубока на самом деле тайная неведомая связь, вызвавшая эти совпадения. Они звучали для меня то как притча, то интригующе, то смешно — я сейчас поясню, что я называю совпадением, иначе не будет понятна самая основа моего интереса к ним. Так, например, ведущий организатор убийства шести миллионов евреев — одинаковую (почти) носил фамилию с начальником нашего первого лагеря смерти на Соловецких островах. Эйхман и Эйхманс. Один — чиновник очень высоких, вероятно, способностей, усердия и знаний, выучил древнееврейский даже, так основательно и с полной отдачей относился к своему делу. Он просто честно служил, как он оправдывался потом, то есть полностью был орудием служебного долга, что сполна, по его мнению, охраняло и чувство чести, и его личную невиновность. Да наверно, а скорей — наверняка он и сам разделял мысль о необходимости и некой высшей пользе своей акции. А второй — недоучившийся латышский студент, каких тысячи ринулись в революцию служить идее светлой и высокой — равенству, свободе, братству. Путь к ее воцарению и торжеству лежал через массовую кровь — это ничуть не останавливало их, даже и задуматься не заставляло. Этих двух объединяет многое, и совпадение их имен (пусть неполное) завораживало меня до того, что мистическая виделась за этим связь. Нет, я не объясню толком — почему, но, может быть, само сознание наше склонно придавать повышенную значимость совпадениям? Не случайно так много подчеркивающих, подмигивающих, наталкивающих совпадений имен, слов, значений, чисел и дат вылавливали самые разные авторы книг духовных, книг по алхимии, астрологии, книг, анализирующих мир и его устройство. В этих книгах истолковываются совпадения дат, имен и названий, вторых и третьих значений слова, переводы слова на другие языки, совпадения звучаний, связь и незримая гармония событий — значит, совсем не одного меня волнуют и волновали такие вещи — совершенно случайные на первый взгляд. И разнообразие их неисчислимо.

Моего лагерного приятеля, молодого уголовника Самоху как-то в течение нескольких часов (сделали перерыв на обед, спустив его на это время в изолятор) били по голове томом «Капитала», выколачивая признание, кто занес в барак бутылку водки. Почему, когда оперативник пошел в библиотеку за орудием дознания, он из множества толстых книг выбрал именно том духовного отца всего того, что у нас случилось? Почему не взял справочник по ремонту тракторов или прейскурант строительных работ — ведь они там стояли в изобилии? Не знаю. Совпадения такие — сами просят об истолковании их. Чего стоит, например, традиция, что в Загорской тюрьме били нас не в камерах и не в коридорах и не заводили в кабинеты, хоть их там было предостаточно, — нет, били только в ленинской комнате — так повсюду в воинских и милицейских частях именуется красный уголок, где лежат на столе газеты, висят бумажные портреты сменных вождей и непременный маслом — Ильича, чтобы в достойном окружении повышать свой идейный уровень при помощи прессы. Руки заставляли поднимать и запястья захлестывали наручниками через высокую трубу парового отопления, а потом уж били кулаками, ремнями и дубинками (кусок резинового шланга с песком) по удобно вздернутому телу. Со стены молчаливо смотрел на нас основатель, духом которого, как известно, живет и движется трудящееся человечество. Нет, не в силах я ввести неисчислимое множество совпадений в русло классификации, хоть и знаю, что наука как-то упорядочила их. Просто каждое из них — повод для ассоциаций, аналогий, толкований, просто каждое — спусковой курок для прихотливых механизмов памяти — оттого, очевидно, что тревожат, оживляют и возбуждают они наш разум. То смешные: двух врачей-сексологов я знал когда-то, принимали они даже по очереди в одном кабинете, а фамилии их были — Феноменов и Оконечников. Или я читал работы двух психологов, занимавшихся пропагандой, по фамилии — Ядов и Здравомыслов. То бывали совпадения серьезные настолько, что хотелось поиграть с ними как можно дольше, ибо явно что-то таилось в них и волновало загадкой. Так узнал я однажды (и поражен был) о цифрах, которыми занимался Хлебников, сопоставляя исторические события. Будто он это открыл и обнаружил (но на самом деле не мог, ибо умер намного раньше) — как существенна для России в нашем веке периодика в 12 лет. Судите сами: в 1905 году — первая революция, ровно через двенадцать лет — вторая, а еще через двенадцать лет — уничтожение кулачества как класса, гибель миллионов тех, кто в крови носил любовь к земле и умение с ней ладить. Дальше сразу — сорок первый год. О войне чего уж и говорить. Далее — пятьдесят третий, смерть Сталина, переломная гигантская веха. Что же в шестьдесят пятом? Ничего? Не правда ли, ты уже мысленно ищешь, читатель, непременно происшедшее событие? И оно было, разумеется. Чуть назад — месяца три ведь не играют роли. Скинули, извергли, выгнали из Кремля человека, восхваляемого одними, проклинаемого другими, лысого энергичного толстяка, посмешище. Только ведь правду о Сталине, перевернувшую массовое сознание (на короткое время, увы), правду об убийце и злодее, черном гении нашего века — именно он, Хрущев, осмелился сказать вслух. Странный он был и разнообразный в своих метаниях и поисках человек, только ведь искал и метался — он единственный, за что и был сперва проглочен, а потом извергнут болотом. Никитушка — дурачок, кукурузник, болтун несусветный, враль и хвастун. Помните, к примеру, это: «Партия торжественно провозглашает, что нынешнее поколение советских людей будет жить при коммунизме»? Вот оно уже и старится, нынешнее, многие умирать уже принялись. А обещанное? Торжественно провозглашенное партией? Да и что это такое, коммунизм, даже это не ясно до сих пор. О социализме с человеческим лицом все мечтают. Или хотя бы с человекообразным. А везде висело оно тогда, обещание это, и мозолило наши ко всему привычные, давно равнодушные глаза. А чего стоит его обещание повесить на дверях последней тюрьмы золотой замок и пожать руку последнему преступнику? Чушь какая-то собачья, прости Господи. Но единственный он был, однако, кто задумывался и искал. Как умел. Оттого и был обречен. Он покой нарушал, спокойствие, а густая болотная вода долго колебаний не терпит. Умер он, хлебнувши вдоволь унижения и поношений. В меру его оценят разве что наши правнуки, ибо снятие его — значимая и глубокая веха. Впрочем, я так отвлекся, что еще раз в связи с ним отвлекусь, очень уж тут забавное сбоку совпадение проступило.

К уже набившей нам оскомину бывшей крылатой фразе «коммунизм есть советская власть плюс электрификация всей страны» — Хрущев, увлекшись стройками большой химии, добавил: «плюс химизация». И при нем стали выпускать заключенных досрочно, чтобы работали они на стройках этой химии, отсюда и название таких условно освобожденных: химики. Много я их здесь насмотрелся и наслушался (ибо за прогулы или пьянку возвращают нещадно в лагеря), и слова «плюс химизация» в совершенно ином ракурсе осветили мне давнюю мечту наших вождей, по случайности (совпадению?) так точно поименованную Никитой как необходимое для коммунизма средство.

Если у нас сейчас, даже по казенным данным, сидит около миллиона человек (во времена Олимпиады было втрое, очевидно, больше), то это значит, что сотни тысяч химиков трудятся сейчас на множестве строек страны, в самый трудный период каждой стройки — при закладках нулевого цикла, на земляных и бетонных работах. Это армия рабов в полном и точном смысле слова. Они прикреплены до окончания срока к месту, куда их привезли, без права перехода на другую работу. Они живут в специальных общежитиях, откуда выход — только на работу, а после нее — отпустит за продуктами (или не отпустит) дежурный надзиратель (прямо при каждом общежитии — специальное отделение милиции). Самые тяжелые, самые невыгодные материально работы — химикам, ибо вольные уходят с таких. До сих пор (не то чтобы законно, но всем известно) практикуются телесные наказания (дежурные бьют их в своих дежурках — за выпивку, за уход без спроса из общежития, просто, наконец, за то, что «показал зубы», как принято здесь говорить). В отпуск при безупречности поведения можно съездить домой — по специальному удостоверению, без которого милиция вернет обратно по этапу. Главное же — труд, труд и труд. Любой, какой нужен производству, независимо от твоей профессии. Рабство временное, но полное. Очень удобное для строек любых мастей. И в любой момент из лагерей привозится любое новое количество взамен освободившихся или возвращенных на зону. И они счастливы, химики, ибо в самом деле эта иллюзорная свобода (тратить зарплату самому на вольно покупаемый харч, украдкой выпить, найти женщину) — явное улучшение жизни. Разве не мечта — армия таких работников? И незримая здесь вьется ниточка от военных поселений Аракчеева, через несбывшуюся голубую мечту Троцкого о трудовых армиях (точный прообраз сегодняшних химиков) — к высказанной теперь Хрущевым (хоть и неосознанно, через совпадение) мечте о «химизации» всей страны. А ведь если чуть добавить законов, ограничивающих возможность уйти с работы на другую, чуть потуже затянуть петлю дисциплинарных взысканий — и мечта обернется явью.

Но вернемся, я забрался слишком далеко в эту близкую и заманчивую утопию.

Отсчитаем еще двенадцать лет. Семьдесят седьмой, вокруг него. Значимого явно здесь ничего нет. Что же, периодика сорвалась? Ведь история свое течение не остановила (хоть и кажется иногда, оглядываясь вокруг, что замедлилось, если не стало вовсе течение жизни). По инерции непременной событийности каждого двенадцатого года лихорадочно начинаешь думать, споткнувшись. Сразу спешу сознаться, что ничего приметного я найти не сумел. И друзья, которых спрашивал, не нашли. А ведь что-то было, наверно. И одна только есть у меня мысль, подтвердить ее лишь будущее сможет, а почерпнута она — из прошедшего, если от революции 1905 года двинуться вспять в минувший век (где она вроде отсутствует, периодика эта, но однако...). Если отсчитать назад сразу двадцать четыре года — выплывает событие яркое в достаточной степени: убийство царя Александра Второго, путы крепостного рабства сбросившего с России, так что было не простое цареубийство. А двенадцать лет спустя (мы это теперь лишь можем оценить) — неприметно тогда ни для кого перебрался из Самары в Петербург никому в ту пору не известный молодой Владимир Ульянов. Вот о чем-то подобном я и думаю, когда гадаю о пробеле в периодике.

Но, однако, далеко же я отвлекся, занимаясь лишь одним из совпадений. Правда, крупным — некой гармонией тайной, гармонией, определяющей взрывы хаоса. А еще ведь совпадений — тьма, и калибров невообразимо различных. Я выискиваю их всегда, замечаю, обыгрываю при случае. Убеждал приятелей, что основа прочности семьи — совпадение, существующее в моей: год рождения моей жены — это размер моей обуви, и наоборот: размер ее туфель — мой год рождения. Смеялись. Но ловил я в глазах смеявшихся отсвет чувства, всегда тревожащего меня: вдруг и вправду что-то есть за совпадением? Таял промельк этот, снова смех — уже смешок скорее над собой, что на миг поверил и задумался, — и опять смыкался привычный, ко всему равнодушный скепсис, скорлупа, в которой так удобно жить. Вот еще, кстати, одно воздействие совпадений: на мгновение они протыкают уютный и непрозрачный купол реальности, и в прокол этот льется воздух той загадочности, коей сверху донизу переполнено наше мироздание. Оттого так ценят совпадения и игру с ними именно мистики всех мастей. Только разве не загадочно и впрямь (или Бог так ироничен и насмешлив?), что именно деньги динамитного изобретателя Нобеля служат премиями тем, кто более других сделал для духовного единения человечества? Или что именно Сахаров, создатель водородной бомбы, вручивший ее в самые безответственные в мире руки, стал символом пробудившейся российской совести? Меня такие совпадения — завораживают и волнуют безмерно. Очень в них непростая загадка.

Только почему я затеял об этом именно сегодня, в день холодный, снежный, ветреный и грязный, в день типично осенне-зимний, когда хлюпает под ногами, облепляет, продувает насквозь реальность? Ни о чем больше думать не дающая, кроме как о близких морозах, очень тяжких при одежде нашей и еде, вкупе со всеми вместе прелестями зоны. Если начну доискиваться, почему стал думать о совпадениях, разум мой услужливо и немедля что-нибудь подсунет непременно — просто чтобы объяснить, успокоив тем самым душу. И уже подсунул, однако. И настолько правдоподобный вариант, что похоже — именно поэтому я и стал вспоминать о совпадениях. Или это в самом деле была значимая и весомая случайность, то есть случай, отрабатывая службу, что возложена на него поговоркой, в самом деле сам пошел навстречу тому, кто его искал.

Я весь день сегодня думал о Боге. Думал коротко, обрывочно, по-лагерному. Длинных мыслей вообще здесь не бывает, куцые успевают лишь мелькнуть, пока что-нибудь не отвлекает внимания, потому что ты все время начеку. То охранник, то начальство, то знакомые, кого лучше обойти, — надо видеть зону все время. Говорят, бывалые зеки с полной точностью знают все, что происходит за их спиной. Оттого все мысли коротки и конкретны и к сегодняшнему, много — завтрашнему дню обращены. А увлекся, ничего не стоит залететь, как тут говорится, в непонятное. За бараком в этом смысле свободнее — если нет каких-нибудь разборок, толковищ, драки.

Но о Боге я не сразу начал думать. Почему-то сперва всплывали случаи, — словно память себя листала, — когда люди некие вдруг ударялись в истовую веру. Я таких историй слышал много, впечатляли они изрядно, а что были правдивыми — я не поручусь. Мне рассказывал один приятель, глубоко сейчас верующий пожилой человек, как сидел он в послевоенном лагере, где работал при санчасти санитаром. Это были как раз годы, когда насмерть схватывались всюду в лагерях воры в законе и суки, то есть воры бывшие, решившие завязать, начавшие работать, пошедшие на контакты с властями. Лагерное начальство, исполняя инструкции, всюду стравливало их, чтобы сбылась чья-то идиотская мысль, что преступный мир сам себя постепенно уничтожит. Загоняли, к примеру, целый воровской этап на сучью зону, и за неделю, если не быстрей, от вновь прибывших никого в живых не оставалось. Или наоборот соответственно. Мужики, судя по рассказам, хоть и старались не участвовать, но часто держали сторону воров в законе — здесь, на зоне, я даже понял, почему. Работать суки все-таки не хотели, отчего охотно шли в надсмотрщики, надзиратели, погонялы, а жестокость, вообще присущая таким людям, здесь удваивалась от полной безнаказанности и желания выслужиться, раз уже вступил на эту дорогу.

У воров свято соблюдался кодекс того, что можно и нельзя в отношении мужика, иначе общий сходняк или пахан могли сурово осудить зарвавшегося, а у сук была полная свобода произвола. Так, собственно, и ведут себя блатные в сегодняшних лагерях. Но вернусь к приятелю. Однажды после кромешной ночи обоюдной резни, когда в его санчасть уже столько раненых принесли, что всю ночь не смыкали врачи и санитары глаз, вышел он на крыльцо в халате, залитом кровью, чтобы свежего воздуха глотнуть перед тем, как работать дальше. Постоял на крыльце немного, подышал морозом и снегом, утреннее солнце уже всходило, тусклое, но пробившее темноту, и внезапно, словно это вдохнул, ощутил он присутствие в мире Бога. Ясное и непреложное. Это чувство так и не покинуло его с тех пор. И когда я завидовал его выдержке, его твердости или его спокойствию, то вспоминал я и о том, как теплится в нем ясная вера, и завидовал уже ей как источнику этих завидных черт. Или вот рассказывали мне об одном астрономе, ныне очень известном, здравствующем, кажется, поныне — кстати, и сидел он где-то в этих же краях. Его взяли в конце тридцатых, а возможно — и сороковых, уже не помню, по какому делу, среди шедших в лагеря миллионов это вряд ли было важно тогда. А в тюрьме, пока бились с ним, вымогая признание, тосковал он более всего о прервавшейся своей работе над одной гипотезой, за которую бы жизнь отдать не жалко, только бы доказательством оснастить (так Кибальчич, должно быть, в вечер перед казнью вдруг счастливым и спокойным себя почувствовал, передав адвокату схему реактивного двигателя — главное, как он считал, цельное и неоспоримое дело своей жизни). А для убедительной оснастки этой гипотезы астроному позарез нужен был какой-то справочный атлас, где расчислены движения небесных тел, так что не надо было отвлекаться на долгую математику. Но об атласе нечего было и думать, он остался дома среди множества других привычных и подручных книг. А в тюрьме им, между прочим, давали книги, меняя их раз в десять дней. Подъезжала тележка к окошку в двери камеры — к кормушке, и зек-библиотекарь (или вольный у них был, не знаю) давал подходившему, не глядя, очередную из груды набросанных на тележку книг. Ну, я не буду нагнетать мистическую напряженность и загадочность, вряд ли астроном этот волновался заранее от предчувствия чего-то невероятного, вряд ли. До него оставались только двое, потому он обратил внимание на полученные ими книги. Одному дали том стихов Демьяна Бедного, второму — Калинина «О коммунистическом воспитании», а ему библиотекарь так же безучастно протянул его собственный атлас, о котором он вожделенно мечтал. Если этой истории поверить (она дошла до меня не из первых рук), то существенно ее продолжение — астроном говорил с тех пор о Боге совершенно иначе, чем прежде.

Вспоминал я и другие истории, все с одним и тем же концом. Думал о сложных собственных непонятностях. Я давно уже понимал (или чувствовал, утверждать не берусь), что есть нечто, организующее жизнь, только что оно собой представляет, это нечто, и следует ли писать его с большой буквы, наделяя даже какими-то чертами, — этого я решить не мог, а дыхание, несущее веру, не коснулось еще меня ни разу, а придумать здесь нельзя ничего, разуму не достичь того, что дается чувству. (Вспомнил еще вдруг некстати — или кстати? — как Бездельник хвалился своей идеей все поставить в этой области на свои места, к знаменитой ленинской фразе добавив лишь одно слово, она тогда даже в эпиграф журналу «Наука и религия» пошла бы. Вот как она тогда звучала бы: «Материя есть объективная реальность, данная нам Богом в ощущении». И все дела. Засранец ты, Бездельник, тебе все просто, а я тут ходи и мучайся.) Думал я главным образом о том, насколько легче жить на зоне верующим. Потому хотя бы легче намного, что можно думать, что Бог посылает им лагерные тяготы не в одно лишь наказание, но затем еще, чтоб выявить их причастность к избранным и отмеченным, чтобы свое внимание к ним осветить этой жестокой пробой. Утешительная очень концепция, и бодрящая, как книга Иова, надо только малую малость — в нее поверить, но этого-то мне и не хватало.

А уже перед вечерней проверкой мне попался вдруг навстречу парнишка, что сидел здесь за отказ служить в армии, — был он из семьи пятидесятников, кажется, или баптистов, и сидел за отказ брать оружие в руки — на зоне много таких, как он. Положение же Саши Ващенко усугублялось еще тем, что уже год тому назад его отец и мать прорвались — причем буквально, ибо пробежали сквозь охрану — в американское посольство в Москве, попросили убежища и жили теперь там, дожидаясь своих детей. Нарожали они их — одиннадцать или двенадцать и всех воспитали верующими. Дети ждали выхода Саши из лагеря, он здесь был уже последние месяцы, отбывая присужденные три года от звонка до звонка. К нему ездили уже какие-то гонцы, уговаривая не ехать с отцом и матерью и то суля всякие жизненные блага, то неприкрыто угрожая. Саша держался очень настороженно. И я давно его ни о чем не расспрашивал, натолкнувшись однажды на уклончивость и нежелание отвечать. Но сейчас он сам подошел ко мне.

— А ты знаешь, — сказал он, сильно пожимая мне руку, — слышал, что на зоне есть сейчас мужик из общины евангельских христиан? Хочешь познакомиться? Мужик что надо.

«Почему именно сегодня здесь возник этот человек?» — подумал я.

— Интересно, давно ли он на зоне?

— Уже недели три, — сказал Саша. — Он работает автослесарем, приведу его после вечерней проверки. Прямо вот сюда, к бараку. Ладно? Вам будет обоим интересно.

Падал снег, частично тая где-то в воздухе, отчего казалось, что это одновременно снег и дождь. Тянул холодный осенний ветер хиус. Очень было неуютно возле барака. Всюду сновали зеки, разбегаясь после проверки по своим нехитрым делам; я стоял, и слякотный воздух пронизывал меня насквозь, хотя зима еще только начиналась. И знакомое возбуждение слегка трясло меня: к чему оно, сегодняшнее совпадение? Как я думал именно сегодня о человеке, могущем подарить мне веру! Так о Деде Морозе неотступно мечтают дети, когда подходит время смены года. Но уже мне столько лет, глупо надеяться на чьи-то подарки. Уж о том не говоря, что в сущности я не веры хотел как таковой, а той стойкости, которую она дает, — мне во всяком случае так казалось. Стало много тяжелей с холодами.

Он возник из темноты и снега, круглолицый, чуть моложе моих лет, оживленный, очень явно расположенный к разговору. Теплая рука, приветливо крепкое рукопожатие.

Почему-то я спросил его сразу, по какой он сидит статье.

— Все по той же, — улыбчиво ответил он, — сто девяностая, голубушка. Распространял, значит, заведомо клеветнические измышления и порочил наш общественный строй.

— А распространяли? — спросил я, тоже улыбаясь ему, очень он мне сразу приглянулся.

— Да какой там, — он махнул рукой, — я молился, как все наши прихожане, и, как все, подписывал жалобы, что молиться нам спокойно не дают. Ну и повязали, как видите. Следователь мне говорит: признаете ли вы, что утверждали, будто у нас за веру сажают? Да когда же это я утверждал? Есть свидетели, что утверждали. Так ведь видите, я здесь за веру. Не за веру, а за то, что утверждал. Ну, три года, словом, дали. Круг-то замкнутый. Посижу, меня не убудет.

Я невольно рассмеялся его словам, так спокойно он рассказывал все это, и лицо его было оживленным и безмятежным. Мне никаких вопросов он задавать не собирался. Мне во всяком случае так показалось, ибо он выжидающе смотрел на меня и молчал, чуть улыбаясь. Я достал табак и с трудом раскурил на ветру трубку. Много раз я натыкался здесь на необъяснимое обстоятельство: нам на зоне было не о чем говорить друг с другом. И какие бы люди ни попадались, очень быстро иссякал к ним интерес — человек здесь склонен более всего говорить о себе и о касающемся себя, и любая отвлеченная беседа угасала после нескольких фраз. Я по многим замечал уже это, потому так и ценил собеседников, что гуляли со мной вокруг барака. Вот они разговорили бы его, подумал я. Куда они сразу делись, когда нужны?

— Я о вас-то в общем знаю уже, — сказал мне этот новый знакомец (тоже Саша, а тот Саша, что привел его, он молчал — мы в отцы ему годились оба, он чего-нибудь, наверно, ждал от нашего знакомства, ибо явно был застенчиво любопытен). — И хотел я, повстречав вас, спросить: вы-то лично как относитесь к слову Божьему?

Странно я, должно быть, посмотрел на него в ответ. Очень уж это продолжало мои мысли сегодняшнего дня. Он же, истолковав мой взгляд по-своему, торопливо добавил:

— Не хотите если говорить, не надо. Просто я подумал, что, быть может, слово Божье вам полезно будет, нужно душевно? И не только на сейчас полезно. Ведь пора уже о будущей своей жизни думать, как вы после смерти располагаете судьбой души вашей. Вы о Боге много думаете? А читать Евангелие не доводилось?

Чтобы сразу два вопроса закрыть, я ответил ему цитатой, насколько помнил ее сейчас:

— Верую, Господи, помоги моему неверию.

Он обрадованно и энергично заговорил. Он, по-моему, соскучился очень по привычному монологу. Это не передать дословно, да и не к чему пытаться. Нет, не из-за сути его слов, отнюдь нет, просто все это я читал уже много раз и слышал. О Христе и милосердии Божьем, об искуплении грехов человеческих и спасении души нашей, о великой благости веры, о вручении себя Провидению, о неисповедимости путей Господних, по которым Он ведет нас в этой жизни, о Его неустанной и требовательной к нам любви.

А чего я, собственно, ожидал? Откровения, ниспосланного свыше? Он стоял передо мной, мой ровесник, и привычно говорил мне все то же, что привык он и любил говорить, ибо сам, очевидно, веровал искренне, глубоко и неколебимо. И его держала эта вера и незримо сейчас за ним стояла. А за мной стояла школа, институт, десятки книг, меня не научивших ничему тому, что освещает жизнь до полной ясности. И сейчас уже не ему было свернуть меня с дороги, на которой все невнятно и запутано. Он, как видно, почувствовал это очень быстро.

— Все, что я знаю, — сказал он вдруг поскучневшим голосом, — это из Евангелия, прочитанного мной много раз со вниманием и любовью. Вы ведь тоже, как я понял, читали, лучших книг нет и не было на свете. И на все вопросы даются ответы, согласитесь.

Но не всем, подумал я, промолчав. Потому что сама ситуация сейчас больше занимала меня, и смотрел я на нас со стороны: три продрогших скрюченных зека тесно сжались у стены барака и о чем-то говорят очень тихо, а вокруг снуют другие такие же, половина из них стучит, а мы трое говорим о Боге, и есть что-то нереальное в этом, книжное.

— Вас мирская суета развлекает, — сказал Саша неосудительно, — и в ней все мысли ваши. Вы подумайте, а я пойду, пора мне, отбой уже вот-вот.

Приходите, если слово Божье вам понадобится. —
А если просто так посидеть? — спросил я.

— Это незачем, — сказал Саша мягко. — Устаю я очень за день, честно скажу вам, да и не о чем нам, наверно, говорить. Вы человек ученый, у меня вам узнавать нечего. А задумаетесь, приходите.

Настоящий пастырь, подумал я, пожимая ему руку. Профессионал. И не нашел никаких в себе слов, чтобы объяснить ему, что просто поговорить тоже здесь бывает жизненно необходимо. Потому что не был уверен, что ему это бывает нужно. Он одним был единственным озарен. Что ж, удачи тебе, счастливый человек.

— Самый явный посланник Божий, — говорил мне отыскавшийся Бездельник. — Правду говорю тебе и всерьез. Он благую весть принес. Ты просто очень вульгарно истолковал себе его появление. Что он тебя — вмиг обратить в истовую веру, что ли, мог — тебя, скептика от ушей до пяток? Он совсем о другом тебе рассказал своим появлением и своими пустыми для тебя словами. Ты так и не понял, что к чему?

— Честное слово, нет, — сказал я ему чуть рассеянно.

— Эх ты, философ, — сказал Бездельник добродушно, — Перипатетик. Помнишь, были такие — гуляющие в садах? Что, если нам объединиться в гуляющих вокруг барака?

— Говори, засранец, — разозлился я, — настроение и без тебя пакостное.

— Это зря, — сказал Бездельник бодро. — Ему, дураку, явление было, благая весть, а он куксится, неблагодарный. Что тебе должна была сказать эта встреча? Неуслышанное тобой — что? Очень важное:

что на Бога тебе надеяться нечего. Что один ты здесь, и с бедами своими всеми один на один. Ты ведь о Боге сегодня как думал днем, признайся? Когда верующим завидовал, что им легче? Ты о Боге, сукин сын, думал как о санчасти. Пожалеет тебя, дескать, добрый доктор, снизойдет и выдаст бюллетень. Отдохнуть душой и телом, подлечить расстроенное здоровьишко и опять с прежней наглостью судить обо всем на свете. А тебе незамедлительно ответ: не надейся, голубчик, приема нет, санчасть наша не для таких, как ты, а для таких, которые от слов бы этого озаренного автослесаря плакали и таяли душой, аки воск. А вам ничего мы дать не можем, исцеляйтесь и спасайтесь сами, ибо ваше спасение — в вас самих. Врубился?

— Ну и сволочь ты, Бездельник, — искренне сказал я, потому что здорово мне стало легче от его безжалостной идеи. Хорошо я вдруг почувствовал себя. Человеком. Личностью. Мужиком. В самом деле, разве это настоящее все — эта мерзость и эти трудности? Да плевать я на них хотел. У меня же жизнь впереди. И какая, Господи, жизнь! Вот опять помянул я Твое Имя. Неужели это правда мне знамение, а не просто случай? Или знаменательный случай? Или случайное затмение? Нет, я еще не кончился и не прогнулся. Жив. А значит — выдержу. Пустяки остались. Пятьдесят месяцев всего. Четыре Пасхи.

* * *

А Деляга очень боится зимы. Дело в том, говорит он, с удовольствием вспоминая то время, дело в том, что однажды мы совершили трудовой подвиг. Он закончил институт инженеров транспорта и поехал в Башкирию за романтикой. А тогда еще было всюду идиотское уважение к дипломам — то ли мало было их в конце пятидесятых годов, то ли просто очередная кампания выдувала свои временные пузыри, но Делягу сразу стали ставить на какую-то начальскую должность. Заменяя им живого человека, давно на этом месте работавшего и все досконально знавшего, но не успевшего обзавестись бумажкой, что образован. Оттеснять такого человека молодой Деляга категорически отказался, и его в наказание за строптивость, всех удивившую, послали ездить, чтоб одумался, помощником машиниста электровоза. А была как раз осень, шел хлеб, и Деляга всего месяца за три наездил те десять тысяч километров, что позволяли ему сдать экзамен на права машиниста. Он смотался в город, сдал экзамен, и уже его ничем было не сманить, так понравилось. Он рассказывал нам, как врывается в окно тугой и плотный ночной воздух, как сливаешься всем собой с громыхающим телом тяжелого состава, начиная ощущать себя воедино с ним и поэтому невыразимо прекрасно, как безвольно клонится голова часам к пяти утра, если едешь с самого вечера, как ночуют машинисты и помощники в пунктах оборота, где берут обратный состав, и какая у них усталость при этом. И про вызовы в поездку внезапные, когда кто-нибудь заболел или запил, и тебя разыскивают, где бы ни был, и плетешься, ругаясь, что нету жизни, но влезаешь в кабину электровоза, подаешь его под состав, и все тело наливается скоростью и могучестью нарастающего движения. И настолько ощущаешь дорогу, что после крутого подъема чуть не пот со лба льется, будто сам втаскивал состав, помогая буксующему электровозу. На одном из таких подъемов, тормознув у светофора свой состав и постояв, они однажды застряли намертво — заклинило тормозную колодку. Делом двух-трех минут была смена этой чугунной болванки, и Деляга обернулся к помощнику. На дворе стоял январский мороз за сорок и еще крепчайший ветер задувал, об этом вмиг вспомнил Деляга, увидев собачьи глаза помощника, снятого за пьянство бывшего машиниста, знавшего давно уже, что это такое — повозиться на морозе с металлом.

— Ну сиди, я сам сменю, — сказал Деляга бодро. Он об этом знал гораздо меньше и спокойно выпрыгнул на шпалы. Ветер прохватил его сразу, а мороз он уже скоро не чувствовал, ибо ровное наступило тяжкое отупение. Бился он минут сорок с наглухо прихваченной морозом чугунной болванкой, и никак не удавалось выбить ее крепление. Он лежал спиной поперек рельса, ощущая его мертвый твердый холод, но никак нельзя было спасовать, еще очень был он молодой. А когда все сделал и поднялся в кабину, то вообще уже ничего не чувствовал. Поезд дальше повел помощник, а Деляга часа два не мог оторваться от электрической печки. На спине у него еще долго сохранялся лиловый отпечаток рельса, руки были отморожены до локтей, а лицо так и осталось красноватым слегка, будто с утра он натирался кирпичом. И слабинка к холоду осталась — он мгновенно замерзал в любой одежде, словно лицо его впитывало холод. На еженедельном разборе происшествий главный инженер депо очень важно и торжественно сказал, что за проявленную трудовую решительность он снимает с Деляги выговор, полагающийся за часовую задержку скорого пассажирского, шедшего за ними по пятам. Больше Деляга подвигов не совершал. Вообще о своей тогдашней жизни он предпочитал рассказывать совершенно иные истории. Запоминались они легко, но я лучше запишу их сейчас, пока есть и время, и охота.

В общежитие на пятьдесят мужиков к ним попала работать истопницей огромная, немыслимо здоровенная баба лет тридцати. Запросто справлялась она с грудами угля, пожираемыми печью в котельной, а жила она в маленькой комнатке, куда многие безуспешно стучались. Но она была неприступна, эта женщина-гора с маленькой, почти безлобой головкой и живыми крохотными глазками над слегка искривленным — будто боксом занималась — курносым носом. Нет, отнюдь она не была Венера, куда более красивых и моложе девок приволакивали ребята в общежитие, но уж очень она была под боком. Но себя, как говорится, соблюдала. И ужасно ей вдруг понравился Деляга. Хрупкий, молодой, необычный, очень вежливый, постоянно смеющийся (больно жить хорошо в двадцать два года) — она, должно быть, испытывала к нему чувства скорее материнские, согревательно-покровительственные, но не склонна была в этом разбираться. Словом, наделяла она при встречах Делягу самыми открытыми и изысканными знаками внимания — утробно хихикала, толкала чуть плечом и одаривала взглядом, казавшимся ей лукавым и кокетливым. И ребята, дело ясное, сказали Деляге, что дурак он будет, если не... Отчего же, сказал Деляга и купил две бутылки вина «Плодово-ягодное», называемого в разговоре — «слезой Мичурина». Он был первым, кто попал к ней в каморку. Там стояла неширокая кровать, очень тщательно застеленная чем-то плюшевым, пустой стоял столик под клеенкой, табуретка — вот и весь интерьер. Впрочем, нет — его эстетическую и, похоже, главную часть составляли фотографии киноартистов, так любовно прикнопленные к стенке, что казались семьей, а не открытками. Выпили «слезы Мичурина», что-то еле-еле сказали, обнялись и оказались в кровати. Раздевалась гора с такой сноровкой, что Деляга, если бы не знал ее неприступность, то наверняка бы счел ее давнишней профессионалкой. Он ее неробко обнял (опыт уже был, слава Богу), но она вдруг отстранилась от него и сказала с нежностью и чуть воркуя:

— Как я тебя давно зазвать хотела! Знаешь, иногда лежу и прямо вижу: ты вот так лежишь у стенки, и чего-то я тебе говорю, а ты смеешься. Слушай, я тебе хочу рассказать, я вчера в кино была, ты зря не ходишь, и смотрела про любовь с вот этим вот и вот этим.

И она, ткнув пальцем в двух кинокрасавцев на стене, стала обстоятельно и детально пересказывать Деляге фильм, так растрогавший ее вчера, что — поверишь? — я пришла и еще на смене плакала, прямо слезы лились на уголь, ворошу и плачу.

Раза два Деляга, мягко к ней приникая, пытался прервать повествование, но из чистой вежливости отступал. А когда не выдержал и, обняв ее, попытался прекратить поток, дева-истопник шевельнулась досадливо и, сказав ласково: подожди, голуба, что ты нетерпеливый такой, — правой рукой отстранила слегка Делягу, очень нежно и ничуть не с укором. Но, не умерив своей могучности, так ударила Делягу о стенку, что ему на миг показалось, что он просто размазался по ней. А дева, безо всяких усилий чуть придерживая его в сплющенном состоянии, продолжала ворковать про кино. О любви Деляга уже не думал. Извини, просипел он слабо, я забыл совсем, ко мне зайти должны.

— Ой, а я-то, дура, заболталась, — с искренним сокрушением сказала она. — Ты вернешься сейчас, да? Я жду.

Он и вправду хотел вернуться, когда боль под ребрами чуть прошла, но нечаянно с кем-то запил, а когда вечером постучался к ней, гордое молчание было ему ответом. И она его больше не приглашала.

— С тех пор, — сказал нам Деляга, — я любил только хрупких женщин.

Он рассказывал нам о жарких спорах между ценителями туалетной воды «Сирень» и такой же под названием «Ландыш». Обе они употреблялись отнюдь не наружно, ибо не было на них водочной наценки, отчего они стоили копейки. Считанные копейки за пузырь, где грамм двести чистого спирта! Спор о вкусовых и оглушающих достоинствах обеих туалетных вод мы бы тоже с радостью разрешили на опыте, ибо очень здесь хотелось выпить, хоть на час сбежав на свободу через горлышко бутылки. Мы вполне понимали блатных, тративших все свое время и хитроумие на попытки доставить в зону водку. Или одеколон. Пили здесь также ацетон, стеклоочиститель и разные растворители (умело выделяя выпивку из нитрокраски, например, — попадала она изредка на промзону по технической надобности). И спокойно уходили в изолятор на две недели за глоток спиртного. Повидав ацетонное опьянение, снова вспомнил Деляга о Башкирии, где однажды, опившись какой-то гадостью, обезумел один его приятель. Пили они в тот вечер на крыльце своего общежития, пили водку, а грузин-красавец Гога Кавтарадзе где-то за углом еще догнался чем-то мутным, изготовленным из клея БФ, со знакомым слесарем из депо. На крыльцо он вернулся возбужденный, и притом нехорошо, агрессивно, и в какой-то полутьме сознания находясь. Говорили что-то о бабах. А невдалеке от общежития на поросшем редкой травкой пустыре каждый день паслась чья-то одинокая коза, длинно привязанная ко вбитому в землю колышку. И внезапно Гогу озарило.

— Посмотрите, — вдруг вскричал он хрипло и вскочил, — посмотрите, чем болтать о бабах, как у нас в горах имеют коз!

Крича это, он стремительно раздевался, обнажая свое рослое мускулистое тело с чрезвычайным изобилием густых и курчавых вторичных половых признаков. И оставшись в чем рожала его мать, кинулся он к несчастной козе. Ошалев от страха, бедное животное вырвало свой колышек из земли и пустилось бежать, жалобно взблеивая на поворотах. Ибо животное, что поделать, не догадывалось юркнуть в проходы между бараками и заборами домишек, а бежало, как по заколдованному кругу, по квадратному пастбищу-пустырю. А за этой козой несчастной мчался, словно горный архар, голый и воспаленный Гога. Но уже на третьем или четвертом круге, забыв, кажется, зачем бежал, Гога обогнал козу, на нее не обратив даже внимания. И бежал, летел по пустырю, догоняя вторично свою жертву. А коза, увидев ясно, что спастись ей бегством не удастся, вдруг остановилась покорно, ожидая решения своей участи. А возможно, зацепилась веревка. На нее почти налетев, обалдело остановился и Гога. Но внезапно появилась хозяйка козы, обреченной на поругание. Речь ее была гневной и изумительно красноречивой. Никогда, сказал Деляга, никогда ранее и позднее он не слышал таких сочных монологов. Хотя суть была проста почти столь же, сколько замысел, не выполненный Гогой. Если ты, обезьяна бесстыжая, бушевала владелица козы, непременно должен всунуться куда-то, так уж лучше ходи ко мне, подлец нерусский, потому что козу для тебя жалко, от нее молока почти пять литров детям вечером, волосня твоя поганая без понятия.

И пристыженный Гога протрезвел вдруг, только не настолько, очевидно, чтобы сообразить, что голый, и послушно подошел к этой женщине, и о чем-то они стали говорить. И коза подошла, ища защиты. Это было божественное зрелище. Словно Ева, изгнанная из рая и успевшая одеться, договаривалась с непоспешным Адамом, где им лучше встретиться на земле, а коза эту библейскую картину только усугубляла. Выкрики и хохот с крыльца привели Гогу в себя, и он вдруг начал пятиться от женщины, руки скрестив спереди, как обычно это делают купальщицы на полотнах старых мастеров. После резко повернулся и неловко побежал, целомудренно пытаясь прикрыть теперь руками зад, тоже невообразимо волосатый.

— И вот, век мне свободы не видать, — досказал свою историю Деляга, — а хозяйка этой козы через полчаса пришла к крылечку. Принесла нам две бутылки самогона, а взамен просила вызвать Гогу. Только он уже был в полной отключке, и бутылки достались нам под обещание, что мы завтра в это время предоставим его в лучшем виде. Слово мы, конечно, не выполнили, а от бабы этой Гога прятался еще с месяц, до конца лета. Каждый день выходила она забирать козу в шелковом платье и с прической, а обратно шла мимо барака и печально замедляла шаги. Так ее нам стало жалко, что потом и мы стали прятаться.

— Ты был счастлив тогда, Деляга? — отчего-то вдруг спросил Писатель.

— Это его волнуют твои душевные бездны, — сказал Бездельник.

— Не слушай дурака, — сказал Писатель.

— Наверно, счастлив, — ответил Деляга очень серьезно. — Молодой был. Но все время ожидал чего-то — будущего ждал, идиот. Не умеем мы сегодняшним днем жить, хотя им-то и надо наслаждаться.

— Даже здесь? — хмыкнул кто-то из нас.

— Конечно, — убежденно сказал Деляга. — Живы, есть надежды, часто интересно, курево есть, еда невпроголодь. Грех жаловаться.

— Умница, — сказал Бездельник. — Это вполне по-моему. Самый тяжелый грех — неблагодарность.

— Вот я когда был счастлив! — вдруг воскликнул Деляга, остановившись. — Я тогда прорабом работал, налаживали мы подстанцию, халтуру делали в воскресенье. А бригада у меня новая была, я еще не знал их толком. За водкой сбегали и купили гадость какую-то, что попалось. Стакан — один. Первые двое или трое выпили — поперхнулись, плохо пошла. Моя очередь, я выпил удачно. Закусил и скалюсь от удовольствия. Тут ко мне подходит один мужичонка из бригады, Митин, потом умер, бедолага, от пьянства, хорошо так умер — сошел с троллейбуса, сел на скамью, закурить успел и отключился. Да, так вот он ко мне подходит сзади и на ухо шепотом говорит:

— А ты не так прост, как кажешься!

Как я тогда был счастлив этой похвалой! А ты, Писатель?

— Я, сказать честно, и не упомню, — сказал Писатель. — Нет, помню, прыгал на одном месте, чтобы возбуждение унять, когда позвонил в издательство и мне сказали, что мой первый рассказ принят, я тогда фантастику писал. А ты, Бездельник? От какой-нибудь собственной же шутки, скорей всего?

— Ага, — охотно согласился Бездельник. — Причем от очень патриотической. У меня как-то начальник был, из поволжских немцев. Сука редкостная. Нас однажды много собралось, на аварию нас вызвали всех, и этот немец Фукс приехал со своими шестерками, их райком партии заставил, чтоб они нас погоняли, чтобы скорей. Вот они кучей вокруг нас стоят, при галстучках, а мы трое возимся, и Фукс про меня, хоть я рядом же работаю, спрашивает моего напарника громко, пью ли я, дескать, на работе. Тот говорит — нет, не пьет. Правильно делает, говорит Фукс, в России пить водку евреям нельзя, можно только немцам и татарам. Почему он так сказал, сам не знаю — просто хотелось ему громко что-нибудь сказать о евреях, тон был какой-то мерзкий. Я ему тогда и говорю: раз татарам и немцам, то тогда уж и французам можно. Почему, он говорит, и французам? Потому что, говорю я ему вежливо, им как раз всем троим в России по жопе дали. Все его шестерки за угол смеяться побежали, он стоит молча, а во мне такая радость играет! Вскоре после этого, правда, я ни за что строгий выговор схлопотал, не нашел он другого способа мне ответить.

Тут все трое на меня посмотрели, потому что очередь была за мной.

— Я, ребята, — сказал я честно, — и сейчас острую радость испытываю от того, что с вами здесь троими нахожусь. Так что вы сидите не зря, очень бы мне без вас херово тут сиделось.

Глава 6

Здравствуй! Снова пишу тебе письмо, которое не буду отправлять. Замечательное у меня теперь есть место, где писать и прятать свои бумаги. Раньше это сложно очень было, где я только не рыскал по зоне, чтоб найти укромное местечко. И вот нашел. В больничке нашей лагерной, в санчасти. Нет, не бойся, я здоров совершенно. Безнадежно, я бы сказал, здоров (тьфу, тьфу, тьфу, ибо здесь болеть нельзя). И в больнице бывают шмоны, только мой курок безупречен (курком здесь именуется место, где что-то прячут, — возможно, от старого глагола закурковать, то есть схоронить, затаить, заначить).

Дело в том, что вся больничка наша лагерная целиком держится тут на лепиле Юре, бывшем хирурге из Норильска. У него пухлые щеки избалованного ребенка, а в часы усталости — обрюзглое лицо римского патриция времен упадка империи. Неплохой он, очевидно, хирург, но денег на все радости жизни ему очень не хватало, а он падок до этих радостей, так что стал, будучи заядлым меломаном, подторговывать чем-то музыкальным, а потом случилось неизбежное:

у кого-то взяли деньги заранее, обещанное не исполнили, денег не вернули, словом, — четыре года за мошенничество. Ну а здесь его сразу взяли в медчасть, официально числится санитаром, но вольных врачей тут всего двое (да еще одна фельдшерица, да начальник, спившийся до бесполезности), так что Юра — полноправный с пяти часов, когда уходят вольные, хозяин больнички. Мы с ним подружились, и мне здесь бывать удобно и хорошо. Главное же — тайник для записей. Помнишь, как я в Москве любил тебе хвастаться чем-нибудь, если было чем (да и если не было — тоже), а ты слушала меня с усмешкой, но попетушиться не мешала, полагая, что такое слушать — входит в обязанности жены? Ну так вот: я завел просто двух новых больных, то есть взял корочки от историй болезни, написал на них две фамилии и поставил в огромную лагерную картотеку. Их никто не вытащит никогда, ибо нету в нашем лагере людей с точно совпадающим именем, фамилией и отчеством (я и проверил на всякий случай), если же кто случайно заглянет, то и первый лист есть, с первыми жалобами больных. В этих папках мои записи и лежат. Кто больные, ты спросишь, и на что они жаловались, бедняги? Следователи мои, вот кто мои больные! Станислав Петрович Беляков, сука самодовольная, — у него прописанная мною ишемическая болезнь, это что-то с сердцем. Жалуется на боли, на бессонницу, на упадок сил и импотенцию. Поделом ему, ты ведь, конечно, помнишь, сколько мерзостей и с каким удовольствием он делал. А вот Галину Федоровну Никитину пришлось превратить в Глеба Федоровича, у него болит рука (как у нее, она мне жаловалась в тот последний день, когда вдруг впала в откровенность и сказала мне, что знает, что я не виноват, но поделать ничего не может, слабая женщина на маленькой должности). Я простил ее (точнее — понял, что одно и то же), так что рука у Глеба Федоровича болит несильно. А записям моим очень, думаю, приятно прятаться под этими фамилиями и чувствовать себя в безопасности и тепле (не то что раньше), я же сам от своей выдумки — в полном, как мальчишка, восторге. Потому вот и решил тебе похвастаться, вызвав сюда в дневник твой образ. Что люблю тебя и что всем приветы, написал уже сегодня в письме, которое отправил. А теперь поговорю с тобой подробней.

Я пишу здесь обычно по ночам, когда все уже в санчасти засыпают. И на редкость мне уютно тогда сидеть в кабинете физиотерапии, среди приборов, отключенно отдыхающих ночью. Весь день хозяин кабинета нещадно гоняет их: зеки греют кварцем свои гнойники и чесотки, облучают простуду ультравысокой частотой, мажутся скудным по ассортименту, но имеющимся все же набором мазей, выдаваемых сюда из аптеки. Здесь вдруг чувствуешь, какое время стоит на дворе, и стихает ощущение заброшенности в дикую глушь, где тебя никто не слышит. А писать здесь безопасно только ночью, потому что неизвестно, кто доносит о жизни больницы в оперчасть. Только догадываться можно — человек этот весь день крутится по бараку санчасти, но, возможно, что стучит не он. А возможно, что не только он. Словом, остается мне ночь с ее блаженной тишиной, легким присвистом спящего хозяина кабинета, желтой шторой, за которой облепили окно желтые листья увядающей на зиму хилой черемухи, птичьими голосами крысят, копошащихся где-то под полом, и кисловатым компотом — жижей из-под него, которую можно добыть на незапирающейся кухне. Только следует, прежде чем войти, сунуть руку в комнату и включить свет, чтобы успели разбежаться крысы жуткой величины. Одну из них я даже знаю — прихрамывая, она всегда уходит последней. Крысы всюду живут на зоне. Здесь в санчасти они еще довольно скромны в своих притязаниях на жизненное пространство. А вот в клубе, где поселили наш отряд, крысы забираются, чтобы погреться, прямо на нары к зекам, устраиваясь в складках одеяла и неторопливо плюхаясь на пол, если хозяин просыпается. А завхоз отряда, рослый сибиряк с лицом раскормленного дебила, спит на сцене клуба, под ней крысы издавна чувствуют себя как дома. По ночам они бегают по сцене и пытались уже много раз оттащить к себе его тапки. Явно склонный к жестоким развлечениям, он сколотил из досок нехитрую западню и ловит за ночь их по нескольку штук. Захлестнув лапку пленницы оголенным концом провода, он вставляет провода в розетку и вторым проводом покалывает крысу. Та от каждого электрического удара совершает прыжки, извиваясь от боли и отчаяния, а прихлебатели завхоза громко гогочут на сцене, мешая спать сотне зеков, но все молчат. Завхоз этот и зеков бьет с таким же остервенением, а с начальством лагеря он связан не только доносительством, но и через местного своего дядю, достающего для лагеря гвозди и весьма дефицитное железо, так что он неуязвим, этот завхоз. Скоро наверняка уйдет он на досрочную свободу за образцовое поведение и трудовое усердие, только ждет положенной половины срока. У него всегда есть чай, консервы, сало, курево, так что и зеков крутится вокруг него множество — черт с ним, впрочем, я отвлекся от санчасти.

По ночам раздаются звонки в наружную калитку санчасти — пряча бумаги, я гашу свет и выжидаю. Это обычно привозят с промзоны пострадавших в ночную смену — то и дело ничем не огражденные пилы проходятся по рукам зеков. Здесь бывало, что пальцы приносили в кепке, чаще они безжизненно висят на кровавом месиве культи. Юра сразу делает операцию, очень стараясь сохранить пальцы, и здесь шутят, что хорошо бы ему продлить срок — больше будет спасенных рук, потому что вызываемый ночью вольный хирург предпочитает, чтобы долго не возиться, ампутацию всего, что уже подрезала пила. Чаще, впрочем, приводят избитых — все они, как один, говорят, что упали сами и расшиблись. В этих случаях хирурга не будят, раны промывает и делает перевязку хозяин кабинета, приютивший меня, тоже зек, двухметровый с угловатыми чертами парень, источающий доброту и сострадание. Бывший железнодорожник, инженер-механик. Обкрадывали они всей бригадой вагоны проходящих поездов — что попадалось, то и брали: приемники, коньяк, яблоки и рубашки. Но дали им всем немного, ибо очень много дали их жены следователю и судье.

А недавно, часа в три утра, принесли моего знакомого, блатного Володю Малыгина, залитого кровью, хрипящего, с огромной колотой раной в правой стороне груди. Он еще успел прийти в себя после укола адреналина и, не открывая глаз, очень разборчиво сказал: «Бейте же, суки, бейте», — и умер, а из рваной дыры еще с минуту, наверно, выпузыривалась, застывая, кровь. Пожелтевшее восковое лицо его выглядело очень взрослым, и трудно было поверить, что ему всего двадцать четыре года. А до свободы оставался месяц, он уже пять лет сидел за воровство и драку.

Если приводят раненых с промзоны, то непременно утром приходит инженер по технике безопасности, странноватый старик со скуластым, несколько казацким лицом, только одичавшим и высохшим. У него тут умерла когда-то жена, он решил дожить здесь остаток дней и от мира немного отключен. Приходит (в этом вся его работа), чтобы взять у пострадавшего заявление, что тот поранился по собственной вине. А по поводу смерти поднимают оперативную часть, и офицеры с красными от лютого похмелья глазами приходят в санчасть один за другим и уходят, чуть потоптавшись.

Это было уже второе за этот месяц убийство — первым принесли неделю назад забитого насмерть педераста. Он приехал сюда с другой зоны и пытался скрыть, кто он, ел со всеми за одним столом, никому ничего не говорил. Знал, конечно, что карается такое жесточайше, но надеялся, что ему повезет. Но сюда же перевели зека с его зоны, одного свидетельства достаточно. Бить его начали в тот же день, как все открылось, в бараке его отряда, а потом он еще был в силах выйти со всеми на работу во вторую смену. Что его ожидает, он знал, но упрямо надеялся на чудо. С наступлением темноты его снова начали бить, и, конечно, темнота усилила ожесточение. Когда его принесли в санчасть, он уже даже не стонал, но еще прожил часа три. Бивших его было слишком много, так что, как всегда в таких случаях, отыскали крайних (крайний — лагерный синоним виноватого), и троих посадили в карцер на пятнадцать суток. Лишнего шума в таких случаях стараются не поднимать — это портит репутацию начальства зоны, а в свою очередь — и отчетность вышестоящих, поэтому если вмешательства родных не предвидится, то и виноватым все обходится легко.

Смерть Малыгина не была обычным убийством: в лагере бывает, что доведенный до отчаяния то побоями, то поборами мужик изготавливает нож и ждет удобного случая. Здесь было иное. Малыгина убили его же приятели, окружение его и подручные, — так называемые шерстяные; что они между собой не поделили, так никто и не узнал, только ясно, что какие-то пустяки. Утром, когда их подняли из карцера, трех убийц, его вчерашних кентов, всадивших ему в грудь огромный напильник, их зачем-то привели в санчасть к телу убитого. И один из них — тот как раз, что бил, подошел к нему совсем близко и сказал спокойно и негромко:

— Ты прости, Володя, я тебя уважал.

Их назавтра же увезли с зоны, опасаясь, что сведение счетов будет продолжаться, а его положили в гроб и отправили на вскрытие в недалекий, тоже лагерный, поселок, где в санчасти делалась экспертиза. Труп сопровождал в автобусе офицер оперчасти, он-то и сообщил, вернувшись, что в гробу оказался в ногах убитого букет цветов.

А цветы действительно водились на дворе санчасти. Несколько старых автомобильных покрышек от огромного лесовоза были клумбами — на земле, засыпанной в них, росли незамысловатые северные цветы. Часть из них росла во вкопанных в землю больших консервных банках от повидла, их под осень убирали в прихожую санчасти, и они там еще долго не опадали. Желтый маленький пучок цветов и нашел офицер в ногах убитого. А разбор по этому делу продолжался куда дольше и шире, чем разбор самого убийства. Потому что кровно оскорбило честь офицеров оперчасти, что кто-то осмелился и тайно почтил цветами заколотого блатного зека. Вызывали в оперчасть человек десять, вымогая признание или донос, и никак не успокаивались, никак. Прекратил это один наш приятель, кент Малыгина, которому до освобождения оставалось всего пять дней. За пять дней до воли бить не будут, сказал он и взял цветы на себя. И ему действительно сошло это с рук, только обматерили, как умели. Очень был ему благодарен Бездельник: мучительно не хотелось опускаться в изолятор, а никак не хватало душевных сил пойти признаться, чтобы прекратили всех таскать. Никто не знал, что это сделал он, а сам он из осторожности сперва, потом стыдясь своего страха, так никому и не сказал.

А теперь вложу сюда два листка, написанных мной наскоро сегодня днем, — я смотрел, не отрываясь, а потом сейчас же записал, оттого такая репортажность.

Принесли с промзоны человека. Без сознания, сердце едва прослушивается, но живой. Быстро сняли с него, стащили, сорвали все напяленное грязное тряпье. Никаких следов избиения. Жутко заросшее грязью, до предела истощенное тело. Торчат ребра, торчат кости таза, впавший донельзя живот — словно дно обтянутого кожей корыта. Разбита губа. При падении, очевидно. И, как у многих в таком прова́льном состоянии, напряженно торчит член, словно жизнь последний раз торжествует над смертью. Слабые хрипы, пена. Шок. В таком вот крайнем истощении, говорит мне Юра, наш организм начинает всасывать, снова пускать в оборот уже отработанные вещества, среди которых самые различные яды — отсюда и эта автоинтоксикация. Самоотравление. Не знаю, так ли это, раньше не доводилось слышать. Юра возится, вводя сердечные, укрепляющие, возбуждающие средства, прокачивает что-то через кровь, требует, чтобы измеряли количество выделяемой мочи — для контроля, сколько введено жидкости и сколько вышло. Так проходит, пролетает часа два. Зек открывает глаза, бормочет что-то, порывается сесть, неразборчиво просит покурить. Будет жить? Пока неизвестно. Сорок лет. Бывший бич из Красноярска, посажен за то, что не работал. Но ведь как-то жил же. А теперь? Безнадежно запущенный человек, безнадежно истощившийся организм. Чухан. Каждый день в лагере покорно ходит на работу. Что-нибудь таскает, убирает, чистит. Его бьют, если носит медленно, его бьют, если что-нибудь делает не так. Чухан. А придя с работы, еще моет полы в бараке, стирает кому-нибудь, носит воду и живет уже в грязно-сером тумане, очень слабо что-нибудь соображая. Жадно ест, еды ему всегда не хватает, както не впрок она ему. Но еще живет. Вернее — жил. Ибо сейчас — только зыбкий уже баланс между тем, что вряд ли можно было назвать жизнью, и безусловным досрочным освобождением — смертью — может быть, благостью для него.

Поднялось и выровнялось давление крови, уже почти осмысленно смотрят глаза. Нет, начинает вдруг дергаться всем телом, бьет о стол истонченными до костей ногами в пятнах кровоподтеков и нарывов, хрипло выговаривает что-то, словно порываясь запеть. Это собственные яды будоражат и травят снова оживший было мозг. Страшное пьяное оживление, более похожее на агонию. Но пока живет. А надо ли это? И ему, и человечеству — надо ли? Безусловно, это надо врачу, он привычно борется со смертью, он не задумывается, в этом — его собственная жизнь. Надо начальству лагеря — больно много смертей на зоне, потому дистрофиков и отправляют спешно на специальные больничные зоны. А вот больше, кажется, не надо никому. Если где-нибудь у него остались дети, им вряд ли нужен такой отец. А сам-то себе — нужен он? Не знаю. Начинается отек легкого. Легкие заполняются газами и водой, он хрипит и снова без сознания. Снова уколы, приносят кислород — накачанную автомобильную шину. У Юры сейчас хищное и вдохновенное лицо, он очень азартен во всем, что делает, ведь отсюда, кстати, и его срок. Хрипы, подергивания, стоны. В обстановке современной городской больницы его спасли бы наверняка, а шансов здесь — гораздо меньше половины. Организм его почти не борется, вся надежда на поддержку извне.

Побывали уже здесь оперативники, но ушли, узнав, что это не по их части. Виноват здесь только лагерь в целом. Не приходит и начальник санчасти, алкоголик, бывший санитарный врач, и в отъезде или в отпуске хирург — не будь здесь зека Юры, никто бы и не стал бороться. А Юра месяца через два уйдет на химию, так что все здесь пойдет по-прежнему. Лагерь, он и есть лагерь. Господи, дай мне умереть дома. Или в поезде. Или где угодно. Но не здесь. Очень грязно здесь и безнадежно. А по радио — концерт Бетховена, а за оградою санчасти строится на развод вторая смена, у больных был обед недавно, большинство из них спит сейчас. Вместе с Юрой возятся санитары — тоже зеки, вольных санитаров нет (бывают ли?). Бывший инженер-механик и бывший слесарь-жестянщик. Кислород подает бывший плотник — месяц назад он пришел в санчасть и принес на всякий случай в своей шапке (здесь ее называют пидеркой) все пять пальцев левой руки. Юра зашил ему культю, он прижился здесь, отличный мягкий человек, стал ключником — отпирает двери в санчасть и убирает. О постигшей его беде говорит спокойно, даже весело. Что он будет делать на воле, однорукий плотник с двумя детьми, он не обсуждает ни с кем. А на улице — снег, снег заметает плац и бараки. Нежный, легковейный, пушистый, как-то неуместен он здесь, этот вольный искрящийся снег.

Умер. Остановилось сердце. Еще уколы, искусственное дыхание, сердечный массаж. Бесполезно. Пришло вызванное начальство. Очень явно успокоилось, узнав, что бич — значит, нету скорей всего родных и близких и никто не станет узнавать, доискиваться, жаловаться. Я сижу, курю и думаю о тех многих десятках (если не сотнях) тысяч, что хватают по всей стране и осуждают по статье 209-й — уклонение от работы. Даже если не воровал. И число таких множится и множится. Проблемой всяческих хиппи занимается весь мир, нашими — только карательная машина. А какие-то психологические пружины выталкивают молодых еще совсем людей из русла заведенной жизни. И живут они черт знает где, по колодцам теплоцентралей и лачугам, питаются чем попало и упорно уклоняются от регулярной работы, кое-как от случая к случаю перебиваясь. Странное какое-то моровое поветрие, уродливое проявление того сквозняка свободы, что дует и дует изо всех щелей нашего гигантского рассыхающегося барака.

А фамилия его была — Апухтин. Здесь на зоне много таких значимых, напоминающих фамилий. Есть завхоз лагеря Пастернак, два Леоновых — мужик и блатной, есть чухан Тютчев и стукач Рождественский. Есть еще, наверно, все никак не соберусь просмотреть карточки больных или какие-нибудь списки. А вот Апухтина уже нет теперь. Длилось это четыре часа. А сейчас мы все здесь чифирнем, Апухтин, больше нечего нам, прости уж, выпить за упокой твоей отлетевшей души.

Вообще очень легко относятся тут к смерти в лагере, это более всего подтверждает странный глагол, означаюший здесь смерть, — крякнул. Даже и не знаю почему — может быть, от чрезвычайного, просто разлитого в воздухе лагеря ощущения заброшенности, ничтожности и ненужности здесь любого человека. Я, признаться, тоже очень спокойно принимаю виденные мной смерти и куда сильней переживаю за живых — вот за Володю, например, что лежит в одной из палат.

Он пришел в санчасть сам, приковылял как-то, серо-бледный, и на лбу — потеки пота. Очевидно, боль его терзала неимоверная, но держался он хорошо. Час тому назад на вечерней перекличке нового этапа дежурный сержант по прозвищу Синеглазка (в самом деле — юный, симпатичный, ярко-голубоглазый), посмотрев на него, сказал:

— Будто я, парень, видел тебя где-то?

Ему бы молча пожать плечами в ответ — крепко выпивши был в тот вечер Синеглазка, а садизм, неуклонно развивающийся тут у них всех от неограниченной власти, во хмелю особенно бывает опасен, — но Володя этого не знал.

— Нет, начальник, — ответил он, — мы с тобой на воле никак знаться не могли, дороги разные.

— Ну-ка, выйди сюда, познакомимся, — усмешливо сказал Синеглазка. Володя вышел из строя. Синеглазка, ясной своей улыбки даже не смахнул с лица, со страшной силой ударил его сапогом в пах. Володя закричал от боли и присел, скорчившись, а Синеглазка ушел докладывать о проверке наличного состава. Через час боль стала невыносимой, и Володю выпустили к врачу. Одно яйцо у него вздулось до размера небольшой дыни, став чудовищным сине-багровым шаром. Ему сделали уколы — и болеутоляющие, и снотворный, — но и заснув, он продолжал стонать. На него приходили смотреть из других палат и уходили, бормоча бессильные проклятия. Жаловаться было некому, ибо впустую и небезопасно, жить ему здесь еще предстояло долго.

Здесь до Юры, между прочим, тоже был фельдшер с настоящим медицинским образованием, но его списали в грузчики за то, что слишком усердно и часто он вытаскивал зеков из длительного изолятора, чтобы подкормить и дать передышку. Он очень добрый лет тридцати мужик, но насчет его образования (кстати, он и сидит за какую-то подделку документов) я сомневаюсь, ибо однажды слышал замечательный его рассказ, как он дружил в Красноярске с некогда знаменитым в этих краях хирургом Зимой (говорили, что это был виртуоз, но спился вконец и покончил вдруг с собой по неизвестным причинам — отравил себя в машине газом). Да, так вот рассказ этого фельдшера Семена:

— Значит, делаем как-то днем операцию одному больному, сами делаем, Зима в запое был. Вырезаем обе почки ему, сгнившие они были, все перешиваем так, чтобы он без них обходился. Зашиваем. А у него, тогда-то мы не знали, уже рак легкого был. А при раке надо операции при красном свете делать, колпаки красные на лампы надевают, светофильтры, потому что раковые клетки — их если засветишь, они расти начинают. А мы не подумали про рак. Тут Зима вдруг приезжает, поддавший крепко, но не в отключке. Уже зашили, говорит, а у него же рак. Что наркоз-то, еще действует? Вроде да. Ну, кладите его обратно на стол. Снова его Зима разрезал, а уже раковые щупальца оба легких обвили, вот ведь как растут от света, суки. Уже вот-вот задушат. Он эти щупальца отсекает, а по пьянке — и легкое почти все. Что, говорит, склад еще работает? Позвонил, договорился, уважали его очень везде, смотрим — несет уже кладовщик искусственное легкое. Ну, Зима его вставляет, пришивает — все. Только наркоза пришлось чуть-чуть добавить. Тут мы загудели с ним дня на три, на радостях, что человека спасли. Я тогда даже часы пропил. Случай, ведь мог и не приехать. Хорошо на воле жили, с пользой.

Затаив дыхание, слушали мы все Семена-фельдшера. С уважением, сочувствием и доверием. Вся-то наша жизнь — от случая.

Пора заканчивать, уже вот-вот подъем. Крепко обнимаю тебя. Глупо это, конечно, — обнимать через тысячи километров в письме, которое не отправляешь. Обнимаю тебя. До встречи.

Глава 7

Постоял, стрельнув сигарету, симпатичный мужик Леха. Бывший таежный охотник, много ходивший с геологами, погибавший в тайге несколько раз и выбиравшийся чудом. После медвежьей своей дикой свободы он приживался здесь мучительно тяжело. Сел он за поступок справедливый и необходимый. В поселке, где сошлись несколько геологических партий, завелась компания здоровенных местных ребят, отбиравших у геологов деньги. И при этом зверски избивавших жертву, чтобы знал наперед, что последует, если пожалуется. Знали это в поселке все, но каждый молчал, оцепенев от страха оказаться первым в неизбежной мясорубке — у компании этой были ножи, а отпетость свою и на все готовность они старательно и постоянно демонстрировали. И однажды утром, когда избили накануне и обобрали Лехиного приятеля, он пошел один в дом, где квартировали трое бичей из этой компании. (В которой, кстати, крутились и сыновья местного начальства, еще поэтому каждый боялся что-нибудь против них предпринять.) Через час Леха ушел оттуда никем не замеченный — было похмельное воскресное утро. А те трое, которых он там застал, — когда очнулись и умыли вдребезги разбитые морды, прямиком пошли в милицию заявлять о хулиганстве и насилии. Да притом еще сказали дружно, что у Лехи был охотничий нож. Им не срок ему хотелось прибавить, а просто стыдно было, что такое натворил с ними тремя один, пришедший с голыми руками. И хотя на суде выступил ограбленный и избитый ими накануне геолог, и хотя всем было все понятно, но хулиганство есть хулиганство, сказал районный прокурор. И приехал сюда Леха на три года. Нет, он ошалел не только от неволи. Он за свои тридцать пять лет, несмотря ни на какие былые приключения, никак не мог привыкнуть к повседневной бытовой жестокости. Когда при нем били кого-нибудь, а кого-нибудь били непрерывно, приучая к своему стойлу, как тут принято говорить, то есть к беспрекословному послушанию, он сжимался весь и смотрел неотрывно — видно было, как хотелось ему вмешаться и двумя-тремя ударами укротить радетелей лагерного порядка. Они в нашем отряде возникли как бы сами собой, и уже через месяц была выстроена очевидная, явная лестница иерархии, с верхних ступеней которой били всех, а с последующих — всех, кто ниже. За возражение или промедление, при любом проявлении несогласия. Особняком остались немногие, в эту иерархию не вписавшиеся, Леха был среди них: с очевидностью готовые постоять за себя, но и не задирающие никого и ни к кому не примкнувшие в поисках опоры и определенности, живущие сами по себе, что в лагере очень нелегко.

И еще Лехе явно не хватало еды. Он не жаловался, не пытался вечером подработать на кухне, возле которой к отбою ближе всегда вертелись пять-шесть желающих помыть полы за миску каши; не пытался сесть за стол последним, чтобы разливать на десятерых и себе зачерпнуть погуще, но с такой благодарностью принимал хлеб, который мне иногда удавалось добыть ему или просто оставить, что сомнений не было никаких. И лицо его, быстро обтянувшееся сухой кожей, говорило яснее слов, что дальше будет хуже и трудней, — организму не хватало пищи, а работал Леха ежедневно, по привычке честно и не прячась. Денег на подкорм через ларек ему неоткуда было ждать. Курева у него тоже не было, а курильщик он был заядлый, но упрямо не просил у того, кто ему отказывал хоть раз, так что скоро и просить стало не у кого. Были у него два брата, старший и младший, тоже такие же, как он, вольные таежные охотники, но из-за них-то Леха и бросил однажды отчий дом. Правда, там отца уже не было — пьяный, он повесился на сеновале, разозлившись на Божий мир и не зная, как его переделать, от бессилия и душевной ярости. Очень было болезненное у него (психоватое, как говорил Леха) чувство справедливости, отчего бесчисленное количество унижений и обид перенес он уже на глазах у Лехи взрослого, враждуя за что-то с районной властью в их поселке. Мать слегла после его смерти с параличом обеих ног, братья после отдали ее в дом престарелых, Лехи уже не было в доме. А с того началось, что старший, пропадая в тайге подолгу, от кого-то узнал однажды, что жена его стала погуливать. Этот кто-то сказал ему вдобавок, что, возможно, это Леха к ней ходит. Леха был в своей зимней избушке в тайге, когда братья прибежали на лыжах, отмахав километров восемьдесят. Выпили, поговорили о чем-то, Леха никак понять не мог, что их привело к нему, но за собою ничего не знал, так что и настороже не был. Спохватился, когда они его уже вязали. Выволокли на воздух, подтащили волоком к проруби, за ноги обвязали веревкой и спустили головой под лед. Вытащили, не дав захлебнуться, но уже сознание потерявшего. Положили спиной на лед, подождали, пока открыл глаза, и только тут старший брат его спросил:

— Сознайся, сука, Нинку ебал?

— Да вы что... — договорить он не успел, его снова сунули в прорубь. А на третий раз, чтобы мука эта скорее кончилась, он закрыл глаза и кивнул. Но топить они его не стали, а так же волоком притащили обратно, помогли раздеться, дали водки и сидели молча с час, пока он полностью в себя не пришел. А тогда старший сунул ему клочок тетрадочной бумаги, загодя припасенный в полушубке, ручку и сказал коротко:

— Пиши, что было.

Леха взял ручку так же молча и написал, что два раза ходил к жене брата и оставался там ночевать. Старший, оказывается, решил ее убить за измену, а чтобы срок за это вышел поменьше, позаботился о вот таком оправдании. Посоветовал ему кто-то опытный.

И оставив Леху, они ушли. Не ударив, не сказав ни слова. Он тайгу в этих местах знал куда лучше, чем они, так что через два всего часа легко их обогнал и подстерег. И ружье, разряженное младшим, было снова им заряжено теперь, как на медведя, а у них ружья были за спиной. Очень удивились они, его увидев. Он же, взведя курок, только одно сказал:

— Рви бумагу, скотина.

И расписку эту старший порвал. Леха, когда рассказывал нам это, хоть лет пять уже прошло, бледный сделался, и глаза кровью вдруг заплыли — оба, как бывает, если крохотные сосудинки в них от напряжения лопаются. В ту же ночь, так домой и не зайдя, он избушку свою колом подпер, уехал и завербовался к геологам смотреть за ихними лошадьми. Нет, сперва бродяжничал до весны, пил, но опомнился и взял себя в руки. Никаких вестей из дома с той поры у него не было вовсе, только вот про мать узнал случайно, а из лагеря он недавно младшему написал, но ответа не ожидал, как мне кажется.

— Ты откинешься, опять с геологами пойдешь, Леха? — спросил Бездельник. Он Леху очень полюбил — за его человеческую надежность, как пытался он нам смутно объяснить. Правда, мы его вполне понимали.

— Нет, я в тайгу опять уйду, забью себе участок и буду жить, — ответил Леха очень твердо — очевидно, выношенный был план. — Я с людьми больше жить не буду, — сказал он. — Я с такими бы, как вы, жил, но вам со мной неинтересно, да и в городе мне делать нечего. Буду соболя промышлять, как раньше. Одному легче будет. Спрятаться хочу куда поглубже.

— Странно мне, — сказал Деляга, глядя ему вслед, и засмеялся чему-то. — Непохожие такие люди, а мечта одна. Я такого же точно в Москве знал, только мне тогда не слишком понятно было, чего он хочет. Рассказать? Значит вот, лет десять тому назад. Нет, чуть поменьше.

Адрес тогда Деляге дал один приятель, сказав, что знает биофизика, раньше в их лаборатории работал, а потом уволился и пропал, тоже, мол, увлекается иконами. Пусть Деляга съездит к нему, очень был мужик симпатичный. Чуточку только свихнутый на смысле жизни, вечно любой разговор на этот смысл сворачивал — для чего живем и все такое. И Деляга поехал как-то вечером. Дверь ему открыл его лет молодой мужчина, внешности ничем не примечательной, только глаза почти прикрыты веками, словно спит уже и дверь открыл машинально. В однокомнатной его квартире на всех стенах висели, теснясь, иконы, были хорошие, но особенного — ничего. Деляга их хвалил, рассматривая, но хозяин откликался односложно. Гость ему был явно ни к чему. А минут через двадцать, уходить уже собравшись, вдруг поймал себя Деляга на чувстве, что невероятно странно ему здесь, будто он уже здесь был однажды, а возможно — и не раз бывал. Огляделся, от икон оторвавшись, и про себя тихо ахнул: все здесь было точно так же, как в музее Пушкина в Ленинграде на Мойке: и диван, и полукресла, шкаф такой же, секретер — мебель вся была начала девятнадцатого века. Ничего здесь не было от двадцатого, кроме лампочки под потолком и будильника. Удивление во взгляде гостя уловив, хозяин усмехнулся и сказал:

— Десять лет, как собираю. Всю работу в институте запустил, а потом совсем ушел, нанялся в артель краснодеревщиков. Курите? Садитесь, курите. Я этот шкаф когда нашел, он весь в дырах был, поломанный и облезлый, в нем штук двести заплат вставлено. А секретер на себе десять километров нес, из усадьбы был, наверно, тоже сам реставрировал. Все вещи начала девятнадцатого века, потому так на квартиру Пушкина похоже, это вы заметили верно.

И овальный стол, за который они сели, тоже был того же времени, теперь заметил Деляга, как любовно стол этот собран заново и укреплен, отполирован, покрыт лаком, а наверняка был обшарпан и шатался на четыре ноги.

Заговорили о музее Пушкина на Мойке. Почему-то именно этому человеку первому рассказал Деляга о странной своей реакции на этот музей: был там уже раз десять, и последние разы специально — проверял, заплачет ли снова, когда дойдет до кабинета, где под книгами умер Пушкин на своем диване. И читал он по дороге в кабинет записки друзей о последних часах поэта или не читал, все равно каждый раз опять выступали слезы, ничего с собой поделать не мог. Странная была личность — Пушкин, больше не было таких и не будет. И сказав эту пошлость, замолчал Деляга, пожалев, что вообще заговорил. Но хозяин понял его по-своему.

— А я и время это все люблю, — сказал он. — Страшное, конечно, как почитаешь. А от мебели — покой на душе. Я сейчас одной генеральше ремонт гарнитура делаю — огромная квартира четырехкомнатная, всякой рухлядью без разбора набитая. Все подряд, видать, покупала, на что глаз падал. На полгода работы будет. Но зато она со мной, кроме денег, расплатится еще и люстрой, — тут глаза хозяина приоткрылись немного, — в тютельку того же времени, что здесь. Я ее повешу, и всё...

Это «всё» он сказал с таким значением, что Деляга, недопоняв, спросил:

— Что и всё?

— А то, что ничего мне больше дома, пока я дома, — с торжеством и ожесточением сказал хозяин, распахнув большие карие глаза, — не будет больше напоминать о Советской власти.

С этим и ушел тогда Деляга, чуть недоумевая и чуть посмеиваясь над такой нелепой причудой.

— Молодой был я, дурак, — сказал он, — а ведь так еще недавно это слышал. Как я его сейчас понимаю, этого ханурика! Да и Леху тоже понимаю.

Мы опять обогнули барак, выйдя на плац лагеря. Пасмурный и какой-то неприкаянный выдался сегодня день, и холодная тоска висела в воздухе. Первые только числа октября отлистывал календарь, а уже падал снег два раза, хоть и таял пока сразу. Тайга за проволокой лагеря отполыхала всеми красками увядания и сейчас нагая стояла и бесцветная, даже бурая зелень елок была уже смурная и безжизненная. Оттого и настроение в эти дни было под стать сезону. Даже наше вчерашнее былое, видевшееся отсюда куда более светлым, чем было на самом деле, вызывало сегодня мысли пасмурные и тяжелые. Оттого, быть может, и сказал неожиданно и не к разговору Писатель:

— Я-то и замкнувшись не был счастлив. Мучился все время, что не настоящий писатель. Выйду, и опять начнется.

— Объясни, — сказал Бездельник. — Заодно и сам поймешь, что сказал. Или ты про то, что нет таланта? Ну, или, прости, просто мало?

— Нет, как раз способности были, — медленно ответил Писатель. Очень здесь от неуюта и тоски все любили рассказывать о себе и своей жизни на воле. Даже неудобно было часто за симпатичного в остальном человека, жаль его становилось и злость брала, когда он лез в разговор, перебивая, чтобы только что-нибудь пустое вставить о своем и о себе. Вот и Писатель явно оживился.

— Нет, как раз способности были. Книги выходили, и не одна. И читались. Писем было много. И от молодых, и от старых. Нет, я не о способностях вовсе. Просто писатель — это куда шире, чем способности. Обязательно, во-первых, быть графоманом. Ведь классический графоман — он бездарен, но одна черта писательская у него есть — жажда все подряд занести на бумагу. В этом смысле все настоящие, что были и есть писатели, — обязательно и непременно графоманы. Их воодушевляет лист бумаги, как полководца — поле боя.

— Толстой был тоже графоман, у графа мания была, — с чувством произнес вдруг Бездельник, знавший множество случайных каких-то отрывков, но почти ничего полностью. Писатель улыбнулся тоже, но продолжал серьезно:

— Этого у меня нет совершенно. Терпеть не могу писать. Мне куда приятнее рассказать и на этом выговориться.

— Ты скорее как Сократ, — сказал Бездельник.

— Не подъебывай, — сказал Писатель. — Я ведь не каждый день о себе.

Что-то больное и давнее было за его словами. Помолчав, он продолжал:

— И азарт необходим, честолюбие. И не в смысле успеха, нет. Жажда выразиться и воплотить все в слове так же ярко и полно, как чувствуешь и понимаешь. Тоже нету! По восемьдесят раз никогда не стану переписывать, хоть и знаю, что надо бы. А пишу и не зачеркиваю почти совсем. Ну, а про способности тоже. Я вот совершенно не наблюдателен. Любопытство у меня есть, это правда. Но оно поверхностное, общее, я деталей и мелочей не вижу, так что чеховская луна, блестящая на бутылочном осколке, чтобы показать ночь, — для меня это штука недостижимая. Не художник я. Но тогда кто? И зачем тогда писать? А другого себе в жизни я не мыслю. И еще вот эта трусость паскудная. Не трусость, я опять не то сказал, а какая-то готовность к блядству. С первых же статей стал писать, как все, то есть чтобы напечатали, чтобы текст свой увидеть, хоть испоганенный пускай и покалеченный. И умалчивал, где надо, разве что не врал пока. Повезло с тематикой. О науке писал. А как только первую книгу написал, слегка близкую к истине, — ее зарезали. О фашизме она была — что он делает с нашей психикой такое странное, что человек живет спокойно и счастливо. На материале вполне научном, публицистика такая о психологии. Зарезали. И формулировку замечательную сукин сын редактор придумал: обилие неконтролируемых ассоциаций. Слишком уж про нас то есть. А мне только про нас и хотелось. Прямо болен был этим, написать про нас поточней. Мне один приятель тогда, умный был мужик, уже остывший, все говорил: это в тебе партийность играет, хоть и диаметральная, но партийность. Она у тебя в характере, изживай скорей свое комиссарство. Поругался я с ним тогда.

— Но разве нет на свете нейтральных тем? — осторожно спросил Деляга. — Любовь там, история всякая, если так было писать невтерпеж.

— Да я два исторических романа написал, о девятнадцатом веке, — сказал Писатель мрачно, хотя с легкой мальчишеской хвастливостью. — А хотелось и в них сегодняшнему дню перо вставить. И опять струсил. Вычеркивали у меня почем зря, даже мелочи, хоть слегка наши времена связующие. А я — соглашался, как потаскушка. Потому что печататься охота. Настоящему, я уверен, писателю книга, в которую он вложился, дороже собственной судьбы. Это, братцы, и есть призвание. А тут даже не о судьбе ведь речь, а о колбасе на хлеб с маслом. Издатель-то в стране один-единственный, хоть и во многих лицах, выполняешь его заказы — кормит. Досыта притом, с выпивкой и почетом кормит, а заупрямился — нету вообще тебя в природе. Так мне бы и послать его в жопу, этого безликого мерзавца, я же инженером мог работать, грузчиком в конце концов, да кем угодно. А писал бы не для того, чтобы печататься. Ну, а как сдался, покатился дальше, естественно. Больно жизнь сладкая. А расплата — через годы, когда оглянешься. Вот я и оглянулся недавно. Уж простите, что так занудно изложил.

— Слушай, а почему ты так уверен, что литература обязательно должна быть — ну, что ли, упрекающей, разоблачительной? — осторожно спросил Деляга.

— Нет, литература может быть любой, как захочет, — засмеялся Писатель. — Это мне просто по характеру моему хотелось такого. Моя личная беда. Куча моих коллег пишут все, что хотят сказать, и счастливы, и это все — в дозволенных пределах. Совпадают рамки, что ли. Я же их нисколько не осуждаю, даже завидую, если хотите, очень часто. Но я сделан по-другому, беда моя. Могу образ один привести, от него гордыней попахивает, но уж вы меня поймите. Погаси, к примеру, свет в огромном доме. И слепые скажут больше зрячих — и интересней скажут! — про обстановку, про атмосферу, о звуках.

Тоньше и интересней. Но если свет горит, а писать можно только с точки зрения слепых? Сколько будет запретных тем? А если свет не горит, то главная-то тема — что темно — и будет самой крамольной.

— Интересно, — сказал Бездельник, — что ты и сейчас нам все это описываешь, как публицист, а не художник — таким, конечно, нету у вас мест возле кормушки. Только ты уверен, что это нужно кому-нибудь сегодня — в таком вот прямом виде? Ведь будоражит, расстраивает, беспокоит.

— Это мне неважно, — сказал Писатель запальчиво. — Это мне лично нужно. Настырности моей еврейской. Ну да что там. Честно ведь говоря, художник настоящий может все то же самое сказать и совершенно другим способом. Так что сам даже не знаю, чего разнылся.

— А по-моему, — сказал Бездельник, — после всего, что в мире понаписано, и после всего, что в мире произошло, можно стать писателем только, если перестал надеяться, да и не хочешь преобразовать мир и перевоспитать человечество.

— Даже образумить, — мрачно подтвердил Писатель. — Вот поэтому писатель из меня и не получился. Может, оно и к лучшему.

— А какие надо книги писать, я знаю, — вдруг сказал Деляга. Тут мы все удивились, не ожидали. Но Деляга, оказывается, историю одну знал, произошла она с дальним его родственником, седьмая вода на киселе, но когда-то виделись они, и рассказал. Человек этот сидел уже два раза и на воле тогда опять был временно, сам это понимал, потому что крал у государства не задумываясь, просто случая пока не было покрупней, а по мелочи он брезговал, такой был тип. И на дне жизни постоянно обретаясь, он единственное что в себе нетронутым сохранил — жуткую любовь к чтению. Читал запоем. А до встречи с Делягой незадолго он женился, этот человек. Миша. Но семейная жизнь его не склеилась. Верткая бабенка из торговли проявила бывалость куда большую, чем была в нем самом, вдоволь навидавшемся всякого по обе стороны колючей проволоки. А еще он постоянно читал, а ее раздражали его книги, лучше бы ты пил, говорила она, было бы все как у людей. А его она тоже чем-то неуловимо раздражала, с каждым днем все сильнее, что уж там о месяцах говорить. И они бы все равно разошлись, в доме вспыхивали ссоры все чаще, но однажды случилось вот что — притом в безоблачный в смысле раздоров вечер. Он лежал уже, поздно было, и читал какую-то книгу. А она раздевалась, напевая, долго мазала лицо кремом, волосы на что-то наматывала, сверху наскоро покрыв косынкой, чтобы уберечь, долго стригла ногти на ногах, а потом их алым лаком покрыла и полюбовалась, встав на цыпочки, чтоб издалека, и тогда только легла с ним рядом. Он читал. Книга захватила его целиком и сейчас делала с его душой все, чего хотел, очевидно, автор: замирала, вспыхивала и металась его душа. Плюхнувшаяся рядом женщина спросила:

— Ну так ты что — не будешь? Я тогда буду спать.

Очень резок, очевидно, был контраст (диссонанс, если хотите, дисгармония), потому что Миша этот, чуть помедлив, сказал вдруг — очень тихо и спокойно сказал:

— Вставай.

Но она подлила масла в огонь, что всегда случается при душевном разительном несходстве. Чуть осклабясь (металлические зубы блеснули), она сказала:

— Да ты что же — стоя, что ли, хочешь?

— Ты вставай и иди спать в ту комнату, — сказал он по-прежнему спокойно, хотя все у него внутри сейчас дрожало от ненависти и омерзения. — А завтра я уйду. И не мешай мне сейчас, пожалуйста.

Потом с полчаса, не шелохнувшись, он смотрел в книгу, не читая, пока женщина то кричала, то плакала, осыпая его грязными оскорблениями, замолкала, ожидая ответа, и начинала снова. После она хлопнула дверью, он вздохнул, устраиваясь поудобней, и уже читал, читал, не отрываясь и до самого конца.

— А что он читал, не знаешь? — жадно спросил Писатель.

— Не знаю, — сказал Деляга. — Не спросил. Это мог быть просто детектив.

— Нет, — сказал Бездельник уверенно. — Нет. Если это все и вправду было, то это был не просто детектив. Литература это была. Хоть по сюжету-то, возможно, и детектив. Но вряд ли.

С этим нельзя было не согласиться. Хотя женщину мне было жаль немного. Ведь она хотела как лучше.

Писатель молчал, мысленно перебирая, как мне кажется, возможные в подобном случае книги. А Бездельник опять сказал настойчиво:

— Нет, не детектив, конечно. Потому что ведь не сюжет его привел в такое состояние и держал. А в детективе что? Сюжет. А ему плевая цена.

Писатель посмотрел на Бездельника чуть надменно и уж во всяком случае — усмешливо. Бездельник взвился.

— Да! — сказал он запальчиво. — В наше время сюжет стоит мало. И банальнейший сюжет может стать основой потрясающей книги.

— Пример, — сказал Писатель жестко. Но Бездельник был, похоже, готов к ответу.

— Пожалуйста, — сказал он. — Человек. Руководит крупным предприятием. Мучается дни и ночи, ломая голову, как повысить производительность, чтоб ускорить оборот продукции, перевыполняя план и ожидания своих начальников. Он улучшает машины, подгоняет рабочих, пишет запросы компетентным ученым. Консультируется. Но однажды ночью, под утро, идея осеняет его самого, и счастливый, начала дня не дождавшись, он бежит — а живет он рядом в домике, где в саду цветы, кстати, разводит, вообще он семьянин прекрасный и очень любящий отец — он бежит, значит, на свое предприятие и ликует, и всем рассказывает, веля испробовать. И действительно, резко возрастает пропускная способность его детища, торжествует смелая творческая мысль.

Бездельник на секунду умолк.

— Правда, абсолютный трафарет, совершенство социалистического реализма, — сказал Писатель. — Так замызган и обсосан, что классической стал пошлостью. Только где же обещанная книга, чтоб захватывала дух?

Бездельник, отвечая, даже чуть декламировал, так торжествовал.

— А это книга о человеке, которого звали Рудольф Франц Гесс. Он был хозяином Освенцима, — сказал он. — Весь извелся мыслями, бедолага, потому что транспорты с людьми шли и шли, в числе нарастая, и его предприятие захлебывалось, не успевая производить из них золу и дым. И тогда он после долгих раздумий — и впервые в истории, заметьте, открытие в чистом виде! — предложил обливать трупы загазованных евреев тем жиром, что был натоплен из тех, что уже сгорели. Меньше, правда, жира оставалось для мыла, чтобы снабжать отечество, но зато сгораемость сырья резко возрастала, а с ней вместе — производительность предприятия.

— Сукин ты сын, Бездельник, — сказал Писатель, поеживаясь. — Замечательный у нас получился творческий семинар. Пошли в барак, чифирнем, продрог я что-то.

***

Два дня назад мы чифирили в биндюге на промзоне. Работы не было, лес не подвозили третьи сутки, где-то в непролазной грязи со снегом буксовали на таежных дорогах лесовозы. Нервничало начальство, беспокоясь за свой месячный план, зеки наслаждались бездельем. Чуханы убирали отходы, составлявшие здесь, как водится, чуть ли не большую часть привозимой древесины. Мы сидели вокруг печи, шла по кругу кружка с горячим чаем, темно-красного от крепости цвета, дымили сигареты «Прима» — полное царило блаженство. От начальства были выставлены атасники, можно было ни о чем не беспокоиться, это были редкостные часы. Разговор шел вялый, но общий. Даже вечно молчаливый Сергеич, очень напоминавший Жана Габена — основательностью своей и неподвижностью мятого лица, — тоже расшевелился и готов был, кажется, заговорить. Никогда он не рассказывал нам ничего о своем прошлом, хоть легко было догадаться, что оно было насыщенным и бурным. Он сидел уже третий или четвертый раз, а сюда к нам на общий режим попал со строгого — есть такая форма послабления, только ей никто не радуется слишком, ибо сидеть на строгом куда легче. Но зато на общем писать писем можно сколько угодно и возможностей уйти досрочно больше, а Сергеичу уже явно надоело сидеть. Он надеялся еще до конца срока уйти на химию, если приедет в нашу глухомань комиссия и отрядный офицер сдержит свое обещание, подкрепленное давно заначенной последней сотней. Что-то очень тянуло Сергеича на волю, большее что-то, чем обычное желание освободиться. В этот раз он сидел по мелочи — за квартирную какую-то кражу, по сто сорок четвертой статье, а о прошлых своих делах — отмалчивался.

Говорили мы в полутьме о счастье — кто когда испытывал его острое мгновенное ощущение. Очень мне это созвучным показалось с нашим недавним разговором у барака — так что, может быть, именно Бездельник и затеял этот разговор — я не раз уже замечал, что если что-то его интересовало, он подбрасывал эту тему в беседу, словно щепку в гаснущий костер. А возможно, это было в какой-то связи с непрестанно текущими на зоне разговорами о кладах, удачных кражах и прочих видах легких обогащений. Кто и как это связал со счастьем — я не заметил, только вдруг Сергеич сказал, что одно такое ощущение он ясно помнит. Все замолкли — уважаемый был человек Сергеич (имени я его не знал).

— Я тогда на поселении жил, денег не было, — начал он с медлительной усмешкой, — тут цинкуют нам из соседнего поселка, будто тамошний директор совхоза держит дома чуть не пять тысяч — взял из банка для чего-то и держит. Ну, я зацепил приятеля и пошли мы по наколке.

Наколка, или наводка, что то же самое, — оказалась совершенно верной, цинканули не ложно (могли маякнуть — очень точно в этих терминах фени звучит знак наведения и осведомления). Сергеич убедился в этом через пять минут после того, как залез в дом. Среди бела дня, разумеется. Сам — в конторе, жена там же счетовод, сын — в армии. Залезал Сергеич один, его напарник сидел на бревнах возле чайной напротив дома и безмятежно распивал с кем-то на троих, ведя неторопливую беседу. В цепкости его взгляда Сергеичу сомневаться не приходилось, были всякие совместные мероприятия, так что не в первый раз. А Сергеич, оказавшись в доме, сразу кинулся не к шкафу, где в бельишке могли прятаться деньги, а к неказистому казенного вида письменному столу, стоявшему в парадной комнате. И чутье его не обмануло. Дверцы были заперты, но столешница легко поднималась с тумбочек. Деньги пятью аккуратными пачками лежали прямо в верхнем ящике. В ту же минуту опытным своим глазом успел заметить Сергеич через окно, как вскочил его напарник, выплюнув папиросу, а к калитке подъехал бурый армейский вездеход. Из него уже вылезали, оживленно о чем-то переговариваясь, два офицера и молоденький солдат. Это сын, оказавшийся неподалеку от дома на летних учениях, сговорил двух начальников своих съездить к его родителям попьянствовать. Сергеич кошкой метнулся к заднему окну в огороды (он и залезал оттуда) и увидел спешащую между гряд пожилую женщину — это мать солдатика шла кратчайшей дорогой — видно, сын ее предупредил. Сергеич еще успел кинуть на место деньги, поправить столешницу, как была, и влететь в погреб — очень большой, чуть не с целую большую комнату размером и с невообразимым количеством бочек, бочонков, больших бидонов-фляг, банок с вареньем и всякого прочего припаса. А в углу, за высокой россыпью картошки, отыскал Сергеич бочку с солеными огурцами, на которой сидя, голову пригнув, да еще крышку с бочки содрав, чтоб ниже сидеть, становился он незаметен за картофельной горой. Там он и обосновался, проклиная заранее минуту, когда здесь его вот-вот обнаружат.

Все сперва было очень хорошо. Сразу почти выяснилось, во-первых, что в погребе нету света. Когда хозяйка спустилась за закуской, ей присвечивали сверху фонарем, подавали миски, куда она накладывала капусту, грибы, огурцы (из бочонка поблизости, по счастью) и еще Бог знает что, и очень долго. Самогон был явно не в погребе, о чем очень Сергеич сожалел. И немедленно началась пьянка. К вечеру хата была полна людьми, горланили частушки, дробно плясали прямо у Сергеича на голове, пахло жареным мясом. Он покормился тоже всякими подручными соленьями, а вместо воды поел сметаны, прямо рукой ее, как ложкой, аккуратно зачерпывая из фляги. Покурить ему хотелось до умопомрачения, но на это он все же не решился. Хозяйка спускалась в погреб раз пять. Главная опасность была в том, что это каждый раз происходило неожиданно для него, и Сергеич на всякий случай со своей бочки почти не слазил. Он на ней даже вздремнул немного. Ночью все долго расходились, после долго укладывались спать. Загулял по дому ровный храп, показавшийся Сергеичу музыкой. Тут он и хотел было сбежать, но на крышке погреба что-то, видимо, стояло, нажимать сильней он побоялся. И вернулся он на бочку в свой угол. Полуспал, полуждал рассвета, очень боясь прокараулить хозяйку. Не прокараулил. Пьянка началась опять. Как Сергеич проклинал нарушителей воинской дисциплины! А еще присягу, сволочи, давали, что служить будут честно своей отчизне. На закате стало слышно, что прощаются. Это длилось невыносимо долго. После, громко сказав кому-то, что не будет убираться, пока не кончит в конторе ведомость (молодец, старуха), ушла хозяйка. Чуть задержавшись после нее (не деньги ли проверял?), ушел хозяин. Снова в доме замерли все звуки. Тут Сергеич спокойно вылез, чашку самогона выпил под крутое яйцо (он смотреть уже не мог на соленья), аккуратно разложил по двум карманам пачки денег и ушел к себе в поселок искать напарника, уже голову потерявшего от страха за Сергеича, сгинувшего невозвратно.

В голосе Бездельника было явно слышно разочарование:

— Ну и что, Сергеич, так ты когда же свое счастье испытал — когда деньги, что ли, брал или когда все уехали?

— Э, земляк, да ты не понял, — возразил ему спокойно Сергеич. — Я свое счастье испытал, когда вышел за околицу деревни и в ближайшую первую лужу окунулся голой жопой. Я ведь сутки в рассоле просидел!

— Ах, хороший ты человек, Сергеич, — выговорил Бездельник сквозь общий хохот.

А у Сергеича после этого монолога, самого длинного, что довелось мне от него слышать, что-то, очевидно, оттаяло в заскорузлой его душе, и ему захотелось с кем-нибудь поделиться своим секретом. (Кстати, это жгучее желание поделиться знают и широко используют следователи. Трижды я оказывался в камере с подсадными утками — это только те три раза, конечно, что я знаю с достоверностью, — всегда неудержимо тянуло поговорить после допроса. Хоть кому-нибудь, но выложиться, утоляя возбуждение после него.) Чтобы повестнуть свою тайную заботу, выбрал Сергеич меня, и это очень мне, признаться, было лестно. Оказалось, потому он торопится на волю, что сестра ему в письме написала, что напарник его по тому делу собирается строить себе дом. А у него, у сукиного сына, денег нету и не было никогда, мужик непутевый, а значит — хочет он пустить на дом деньги Сергеича, давно у него хранившиеся. У сестры нельзя было держать — у родственников, если что, обыск делают немедленно, да и очень пьют они с мужем, вон детей уж отобрать у них грозились.

— Подожди-ка, Сергеич, — сказал я, — разве он не имеет права на их часть? Ведь вместе были.

— Ни на рубль! — с необычной для него горячностью шептал мне Сергеич, обдавая меня запахом махорки, сала с чесноком и — не буду перечислять букет, ибо не лечат на зонах зубы (выдернуть — пожалуйста). Мы стояли возле биндюги на улице, и вокруг никого не было, но велик был слишком опыт этого человека, и он не мог не понижать голос. Я, не отстраняясь, слушал, я очень польщен был доверием. — Ни на рубль! Он же сбежал, выблядок! Он же меня бросил! Да за это, если б жили в законе, перо полагается! Перо!

— Ну, а что он мог сделать, Сергеич? — спросил я. — Два офицера, сынок этот, да еще шофер, наверно, был. Что он их, по-твоему, раскидал бы, что ли?

— Что угодно мог, — настойчиво шептал Сергеич. — Драку мог с кем-нибудь затеять, а их позвать на помощь с понтом, драку с ними самими мог затеять, чтоб я ушел. За такое знаешь, что делают? — снова сказал он, распаляясь. Но вспомнил, что уже говорил про кару за трусость, и замолчал. Закурил и сказал миролюбиво:

— Тут большая, земляк, выдумка нужна. Вот, к примеру, мы с ним, с этим же, брали магазин небольшой. Так, вроде палатки, но каменный. Аккуратно брали, не на уши ставили, как сопляки, а через ключ. Он, значит, залез искать выручку, они ее куда только не прячут, а я на стреме. Выпил полбутылки, стою гуляю. Вдруг смотрю, а в метрах десяти от магазина начинался скверик, чахлый такой, одна аллейка, вдруг смотрю — прямо на соседнюю скамейку садятся две девки и два солдатика. Что-то, видишь, все мне на солдат не везло. Ну, хихикают там, обжимаются, курят. Что делать? Не прогонишь ведь просто так, с девками они — в морду полезут, а начнется драка — менты объявятся. Это уж как пить дать. А напарнику уже вот-вот вылезать, чувствую, что уже вот-вот. Ну что делать? А я нашелся. Допиваю бутылку, выхожу из-за магазинчика, вынимаю своего шершавого ненаглядного, иду и ссу, да пошатываюсь — с понтом пьяный. И еще напеваю что-то громко, вроде как я Алла Пугачева. Шлюх этих со скамьи как ветром сдуло, понеслись бегом по аллейке. А солдатики, конечно, за ними, только успели мне кулак показать. И тут как раз напарник вылезает. Все в порядке? — говорит. Все в ажуре. А возьми я да слиняй оттуда? Повязали бы его за милую душу. Или растеряйся — то же самое. Нет, я ему ни рубля не дал. И он согласился, между прочим.

Тут за нами прибежал чухан-атасник, нам пора было в столовую обедать. Очень быстро поев, выскочил я из-за стола, не дожидаясь общей команды, и немедля за углом столовой записал обе истории эти. На клочках бумаги, наскоро, а сейчас в дневник переношу.

Потому что сегодня Сергеич умер. Это неожиданно произошло и мгновенно. Ночью принесли его в санчасть — он валялся в одних трусах возле барака. А врагов у него вовсе не было, наоборот, — его все очень уважали. Умер он от разрыва сердца. Вышел ночью в сортир, не одеваясь (а белье он свое на чай сменял, на две пачки, я это точно знаю), постоял еще потом, покурил, пока холодом не прохватило, повернулся к бараку и упал. На последних месяцах неволи отказало сердце. А всего он отсидел — двадцать два года за три ходки, было ему чуть за пятьдесят. Я стоял над тем местом, где он упал, и отчего-то с ненавистью думал о его не известном мне напарнике, который точно уж теперь построит дом.

* * *

Вообще тема напарника, соратника, подельника — своего исследователя настоятельно просит, очень яркая открывается в ней картина ненадежности рабского сплочения. Много я встречал людей, обвиняющих своих подельников в том, что сели. Так как я вторую сторону выслушать не мог, то, во-первых, на собственный случай могу сослаться, когда сразу двое на меня облыжно показали, хоть и не было у них причин на меня злиться — попросили их, обещали скощуху каждому, вот они и потекли. Да притом еще и на суде друг на друга валили не стесняясь, да еще обнаружилось, что обманывали постоянно друг друга, а друзья были — водой не разольешь. А один разговор краткий я бы и приводить не стал, если б его сам не услышал, так походит он на анекдот или байку. Но гуляли мы на прогулочном дворике Волоколамской тюрьмы, а через стену от нас гуляла другая камера. Несмотря на часового, обрывающего вмиг попытки докричаться через стену, ища знакомых (а он там по потолку гуляет, часовой, над нашими головами, и прогулку прекращает, если непорядок), двое друг до друга докричались. Один у нас сидел — по двести шестой третьей, это драка с применением ножа (даже если нож в кармане оставался невытащенным), и перевести это дело в двести шестую вторую, простую то есть хулиганскую драку, — очень важная забота в таком случае. И вот тут из-за стены донеслось:

— Мишка! Ты имей в виду, я нож отшил, больше нету у меня ножа, ты понял?

— Молодец! — закричал наш Мишка. — А как ты сделал?

К нам уже, матерясь, часовой бежал по своим потолочным трапикам.

— Очень просто, — донеслось из-за стены. — Я следователю сказал, что он у тебя был!

Случаям подобным — нет числа. Только об этом — и размышлять не хочется.

* * *

От забора лагерного невдалеке, выбегая на взгорок перед озером-болотом, скатывалась к нему по склону тесно сгрудившаяся молодая поросль тайги. То сплошная серо-синяя зубчатая стена в мрачное утро или пасмурные сумерки, то густо-черная при ярком закате из-за взгорка, то желто-зеленая в свете ясного дня, но всегда не очень веселая — странно для молодой рощицы. Или это я так видел ее? Или это сделали с ней тысячи глаз, которые столько лет с тоской смотрели на нее из-за колючей проволоки, что окрасили ее своими чувствами? Не знаю. Только печально выглядел этот видимый нам кусочек воли. Даже когда падал снег и пушистые кристаллики его делали лагерный плац в свете прожекторов похожим на катки нашего детства, роща эта ничуть не оживлялась. То ли был тому причиной вросший в землю сарай овощехранилища, всем своим унылым видом повествующий о мерзлой гнилой картошке? Или мешали запахи лагерных помоек, стоявших там же, откуда мы смотрели на волю? Нет, конечно, это мы были повинны в жалком виде рощицы, очень мы уж часто там стояли, глядя на нее.

И сегодня вот Бездельник мрачен был и сосредоточен, где-то далеко в себе затаен. Хотя только что получил письмо от друзей, заверяющих его, что семья в порядке и что все на воле помнят его, любят и ждут.

— Просто думаю, — ответил он на наш вопрос о его замкнутости. — О жизни своей могу подумать хоть изредка?

— Может быть, вы обозлились или обиду таите? — елейным голосом спросил у него Писатель. То была у нас давнишняя игра — с той поры, как мы обнаружили, что любой из наших воспитателей это спрашивает. Что ли у них инструкция была такая, или лекцию читали им о психологии заключенного. Притом в самом вопросе этом замечательная идея таилась: тот, кто обозлился или обиделся — тот пока еще преступник и враг, перевоспитание его должно продолжаться, а меры по возможности усилены. Очевидно, идеально раскаявшийся, вновь годящийся в советские люди зек должен был все забыть и ощущать только собственную вину в смеси с благодарностью за оказанное милосердие. Обиженный или обозленный — в состоянии измыслить что-нибудь непотребное и вражеское, такого желательно додавить. Разумеется, не находилось ни одного среди нас, затаившего злость или обиду, все были в восторге от законности и справедливости, помышляли исключительно об искуплении вины за содеянное и безмерно радовали этим сердца психологов в сапогах и погонах. Хотя я лично — ни одного не только раскаявшегося, даже сожалеющего о сделанном не встретил. Правда, среди убийц один был, кто ответил на мой вопрос утвердительно. Он жалел. Удивившись, я расспросил подробней. Он жалел, что убил в давней драке («замочил на глушняк» — именуется убийство на фене) только соседа своего, а двоюродного брата — не тронул, а то бы ни одного свидетеля не было, а этот брат — сдал его, паразит. Жалели все только, что попадались. Но понт есть понт.

— Что вы, гражданин начальник, — послушно откликнулся Бездельник. — Какая может быть обида? Сам во всем виноват. Оступился просто. Лошадь — о четырех ногах, и та спотыкается. Еще и осудили по-божески, спасибо сердечное.

— Почему же вы тогда хмуритесь, будто недовольны чем?

— Зануда я, пессимист, желудок побаливает, — с таким чистосердечием и тупой искренностью ответил Бездельник, что нельзя было не порадоваться, как твердо встал он на путь исправления, этот закоренелый преступник.

— Вспомнил я, братцы, хорошую историю, уж не знаю, правдошняя или нет, — сказал Писатель, тоном обозначив, что подражать нашим пастырям перестал. — Говорят, была она с поэтом Долматовским. Неважно, в Москве это было или в Тбилиси, но подошел к нему старый грузинский поэт и говорит ему: слушай, дорогой, ты английского поэта Байрона знаешь? Знаю, отвечает Долматовский, как же мне его не знать, читал, конечно. Лорд был, происхождение замечательно высокое, голубая кровь по жилам текла — знаешь? — наседает на него грузин. Знаю, говорит Долматовский. Собой красавец был, женщины с ума сходили, умница был, образованный, поэт гениальный — знаешь? — говорит грузин. Знаю, отвечает Долматовский, вы к чему это? А богатый был, ни в чем не нуждался, все имел — знаешь это? — спрашивает грузин. Знаю, знаю все это, отвечает Долматовский нетерпеливо. А если знаешь, тогда скажи мне, говорит грузин, почему он, Байрон, при всем том, что ему дано было и что имел, был пессимистом, а ты, гавно такое, — оптимист?

Закурили.

— Нет, сейчас никак нельзя быть пессимистом, — сказал Писатель. — Больно время безнадежное, сейчас нельзя.

Бездельник засмеялся одобрительно.

— Не могу только понять, на чем все это держится, — сказал Писатель. — Ну на силе, ну на страхе, разумеется, ну на круговой поруке. А еще?

— Разве ты не видишь, на чем еще? — сказал Деляга. — Посмотри-ка!

За колючей проволокой, окружавшей зону, шла контрольно-следовая полоса — уж не знаю, так ли она здесь называется, как на границе, эта трехметровой ширины полоса вспаханной земли, за которой шел второй забор, на том уже была сигнализация. В случае побега на полосе этой неминуемой оставались следы. Вспахивали ее заново, освежали рыхлость почти ежедневно. И сейчас по ней шли, впрягшись в борону, как лошади, три зека. От напряжения по-бурлацки нагибаясь вперед, они тащили борону, вспахивая землю, а от них сбоку, по тропинке узенькой, шел надзиратель-прапорщик и три запасных зека на подсменку. Много было на зоне разговоров о том, что все мы делаем сами — и огораживаем себя, и сигнализацию тянем (говорят, что изобрел ее — тоже зек еще в когдатошние времена), и словами «а куда денешься?» заканчивался каждый такой диспут.

— Нет, я не об этих ребятах, здесь-то куда денешься. И не о тех миллионах, что работают, чтобы есть и пить. С ними чтоб управиться, страха и еды достаточно. Только держится все это вовсе не на них.

Мы молчали, глядя на тянувших борону, а Деляга продолжал возбужденно:

— Не спешите посчитать меня идиотом, только держится это все на эксплуатации природы. Не пугайтесь, я не о добыче всякой нефти и угля с железом, я о человеческой природе. Правда, правда.

Помните, кто-то из крупных физиков шутил, что не понимает, мол, за что им платят деньги, они бы и бесплатно работали. И еще тут одна деталь —помимо денег, — что неважно еще, над чем работать, каков и для чего годится результат. Эта страсть к познанию и творчеству — жуткая, ребята, штука. И еще одна страсть, не меньшая — выкладываться на всю катушку. Для собственного ощущения жизни. И чтобы другие уважали. Не начальство, не надзиратели, а конкретные, кто рядом, лица: Иван Петрович, Васька Свистов, Семен Исаакович. И неохота их подвести, если они за тебя в ответе, — тоже фактор. Наши живые душевные связи — тоже ведь природа человеческая. Кто головой, а кто руками. Да еще все — в разной области. А те, кто головой работает, — самые сегодня золотоносные рудники. Потому как век науки и техники. Здоровенный, к примеру, мужик рослый. Нет, он и пахать бы мог, и стрелять, и бревна обтесывать. Но его учили в школе, и он наткнулся на химию. Почему это, он и сам не знает, но с ума сходит от счастья, смешивая, доливая, соединяя, нагревая, охлаждая и так далее. Годам к тридцати оказывается, что весь его свет в окошке и весь смысл его жизни — в получении какой-нибудь прозрачной мерзко пахнущей массы, которая, когда затвердеет, то ее кувалдой не разбить. Почему это с ним случилось, отчего все его жизненные вожделения слились в одну линию, он и сам объяснить не может. Охота. Интересно. Хлебом не корми. Нет, кормить надо, но ему хватает крошек. И на что это все пойдет, он тоже не думает. Нет, пожалуй, — думает. На какие-нибудь потрясающие новые дома. Или мосты. Или туннели. Да хоть на сараи. Э, ему говорят, и на самолеты, и на танки это тоже пригодится. Даже на подводные лодки. Здорово! И морда его сияет, и плевать ему, от имени какой империи эти самолеты повиснут в воздухе и куда эти лодки поплывут. И ему почти безразлично, что он, в сущности, уже давно живет в лагере, работает в шарашке, получает пайку и черт знает что делают в мире его прекрасные творения. А у него-то ведь еще и баба есть, и дети есть, и квартира какая-никакая — счастье. Предположим, правда, он прозрел, это нынче со многими происходит. А чем кормиться? В плотники уйти принципиально? Так ведь, во-первых, плотник из него херовый, пайка сильно меньше будет, главное же — высохнет от тоски по колбочкам своим и растворам. Потому что такова его природа, он был создан для своей работы. Остается из этого колодца только качать и качать, что империя исправно и делает. Они ведь, бедолаги способные, они сами себе еще и снабженцы: все клянут, на чем свет стоит, а вертятся, как угорелые, чтобы свои идеи проверить, свои опыты поставить, выложиться и воплотиться. Вокруг них бездарностям благодать, бездари цветут и пахнут, бездари общественной работой занимаются, то есть пирог общественный с разных сторон покусывают, кто как может, притом доносы строчат друг на друга, свары затевают, кресла делят и премии. В науке тоже ведь — своя обслуга, свои придурки, свои надзиратели. Бедолаге тоже достаются крохи, но ему ведь много и не надо.

Деляга чуть вздохнул, остывая, но тут же спохватился, что не закончил.

— А давайте спустимся пониже, пожалуйста. Инженеров возьмем на производстве. Кто из них поспособнее, — механизм их психологии тот же самый, творческий механизм, им только и надо, как коровам, — чтоб их доили. Они и мычат так же жалобно, когда хозяева бестолковые, они мечутся, чтобы их подоили, ищут. А разве рабочего только жажда заработать подгоняет? — нет, это вовсе не главный стимулятор, пайку свою он ненамного увеличить в состоянии, главное — что люди вокруг, а с людьми какие-то отношения; и ему на работу если не плевать, то на окружающих ему никак не плевать, без них наша жизнь — не в жизнь, мы на то и люди, вот и пляшем на этих ниточках. Чтобы выйти в конце концов на нищенскую пенсию. Вот на этой нашей природе все и держится.

Тут Деляга махнул рукой, он еще так долго никогда не говорил, а я смотрел вслед боронящим, не отрываясь. Может быть, мне сейчас казалось это, но похоже — молодые ребята-зеки так не горбились напряженно и тяжело, лица их не заливал уже пот; словно втянувшись в слаженное усилие, обретя единую тягу, они шли ровно и споро, и физическая нагрузка чуть ли не удовольствие доставляла сейчас их сыгравшимся утроенным мышцам. Один из них, полуобернувшись, сказал что-то прапорщику, и все они загоготали негромко, и, словно продолжая шутку или отвечая на нее, прапор ногой поджал борону поглубже, и они шли, оставляя за собой свежую полосу вспаханной земли, их же охраняющей от побега. А запасные остановились закурить, прикурил у них и толстый прапорщик, и один из запасных, сделав две-три быстрые затяжки, ловко всунул папиросу в губы крайнего пристяжного, и вся дружная группа эта двинулась вдоль полосы дальше.

Я подумал вдруг, что и сам прекрасно знаю это чувство, что в запале труда и душевной разогретости от него все равно становится, с кем перекурить или перекинуться легким словом. Мне представилось на мгновение гигантское, разве что во сне обозримое пространство, на котором повсюду люди, веселея и теплея от удачно и дружно совершаемого труда, останавливаются на короткое время, чтобы с охотой и доброжелательством перекурить с напарником и охраной. Зябко мне стало и страшно от этого мгновенного миража. То же самое, наверное, ощутив, Бездельник сказал негромко:

— Вот из этого-то общего ритма мне и захотелось выпасть. Любой ценой. Авось не усохну — а, Деляга? Найду чем увлажнить свою душу.

От последней этой фразы его и пошел, возможно, тот несвязный разговор, что случился в тот же день у нас вечером.

* * *

— Нет, — сказал Бездельник убежденно, — пьют совсем не только по традиции российской и не оттого, что с детства приучаются. Я уверен, что не только поэтому.

— Можно перебью? — сказал Писатель. — Когда я писал книги о науке, то наткнулся на опыты американцев, которые и у нас один шальной психиатр воспроизвел. Они отобрали крыс, которые даже в крайней жажде не прикасались к слабому раствору спирта. Крысы вообще алкоголь не пьют, а тут отобрали наиболее склонных к трезвости. И стали причинять им всякие неприятности — по крысиным, разумеется, понятиям. Током их били неожиданно, обливали вдруг кипятком, проваливались они внезапно в густую краску и все прочее в разном ассортименте. А остальное было благополучно: еда в достатке, самок всем хватало, живи и радуйся. Но все время висело ожидание какой-то пакости, отчего тревога и опасливость завелись в крысиных душах. И что вы думаете, братцы? Стали они пить алкоголь, причем уже его предпочитали, а не теплое, к примеру, молоко или мясной бульон. Здесь, может быть, ключ к пьянству? Неуверенность наша в завтрашнем дне, зыбкость нашего существования. Не похоже?

— Зря ты меня перебил, — сказал Бездельник, — с тобой хорошо гавно есть, ты изо рта выхватываешь. Вполне мы в своем завтрашнем дне уверены, пайку свою лагерную на свободе ты всегда заработаешь, и неприятностей всяких тоже у тихого обывателя не так уж много. А он пьет и пьет между тем.

— Как чайка, — сказал Деляга. Здесь почему-то принят этот образ: пьет, как чайка, даже и не знаю, откуда он возник.

— Как чайка, — подтвердил Бездельник. — А почему?

— От беспросветности своего тусклого существования, отсутствия всяких перспектив, от неожидания перемен, — упрямо сказал Писатель.

— Ближе, но чересчур научно, — отказался Бездельник, — и не буду вас томить, мужики, потому что знаю нечто вроде истины. Причем — для большинства пьющих.

— Так это тогда открытие, — сказал Деляга.

— К сожалению, нет, — поскромничал Бездельник, — очень расплывчатое у меня объяснение. Вроде некой духовной субстанции, коя в нашей жизни отсутствует. Вроде витамина необходимого, а его мы выпивкой заменяем.

— Не тяни, — сказал Писатель.

— У меня ведь байка просто, — пожал плечами Бездельник, — да и тут я за правдивость не ручаюсь. Один приятель рассказал как-то. А он поэт, ему никак нельзя верить полностью. А смысл в ней есть.

Мы закурили.

— Значит, так, — сказал Бездельник со вкусом, — жил в конце прошлого века где-то в маленьком местечке неудачливый еврей аптекарь Меер. Покупали у него совсем мало, не было у евреев денег на лекарства, так что целыми днями толклись у него в аптеке приятели, болтая о всякой всячине и причинах еврейских цоресов. Он был тип общительный, этот Меер, и неглупый, так что клуб у него в аптеке не слабей был, чем возле синагоги. Но кормить ему семью было трудно, и решил он поехать искать счастья. Продал за гроши свою аптеку и собрался в Америку со всей своей семьей — туда многие в те годы подавались.

А в Америке он аптеку уже купить не смог, отчего и стал портным. Но только был он, я напоминаю, неудачником. И портным стал очень неважным. И настолько свое портновство запустил, что даже ножницы у него затупились и были в зазубринах сплошных. Он их даже расцепить не смог однажды, так цеплялись зазубрина за зазубрину. Силой их расцепив, снова сведя и снова расцепив, посмотрев на них с печалью и прозрением, этот Меер изобрел застежку-молнию. Где, как вы помните, все как раз и сделано из аккуратных зазубрин и одна в другую прекрасно входят. Он свою идею запатентовал, молния вошла в бешеную моду, куда там джинсам нынешним, и Меер оказался миллионером. Только тут история и начинается: он стал думать, во что ему вложить полученные деньги. Кто советовал в торговлю, кто советовал в рудники, кто советовал спрятать, — там, где три еврея собрались, будет не менее тридцати противоречивых советов, каждый из которых — от всего ума и сердца. Но у Меера была и собственная голова. И он вспомнил, как, толкаясь в его аптеке, все евреи говорили одно и то же: Меер, говорили они, ты бы дал нам что-нибудь от тоски, мы бы с себя последнее сняли, Меер, за такое лекарство. И он рискнул, это вспомнив, он все деньги свои вложил в лекарство от тоски, только-только открывались первые фабрики этого лекарства, он ужасно рисковал, но он выиграл.

— Ты о чем? — спросил Деляга недоуменно.

— Он в кинематограф их вложил, — сказал Бездельник. — В начинающий. Так и появилась знаменитая кинофирма «Метро Голдвин Мейер» — слышали наверняка и видели.

— Здорово, — сказал Писатель. — Даже если все неправда. Ведь и впрямь — лекарство от тоски.

— Только я хотел бы уточнить, вовсе вас не подозревая в скудоумии, — сказал Бездельник, очень явно от истории вдохновившись, — что тоска у человека — от Бога, она назначена Богом человеку, она повсюдная и всепланетная, эта тоска, только у нас от нее совершенно нет лекарств, оттого у нас и пьют больше всех. Не согласны вы с тем, что нет лекарств?

— Жульничаешь ты слегка, Бездельник, — заупрямился Писатель. — Передергиваешь. Те причины пьянства, что я назвал, тоже ведь работают безусловно.

— Да пожалуйста, — сказал Бездельник. — У тоски нашей — десятки причин. Витаминов от нее у нас меньше, а лекарства — почти вовсе нет, чтоб ее ослабить, предотвратить или заглушить. А перспективы, надежды, возможности — это ведь тоже витамины. Вот о чем я...

И тут я вспомнил. Давно это хотел записать. Очень прямо это к тоске относилось. К нашей зековской, невольничьей, безнадежно безвыходной тоске. И поэтому я бросил разговоры, торопясь, пока охота, к дневнику. Вспомнил я мужика одного, каждые полчаса монотонно повторявшего вслух «Тоска!» и опять замолкавшего опустошенно. Я в штрафном изоляторе с ним сидел.

* * *

В наш штрафной изолятор ничего не стоило попасть, до пятнадцати суток срок давался: за расстегнутую пуговицу на одежде, за небритость или нестриженность, за водку или карты, за найденные утаенные деньги, за коллективную драку, по доносу. Даже и такой был параграф: «За угрожающий взгляд в сторону офицера, проходящего по плацу». Я таких, правда, не видел — рассказывали. Но глаза у нас у всех такие здесь, что наш взгляд легко истолковать как угодно. Лично я трое суток просидел, не зная, за что торчу, и меня даже вытащить пытался один начальник, только никто моей причины не знал. Но вернулся с охоты наш заместитель по режиму капитан Овчинников, сразу дернули меня к нему наверх, и он сказал с похмельной угрюмостью:

— Почему ты, сукин сын, такие письма своей теще пишешь, что я понять их не могу?

— Я не знаю, гражданин начальник, — отвечал я скромно и даже радостно (хоть какая-то определенность, наконец, и вина, похоже, очень небольшая — отпустят, может быть), — ничего там вроде непонятного. Теща у меня образованная, я стараюсь ей как-нибудь поинтересней написать, что в газете, к примеру, прочитал в литературной, что об этом думаю. И все вроде.

Мелко и мерзко в это время, не могу не заметить, у меня тряслись поджилки. Очень уж не хотелось возвращаться в изолятор.

— Ну, иди, — сказал Овчинников. — И не о теще своей думай, а как тут выжить. Понял ты меня?

Я понял. В изоляторе нас кормили горячим через день, а еда — специальная для шизо и бура (в бур на полгода опускают, это тоже заслужить легко, ибо есть формулировка такая — «за систему нарушений», то есть за несколько мелких, но подряд, а учитывая, что подвал этот — в болотной почве, неминуемы легочные осложнения, многих проводили мы на этап до Красноярской лагерной больницы, где лежат туберкулезные из разных зон). Только желтоватую эту воду без жира и с тремя капустными лепестками (значит, щи сегодня варили наверху) и ложку жидкой каши ели мы с таким наслаждением, что любой пресыщенный гурман позавидовал бы нашему блаженству. Торопливо, друг на друга не глядя, чавкая и захлебываясь, пили мы из мисок своих — ложек вообще нам не давали — наше пойло, и нигде не был так сочен и прекрасен глинистый грубый хлеб. (Не могу себе представить муку, из которой выпекают этот хлеб. Цвет его, вкус, жидкая вязкость — удивительное нужно мастерство, чтобы сделать такое из зерна.)

А в пролетный, некормежный день — дается к хлебу миска теплой воды (одна), и мы пили из нее по очереди, жадно и вежливо передавая друг другу. О параше, о клопах, о вшах зря писать не стоит, равно как о духоте (зимой — о холоде) и смраде. Это дела житейские, разве что клопы меня поразили, я их столько никогда не видел, — муравьи так кишат на муравейнике, если потревожить его верхушку. А в шизо — если прилечь на миг. А прилечь все время хочется в шизо, да и невозможно не прилечь. Привыкаешь. Но зато — какое чудо! — вдруг окликнули меня откуда-то из-за стены, и в отверстие (глазу незаметное) вдруг просунулась тоненькая лучинка. Потяни! — я потянул ее, а на конце ее проволокой была привязана тряпица, а в ней тлела уже ополовиненная сигарета. Что было за наслаждение — затянуться! И от заботы этой дружеской, вот уж не ожидал, у меня глаза повлажнели.

С месяц тому назад они влажнели у меня, только по другой причине. Я в санчасти был как раз, когда подняли двух ребят из бура. Одного — из-за сердечного приступа, а второго — чтобы просто отдышался. Потому что он, отсидев полгода и всего дней двадцать побыв на зоне (она раем кажется после бура, потому что воздух, еда, пространство), снова был опущен на полгода — с кем-то счеты поторопился свести. Видел я, как они шли по коридору — того, что с сердцем, под руки вели, а второй шел сам, но пошатывался, ступал нетвердо, словно выпил, но старается не показать. Сели они на отведенные им кровати, серо-желтые, но улыбаются блаженно. А в окно санчасти — в кухне окно такое было — через десять минут уже совали для них консервы, конфеты, курево — у кого что было из приятелей. Принесли даже полпачки кофе и пачку сигарет с фильтром — запрещенные на зоне продукты, явно из блатной контрабанды. Через купленных прапорщиков доставляли, через учителей школы, через расконвоированных зеков и шоферов, завозящих на промзону лес. Сразу им стали греть еду, а атасника выставить — забыли. И явился вдруг начальник изолятора — молодой худой лейтенант, щеголевато ходивший всюду в штатском. Обожал он такие игры. Вообще, офицеры даже в выходные, бросив семьи свои, водку и телевизоры, появлялись постоянно на зоне. Чтобы вдохнуть, похоже, запах власти, упоительно их щекочущий изнутри. Этот же, хлыщеватый и подтянутый, непрерывно всюду возникал — он очень любил, чуть приплясывая, пройтись позади строя зеков на проверке (дважды в день) и за нечищеные сапоги съездить по уху кого-нибудь, пошутив, что ждет его в изоляторе. Он, войдя, сразу к тумбочке направился, для того он и пришел сюда.

— Кофе, — приговаривал он ласково, вынимая припасы, — сигареты с фильтром, конфеты шоколадные в обертке.

Мы стояли молча, и никто из нас не возразил, когда он даже разрешенный на зоне чай забрал, и эти двое из бура тоже сидели молча.

— Ну, идемте, — дружелюбно и бодро сказал он. — Долечиваться будете в изоляторе.

И они, только вдохнувшие воздуха, а главное — уже успевшие обрадоваться ему, встали и пошли обратно.

И так страшно было вслед им смотреть, и такая бессильная ненависть вдруг застлала мне глаза, что опомнился я и спохватился, когда кто-то толкнул меня и сказал:

— Вытри слезы, ты ж не баба, Мироныч.

Сигареты с фильтрами запрещены в тюрьме и на зоне, потому что фильтр этот, если подержать под ним огонь, расплавится, помягчеет, а потом застынет в любой форме, из него легко сделать плоское подобие ножа и неровным острием этим вскрыть себе вены, если решил. Случаев таких было много.

Именно в шизо и в буре в основном (и в тюрьмах-крытках) совершают зеки поступки, непонятные здравому рассудку, находя в них средство от тоски. Глотают костяшки домино, ложки, пуговицы, иголки, шахматные фигуры — и не одну. И не для того, чтобы попасть в больницу и передохнуть от лагерного труда — такое тоже бывает целью, но главным образом (как я понял, расспрашивая делавших такое) — чтобы досадить надзирателям и начальству. Безусловная, очевидная глупость — с неизбежностью еще мучительной операции, но в шизо и в буре куда-то утекает здравый смысл. И накатывается, как умопомрачение: вопреки бессилию своему сделать что-нибудь из ряда вон — и немедленно, — возражающее этому бессилию. Острая жажда доказать, что ты хотя бы над самим собою властен, и таким вот образом от смертельной тоски уйти — кажется мне главной побудительной причиной совершенно необъяснимых самокалечений. И вскрывают себе вены «крестом» — на обеих руках и ногах одновременно, и с размаху полощут себя бритвой по животу (видел я у двоих рубцы, оставшиеся от такого способа заявить себя и свой протест), и глотают черт-те что — что попадется. А в милиции, в камере предварительного заключения я тогда еще сидел, мой сосед по нарам, ждавший уже пятого суда в своей жизни (двадцать лет провел в лагерях), рассказал мне, как они когда-то целой камерой (десять человек) прибили себе к нарам мошонки и сидели несколько часов, как бабочки на иглах энтомолога (это его сравнение, очень был начитан за те годы, что пробыл в неволе), ожидая, когда явится начальник тюрьмы, специально к ним не шедший, хотя знал.

— А чего вы добивались? — это я у каждого такого спрашивал.

— А уже не помню даже точно. Чепухи какой-то. Кажется, нас прогулки лишили за игру после отбоя в шахматы. Или отобрали просто шахматы за это, нет, не помню, но одно из этих двух.

И так отвечали все. Из-за мелочи, по пустяку, нипочему. Чаша переполнилась. Тоска. Зато вот что я могу — получайте.

— Ну и что? Добились своего? — это я настырно спрашивал у всех. И ответ был у всех один и тот же: нет, конечно, зашили и обратно в камеру. Да еще и били некоторых — чтобы не беспокоили зазря и чтобы впредь неповадно было.

Нету смысла, нет резона, непонятно. Для любого, кроме тех, кто внутри. Тем, кто сидел, оно знакомо, такое чувство. Хоть отчасти, но убежден, что знакомо. Стародавняя шутка вспоминается: «Пойду выколю себе глаз, пусть у моей тещи будет зять кривой». Чтобы ей было стыдно и неспокойно, этой пресловутой Вечной Теще. Думаю, что логику подобной мести поняли бы те, кто вскрывал себе вены в шизо.

Я до полноты такой тоски не доходил.

Глава 8

А иконы Деляга начал собирать вскоре после смерти матери. Умирала она долго и тяжело, умирала, не приходя три дня в сознание, под уколами пантопона, который ей колола, приезжая по вызову, неотложка, а уже метастазы от рака почки были у нее и в легких, и еще неизвестно где. И она кричала от боли последний месяц, а потом, после укола, стонала только негромко. От растерянности и горя ничего почти не соображал отец, и весь дом держался на спокойной твердости Деляги. А потом, когда мать уже умерла после дикой, почти сутки длившейся агонии, надо было оформлять похороны, хлопотать о поминках и все время быть возле отца. И Деляга все это успевал и спокоен был так, что казался равнодушным к смерти матери, и его за это осуждала, кажется, многочисленная приехавшая родня. А чего ему это стоило, стало ясно спустя месяц, когда вдруг его оставили силы и апатия, вялость и безволие завладели им настолько, что знакомый врач прописал разумнейшее средство: покататься где-нибудь на лыжах неделю и от дома полностью отключиться. Так он и попал в подмосковную деревню, где жила неподалеку в доме отдыха старая одна его приятельница. Пил коньяк и водку, смотрел кино, много спал в избе за печкой, где снял угол, а на лыжах не катался совсем, но гулял по заснеженному лесу и действительно пришел в себя через неделю. А в последний день перед отъездом он бродил бездумно по деревне, становящейся летом дачей, отчего благополучные и ухоженные были в ней все дома — и обратил внимание на полувросший в землю домишко. Так разительно отличалась эта запущенная ветхая изба от добротных и щеголеватых домов вокруг, что решил он зайти и посмотреть, на каком же уровне полы в этой хатке, если подслеповатые окна ее начинались почти сразу от земли.

После стука вмиг послышался за дверью разноголосый собачий лай, и старушка, столь же ветхая, как ее дом, открыла дверь, отпихивая ногой и отгоняя окриком целую свору разной масти неказистых дворняжек. Не придумавший что сказать, попросил Деляга воды, и старушка провела его сквозь темные сени и собачий неумолкающий строй в крохотную полутемную комнату. Отчего-то она была круглой, эта черностенная комната, и такой же был черный, округло в стены переходящий потолок, и горела посреди керосинка — освещение и согрев одновременно, ибо и печи тоже не было видно в комнате. Все это разглядывал Деляга, забыв уровень пола посмотреть, хоть и пришел за этим, а старушка уже юркнула в дверь обратно и вернулась очень быстро, неся в стакане воду и стакан даже на блюдечко поставив. А пока Деляга пил неторопливо, ласковым быстрым говорком повестнула ему старушка, что «воспитывает» всех бездомных покалеченных собак и уже их у нее двенадцать, сил мало, но делать нечего. И что пенсию она получает — восемь рублей в месяц всего, потому что всю свою жизнь работала в завалящем колхозе, где платили за трудодни одни копейки, вот и не выгорела ей приличная пенсия. Цифру эту — восемь рублей — услышав, просто похолодел Деляга, потому что на один лишь хлеб должно было хватать в обрез. Как и большинство жителей города, никогда он не задумывался над тем, какую пенсию получают в деревнях старики, вытянувшие на себе все военные и послевоенные годы, жившие впроголодь среди щедрой земли, на самих себе в войну пахавшие, ибо не было ни тракторов, ни скотины, и работавшие от темна до темна. Пенсия ведь от былого дохода начислялась, а у них-то как раз, вытянувших страну, его и не было.

— Вообще, — вдруг сказал Бездельник угрюмо, — о стране надо судить не по спутникам, а по пенсиям старикам и инвалидам.

— Погоди, — сказал Писатель, — дай дорассказать. Она, кстати, потом стала двадцать получать, увеличили минимальный размер.

— Если дожила, — буркнул Бездельник.

У Деляги оставалось еще двадцать пять рублей, он бумажку эту вытащил и протянул старухе.

— Что ты, милый человек, — она надменно поджала тонкие сморщенные губы, — я тебе рассказывала не для подаяния, а просто так.

— Бабушка, — сказал Деляга, — я их все равно пропью, возьмите вы хоть на собачек, не побрезгуйте. Честное слово, у меня в Москве есть на что жить.

Это почему-то убедило старушку, и лицо ее сморщилось в один улыбчивый благодарственный комок.

— Ну, спасибо тебе, — сказал она, бережно принимая бумажку, — дай тебе Бог здоровья... Знаешь, погоди-кось уходить, я тебя, сынок, благословлю.

И тут начало совершаться удивительное: старуха всунула руку прямо в черную стену, и стена податливо раздвинулась, образовав упругую щель. Только тут Деляга разглядел, в чем секрет округлости избы, и на ум ему, закоснелому городскому жителю, перво-наперво явилась мысль, что неплохо бы такой интерьер — в мультфильм про Бабу-ягу. Вся комната, включая потолок, была заткана многолетней паутиной, образовавшей уже не сетку, а сплошную пленку. На паутине этой многими годами оседала копоть от керосинки, и теперь убогая комната была заткана черной пеленой, словно черным шелком — будуар какой-нибудь графини. А в щели, обнажившей угол, тускло замерцало несколько киотов с иконами. Одну из них старушка вытащила и, бережно стерев копоть и грязь с поверхности доски, подала ее Деляге. На память. В благодарность и благословение.

Деляга икону взял. Была она нестарого письма, ярко горели краски на золоте — церковь, какие-то святые, облака и Богородица над ними. После он узнал и сюжет — незамысловатый, очень праздничный и распространенный. Это был «Покров Святой Богородицы», или «Видение Покрова», что одно и то же.

Нет, никогда ранее Деляга иконами не увлекался. У знакомых своих встречал он в домах иконы, часто они были предметом гордости хозяев, их показывали и про них рассказывали что-то. Все это както раньше проходило мимо него, не задевая. Мимо глаз, мимо ушей, мимо внимания.

А тогда, вернувшись в Москву, он вдруг с удивлением обнаружил, что, повесив икону эту, постоянно любуется ею, а главное — ему хочется повесить еще. И ужасно стало интересно, какие у других висят и что на них изображено. С некоторым смущением узнал он, что уже давным-давно собирает иконы масса самых разных людей, что вовсю спекулируют иконной живописью, что его знакомые многие ездят искать иконы по деревням, забираясь по возможности в глухомань. Совершенно искренен был Деляга, а ему никто не верил, что случайно и неожиданно овладела им эта страсть, что действительно ранее ничего не знал он об этом давнем, как оказалось, поветрии. Да и впрямь было трудно ему верить, потому что случилось это с ним в самом-самом начале шестьдесят девятого, а уже лет десять, если не более, помирали от внезапно вспыхнувшей любви к иконописи коллекционеры, художники, спекулянты, иностранцы, физики, гуманитарии всех мастей и, конечно же, зубные врачи и гинекологи, ибо иконы стоили очень дорого.

Несколько лет спустя, став уже заядлым коллекционером, разговаривал Деляга с одним художником, человеком очень умным, что среди художников нечасто, ибо разные, очевидно, области мозга заведуют пластической одаренностью и рациональным разумом и одна, как правило, развивается в ущерб другой.

Но это был действительно способный очень художник, да притом еще и склонный (не без данных для этого) поразмышлять над виденным и слышанным. Кстати — в подтверждение вышесказанного, — признавая сам, что рисовать ему это здорово мешает. Словом, попытались они перечислить те пружины, причины и мотивы, что такую разожгли у многих любовь к позабытой напрочь, еще вчера гонимой и палимой, заброшенной древнерусской живописи.

Только не о качестве ее высочайшем они говорили и не о вспыхнувшем интересе к истории, так оболганной, что всем уже хотелось разобраться, и не о патриотизме, чуть пока квасном, как и всякое чувство, оживающее, перестав быть каменно-казенным, нет — перечисляли они просто мотивы, по которым иконы стали собирать.

Ну, любовь, конечно, к живописи в чистом виде — первая и небольшая сравнительно часть собирателей. Мода — очень большая часть. Престиж — тут и следование моде, конечно, только выбор важен, что собирать (можно ведь и спичечные этикетки), ибо самый выбор говорит о желании следовать моде с ароматом наибольшей духовности. Просто хобби — было, в общем, человеку все равно, что собирать, но наткнулся именно на иконы. Вкладывание денег, конечно. Не случайно ведь среди собирателей столько частнопрактикующих врачей, преуспевающих адвокатов и людей, уклончиво и неохотно обсуждающих источники своих доходов.

Тут они помолчали оба, раздумывая, что еще за мотивы существуют, и художник выдвинул идею такую, что Даляга задохнулся от зависти, что не догадался сам.

Поскольку, сказал художник рассудительно, среди любителей икон полно евреев, то не является ли для евреев собирательство икон — воплощением (неосознанным, конечно) тяги их к русской культуре, которая отвергает их любовь и отторгает их от себя? Это тоже порешили считать отдельным пунктом.

Здесь прервусь я, и скорей всего — надолго. Объявили общелагерный шмон. Это значит, что две тысячи человек будут мерзнуть на улице несколько часов, покуда наши воспитатели ищут в бараках водку, ножи, самоделки всякие и запретные продукты. Забирая попутно книги и любое разное, что приглянется им из нехитрого нашего барахла.

* * *

Чифирили в очень узком кругу. Может быть, поэтому получился интересный разговор, его вполне можно считать научным семинаром по психологии. Тем более что первую историю именно о семинаре (или симпозиуме, уже не помню) рассказал Писатель. Я-то чувствовал, что он ее для затравки вспоминает, он умышленно так делал, чтобы подогреть у каждого собственное желание что-нибудь рассказать, и это срабатывало часто.

— Я однажды случайно как-то, — начал неторопливо Писатель, — попал в Кярику, это в Эстонии маленький то ли поселок, то ли городок. Там спортлагерь Тартуского университета, в нем очень часто всякие научные курултаи и сабантуи проводятся, — всяко их называют, а в конце у всех — банкет с обильной выпивкой. А тогда собрались ученые по социальной психологии, я как раз ею очень интересовался, потому что книжку писал. Дай, думаю, поеду — послушаю, что специалисты болтают, — наука темная, а у наших тем более рот наполовину заткнут, потому что множество запретных тем, — интересно, как они выкручиваются друг перед другом — со стыдом врут или уже привыкли. Пригласил меня приятель, только строго-настрого предупредил, что они журналистов не пускают, пусть я как-нибудь затаю свою профессию. Обещал я. С этого все и закрутилось. В зале для баскетбола выставили в ряд столы из-под настольного тенниса, сели мы за них, человек под шестьдесят, встает кто-то почтенный и предлагает: пусть, поскольку мы не все знакомы, каждый скажет, чем он занимается, и тогда мы сможем общаться сообразно взаимным интересам, для чего после такой переклички специально устроим перерыв. Ну а мне-то, думаю, как себя обозначить, чтобы и приятеля не подвести, и лицом в грязь не ударить? Пока думал, очередь доходит до меня. Я встаю и говорю, что питаю интерес к вопросам дезинформации, дезорганизации и дезавуирования. Сажусь. Проскакивает. Но едва начался перерыв, подходит ко мне старый-старый бурят. Он, собственно, может быть, и не слишком старый был, но такой морщинистый, как водится, что уже не разобрать — сорок пять ему или семьдесят два. Директор института в Улан-Удэ, доктор наук и все такое. Очень меня вежливо спрашивает: скажите, пожалуйста, в каком учреждении вы занимаетесь вопросами дезинформации? Вот-те на! И еще сообразить ничего не успев, уже слышу, как очень надменно я ему отвечаю:

— В соответствующем.

И стою, горжусь — думаю, он сейчас отвяжется, потому что в дела чекистов мало кому охота втемяшиваться. А он прямо просиял, услышав.

— А вы знаете, — говорит, — у нас в Улан-Удэ работали товарищи из вашего учреждения, очень интересный эксперимент ставили. Они засевали слухи не горизонтально, в определенном слое общества, а вертикально, среди разных слоев, а потом собирали их, исследуя, как они по-разному искажаются. Вы не принимали участия в такой методике посева и сбора слухов?

Ну, думаю, влип. Теперь к нему кто-нибудь опять приедет, в кожаной куртке под пальто, он его уже обо мне будет спрашивать, попаду в непонятное, как это здесь говорится. Я ему очень холодно отвечаю:

— Видите ли, я, к сожалению, не уполномочен на этой конференции обсуждать конкретно свои занятия. Не затем я здесь. Извините.

Он аж ладонь вперед выставил — чур, мол, меня, чур, избави Боже, и с немыслимым уважением повторил несколько раз:

— Понимаю! Понимаю! Понимаю!

Интересно, что на этой конференции он чуть ли не самым заслуженным был, так что он все дни, пока она шла, чуточку свысока со всеми разговаривал, а меня — еще метров за десять увидя — расцветал:

— Здравствуйте, уважаемый, — говорил, — как вам работается?

А я все ходил туда и думал: до чего же мы не знаем даже, как они нас исследуют, изучают, вынюхивают, и от этого никуда не деться. Даже страшно.

— Ты отменно от него отделался, — сказал лепила Юра и, кажется, еще что-то хотел сказать, но его перебил Деляга.

— Я вот байку про находчивость расскажу, — сказал он. — Уж не знаю, правда ли. Не поручусь. Говорят, что старший Форд, основатель всей династии автомобильной, терпеть не мог евреев. И на работу их не брали на его заводах, и к себе он их не допускал. Только однажды к нему все-таки проник еврей и предложил купить киперную ленту — фабрика у еврея была, выпускала такую ленту. На обмотку она шла где-то в моторах. Раз уж, говорит ему Форд, вы ко мне попали, а секретаршу я уволю за то, что она вас допустила, то куплю я у вас киперную ленту. Но немного — от кончика вашего носа и до кончика вашего члена еврейского, и не больше. До свидания, впредь не появляйтесь. Ну, проходит месяц, новая секретарша уже у Форда, и опять этот еврей возникает. Я пришел, говорит он Форду, чтобы вас поблагодарить за исключительно большой заказ и заверить вас, что условие ваше я неукоснительно выполнил: поставил вам вагон киперной ленты. Форд молчит, онемел от ярости. Потому что, продолжает еврей, ровно десять тысяч километров разделяют кончик моего носа, который вот он, и кончик моего члена, который шестьдесят лет назад при обрезании остался в местечке под Витебском. Еще раз большое вам спасибо.

Мы еще смеялись, когда Матвей Матвеевич неожиданно вступил в разговор. Грузный, очень вальяжный и солидный, с гладко выбритым и полным лицом, очень мало походил он на зека даже в нашей отвратительной одежде. Он общался с нами мало, он и жил в каптерке, где заведовал вещевым складом лагеря. Поговаривали, что много стоит ему это место, офицеры наши явно к нему благоволили, а сидел он давно уже, и никто его из каптерки не выгонял. Я статью его не знал, а по виду — из расхитителей с какой-нибудь базы, потому что с базы нельзя не красть, это как-то все мы уже знали. На то она и база — для комбинаций. Оказалось, однако же, что ошибались.

— В Ленинграде в универмаге одном большом тоже у директора жена еврейка была, — неторопливо проговорил Матвей Матвеевич (безупречная ассоциация, — подумал я, — вот они, тайны психологии). — Расскажу я вам по порядку, если вспомню вот, как ее зовут. Или звали, — пожилая уже была. Ну какие там есть еврейские имена? Но не Сарра, это я бы запомнил.

— Эсфирь, — сказал начитанный Писатель.

— Циля, — сказал Деляга.

— Руфа, — сказал я.

— Фанни, — сказал Бездельник и засмеялся чему-то.

— Вспомнил! — сказал Матвей Матвеевич. — Это у нее не имя, а отчество было, — Анна Ефимовна ее звали.

А была она, рассказал Матвей Матвеевич, очень умная и предусмотрительная женщина, Анна Ефимовна эта, жена большого завмага. У нее на двери не только глазок был, чтобы глянуть, кто позвонил, но и цепочка была, чтобы дверь слегка лишь приоткрыть, беседуя. И днем как-то звонок раздался. Глянула Анна Ефимовна в глазок — на площадке стоял спокойный очень, пожилой упитанный мужчина, превосходно одетый и с лицом на редкость приличным. Приоткрыла она дверь на размер цепочки. Незнакомец вежливо прикоснулся к шляпе и осведомился, с Анной ли Ефимовной имеет честь. Так учтив был и церемонен, что она даже цепочку сняла, но он заходить не стал. Только шагнул поближе и понизил голос.

— Очень сожалею, уважаемая Анна Ефимовна, — сказал он, — что являюсь к вам как вестник плохих известий, но ваш муж, Анатолий Яковлевич, находится в настоящее время на допросе, и не в милиции притом, а на Литейном. Я там был в гостях у чекистов по такому же неприятному поводу, но, как видите, счастливо отделался, тьфу, тьфу, как говорится.

Вот он и успел мне шепнуть: предупредите, мол, ей надо знать, а то, не приведи Господь, с обыском вот-вот нагрянут.

— Но у нас ничего такого нет! — громко ответила Анна Ефимовна, и глазки ее остро вонзились в пришедшего. — Может, зайдете, чаю выпьете после нервотрепки?

— Благодарствую, — изысканно поклонился отпущенный из такого страшного места человек. — Я спешу домой. Нет так нет, мое дело — выполнить поручение очень симпатичного человека, вашего мужа, нервничает он во всяком случае чрезвычайно. Всего вам доброго, еще раз извините.

— Но за что же? — севшим голосом спросила Анна Ефимовна. — Он честнейший человек. Труженик.

Это была чистая правда — во втором заявлении, потому что муж ее трудился неустанно, и зримые результаты его усилий хранились дома. Это и узнали грамотные люди, они свои дела готовили тщательно.

— Ах, Анна Ефимовна, — сказал ей наш Матвей Матвеевич сочувственно, — тружеников и теребят сейчас, вы ведь сами знаете. У нас в аптеке который месяц покою нет, ищут следы торговли дефицитными лекарствами — больше, видите ли, им нечем заниматься. Всего вам доброго!

И повернулся устало, и пошел по лестнице, не торопясь. Анна Ефимовна времени терять не стала. Звонить мужу на работу она не решилась (вдруг там уже сидят специальные люди и велят ей приезжать немедленно или дома оставаться до их приезда), а принялась деятельно ворошить в квартире заветные места. Через час, не более, уже спускалась она по лестнице с большой хозяйственной сумкой, спеша к сестре. Но опоздала — ей навстречу поднимались двое в плащах, вежливо осведомившиеся, не она ли Анна Ефимовна такая-то. Оказалось, что именно она. Давайте вернемся ненадолго, предложил тот, что помоложе. Я, знаете ли, спешу, сестра в больнице, передачу ей несу, залопотала Анна Ефимовна, но уже покорно шла назад. Никаких документов она от ужаса не спрашивала, и верно делала, потому что на подобный случай и документы у двоих этих были такие убедительные, что почище настоящих. Вернулись.

— Надо ли производить у вас обыск, Анна Ефимовна, или вы сами предъявите следствию по доброй воле все имеющиеся у вас ценности, сберегательные книжки и облигации? — спросил тот, что помоложе, прямо в коридоре. Тот, что постарше, переминался с ноги на ногу, как застоявшийся конь, ожидающий звука боевой трубы. — И позвольте, кстати, полюбопытствовать, что вы сестре в больницу несли? — молодой ловко высвободил сумку из онемевших рук Анны Ефимовны. Расстегнул молнию и заглянул под газету, покрывавшую груз.

— О, вот это передача! — воскликнул он. — Таким образом, и обыска не надо делать. Вас предупредил кто-нибудь? — строго спросил он.

Анна Ефимовна молча покачала головой отрицающе.

— Вы сейчас поедете с нами, — сказал молодой, — мы предъявим все это вашему мужу и выясним, на какие средства все это приобреталось.

— Наследство это мое личное, от матери это у меня, — вдруг нашлась Анна Ефимовна.

— Очень хорошо, — сказал молодой. — Все это будет записано сейчас в протокол, составим опись и выясним. Заодно и мужа вашего повидаете, нам нужно, чтобы вы поговорили.

Очень бодро спускалась Анна Ефимовна вниз, потому что обрела надежду и мужу сообщить, что все ценности — от покойницы матери. Их внизу уже ждала машина — обычнейшие «жигули», но Анну Ефимовну ничуть не интересовало, почему за ней не прислали черную «Волгу» или легендарно зловещий воронок. Возле самой уже машины старший вдруг открыл рот и сказал:

— Товарищ майор, там ведь холодно у нас, пусть она белье возьмет, свитер какой-нибудь и поесть ему, ведь уже немолодой человек.

— Это можно, — согласился товарищ майор. — Возьмите, Анна Ефимовна, что-нибудь теплое для мужа и какой-нибудь еды можете взять. Мы вас проверять не будем, верим вам, но предупреждаю: чтобы никаких никому телефонных звонков о случившемся. Пока во всяком случае. Поняли меня? Ждем вас.

И они закурили, стоя возле машины. Сумка уже лежала на сиденье. Анна Ефимовна суетливо двинулась обратно. Когда она минут через пятнадцать вернулась и обнаружила, что машины уже нет, она первым делом, естественно, кинулась звонить мужу. Тот как раз только что вошел, его вызвали по телефону в горком партии к какому-то ответственному лицу, а когда он приехал, оказалось, что там нет такого человека, и милиционер на входе с подозрением расспрашивал, кто его и как вызывал, и вернулся он к себе в магазин довольно раздраженный чьей-то глупой шуткой.

— С такими людьми почему удобно? — спросил нас Матвей Матвеевич назидательно и сам себе ответил: — Они же никогда жаловаться не пойдут. Надо же говорить, что у них украли. А там одного рыжья в изделиях с килограмм, наверно, было. Скупал он золотишко-то, завмаг. Подготовка долгая, но себя оправдывает вполне.

— Психология, — завистливо сказал Юра. Он преданно смотрел Матвей Матвеевичу в рот, словно ожидал, что тот еще что-нибудь скажет, а то и Юру в дело пригласит. Но Матвей Матвеевич молчал. Солидно и удовлетворенно.

— Да, — сказал Бездельник, — красиво. Артистично, главное, ценю я это очень в людях. А вы только под интеллигента работали, Матвей Матвеевич?

— Всяко приходилось, — отозвался тот. Но воспоминания уже явно забурлили в нем.

Заварили новую кружку чая.

— У нас в Москве была красивая история, — вспомнил я. И рассказал давнюю байку про одного большого чиновника. Он все время за границу мотался. Барахло привозил всякое, магнитофоны сдавал в комиссионку, а приобретал картины и любую дорогую старину без разбора, квартира была набита антиквариатом. И однажды как-то вышел он утром, чтобы на работу ехать, — нету его «Волги» на месте.

Он поехал на такси, а заявлять о пропаже пока не стал до вечера — объяснили, видимо, сослуживцы ему, что бывает — пригоняют машины, для чего-нибудь воспользовавшись ими. В самом деле — вечером «Волга» стояла у подъезда. А на переднем сиденье — записка: мол, спасибо, очень было нужно, извините. А чтобы за волнение вас отблагодарить —

вот билеты на послезавтра в Театр на Таганке. Это у нас самый модный в Москве театр, объяснил я, адресуясь к Матвей Матвеевичу, и он хмыкнул, что отлично знает. Посмеялся этот чиновник вместе с женой, что такие пошли культурные угонщики, и отправились они послезавтра в театр. А вернулись — квартира вывезена полностью. Соседи машину видели и грузчиков, но в больших домах какие теперь соседи — он их и в лицо не знал толком. Такая была культурная операция.

— А с машиной тоже было, тоже с «Волгой», и в Москве, — усмешливо сказал Матвей Матвеевич, и мы уважительно притихли. Удивительно, что и лицо у него сдвинулось в чертах, когда рассказывал, — не было вальяжности, гладкости, словно даже сморщенность какая-то пошла и простоватость.

Это было в Южном порту (так, кажется, называется место, где идет широкая торговля автомобилями через комиссионный магазин, вечно трется там толпа покупателей, продавцов и любопытствующих). В очереди в кассу — и в немалой очереди — стоял обтерханный деревенский старикан. В валенках с галошами, замшелом пальтеце, в каких ездили «в город» или в праздники носили до войны, в потертой шапке и небритый, но без бороды — торчала редкая седая колючка.

Время от времени отлучался старик покурить в коридоре самокрутку, для чего и газета у него была, уже нарезанная загодя, и табак едкости необычайной. Очередь на старика косилась, но помалкивала, переглядываясь и посмеиваясь. А когда он до окошка достоялся, то и вовсе умора началась: глубоко куда-то он полез то ли в пиджак внизу, то ли в брюки сверху, отстегнул там, видать, булавку, вытащил носовой платок, аккуратно сложенный, а из него — лотерейный билет.

— Здесь, дочка, что ли, деньги мне получать? — ласково спросил он. — «Волгу» я выиграл на старости лет, а мне сказали — можно взять деньгами.

Очередь ахнула и засмеялась восхищенно. Касирша объяснила не без раздражения, что зря он тут стоял и что в сберкассу надо обращаться, в любую. И он покорно отошел, покачивая головой от огорчения, снова носовой платок пришпилил где-то глубоко и стал уходить. Только шли уже за ним трое молодых грузин, догоняя.

— Папаша, — окликнули они его. — Продай нам этот билет, нам нужна машина.

Старик остановился, переступил с ноги на ногу, улыбнулся сконфуженно, желтые зубы обнажив, и отказался.

— Не могу, сынки, — сказал он. — Вроде как не положено это. Еще отберут деньги, скажут — спекулироваю.

— Да никто не узнает, — настаивали грузины. — А мы тебе не девять тысяч, как сберкасса, мы тебе десять сразу дадим. Нужны деньги?

— Ой, нужны, сынки, — сказал старик и стал гугниво и нудно перечислять, сколько надо ему, чтоб избу поправить, сколько надо детям отдать, а сколько — к пенсии добавлять каждый месяц. А еще внуку мотоцикл пообещал. Но продавать билет, однако, боязно — одна, говорят, продала, так у ней не только все деньги отняли, а еще и от тюрьмы еле-еле отвертелась, потому только, что инвалидка, а то бы срок.

Все это рассказывая, он шел и шел помаленьку, грузины за ним тянулись, уговаривая, звали выпить, в цене дошли уже тысяч до двенадцати, старик аж вспотел от волнения, но стойко упирался. А еще он говорил, что боится, что билет у него выхватят или потом отнимут деньги — мол, и такое, говорят, было однажды, а он дряхлый уже и всего теперь опасается. Городские — они лихие люди, а тем более вы, восточные, — я вон видите, сынки, вы уж не обижайтесь, говорю с вами, а сам поглядываю — есть ли народ вокруг, чтобы помочь мне в случае чего, я ведь тоже не лыком шит.

Тут один из грузин, чтобы старика подначить, сказал, что, может, врет он все и не выиграл его билет, а просто он ошибся по старости, и старик ужасно вскипятился. Он настолько разошелся от такого недоверия к нему, что даже страхи свои забыл и дал усадить себя в такси, чтобы ехать в ближайшую сберкассу. Кстати, шофер такси, их разговор послушав, посоветовал билет продать, потому что ничего за это не делают, а услышав сумму, только проницательно усмехнулся, но промолчал, за что на чай целую трешку получил от пассажиров. А в сберкассе старик сразу направился к висящим газетам с тиражом выигрышей, снова достал платок с билетом, издали от грузин опасливо его держа и своей опаски не стесняясь, и они проверили все вместе — «Волга». И размяк старик, переволновавшись, и тут же они поладили на двенадцати с половиной тысячах. Деньги старик не пересчитывал, доверяя банковским полоскам на пачках, спрятал их глубоко в пиджак, ловко зашпилил там и отдал грузинам билет с носовым платком в придачу, только потребовал, чтобы сразу же усадили они его в такси, а то, неровен час, лихие люди в троллейбусе чего унюхают. И уехал, за руку попрощавшись.

Рассказывая это, Матвей Матвеевич так изменился, говорок у него стал деревенский, то ли тамбовского, то ли рязанского оттенка, лицо съежилось, глазки подозрительно сверкали — удивительный проявился в нем актер. Он даже фигурой стал иным — суетливей, мельче и пожиже.

А грузины, вероятнее всего, в ту же сберкассу и вернулись, чтоб узнать, где им получить машину и как оформить. И, наверно, девушка, там сидевшая, им сказала недоуменно, что удивляется трем таким солидным мужчинам, что они показывают ей поддельный билет. Если бы они прямо сейчас хотели деньги получить, она сразу бы милицию вызвала, но поскольку просто спрашивают, она вызывать не будет, но неужели они не видят, что в билете одна цифра подделана? И совсем не мастерски даже, можно различить сразу, если глаз опытный, — надо только на свет посмотреть, и все.

— Здорово, — сказал Бездельник. — Просто здорово. В вас, Матвей Матвеевич, замечательный артист пропал.

— Почему же, собственно, пропал? — вальяжно возразил Матвей Матвеевич. — Он пропал бы, если б я, к примеру, парикмахером работал. А так нет, не пропал во мне артист.

И мы все засмеялись уважительно, и Матвей Матвеевич тоже усмехнулся.

— А скажите, — спросил Писатель, — было у вас когда-нибудь, чтобы самого вас обманули и провели?

— Было! — почему-то радостно и сразу ответил Матвей Матвеевич и очень молодо, сочно выругался. — Хохол один. В Гагре это было летом, уже лет десять тому назад. Ох, и сука.

Мы тогда в карты ездили играть в Гагру, — стал рассказывать Матвей Матвеевич, — трое было нас, но мы с понтом — незнакомые. Так, на пляже сошлись от делать нечего. И выискивали лохов разных — профессоров, военных повыше рангом, магазинщиков, кого придется. И наткнулись на хохла одного, он из-под Харькова приехал себе дом присматривать, вроде бы его жене там не климатило, они решили почему-то сюда. И уже у него деньги с собой, чтобы то ли задаток дать, то ли купить сразу — не помню точно. Только мы сперва, как водится, дали ему выиграть рублей двести, подогрелся чтобы, и опять сели вечером.

— Взгонка это называется, — вставил Юра.

— Ага, — мотнул головой Матвей Матвеевич. — Взгонка. Вечером выиграли у него три тысячи. Он говорит: еще хочу, отыгрываться буду. Твое право. Сговорились, что завтра к нему в гостиницу придем. Кстати, я как чувствовал утром, не хотел идти, но ребята уговорили. Приходим. Все уже готово у него: бутылка стоит, будто выпить собрались, закуска нехитрая. Садимся. Только-только начали играть — менты. А деньги — на столе они, тепленькие. Не отговоришься. Забирают нас, день сидим, ночь ночуем, утром дергают к следователю. Офицер немолодой уже, капитан, сам грузин, а по-русски чисто шпарит, легкий только акцент остался. Сразу, главное, всем троим и сразу открытым текстом: дескать, мы уже вас давно приметили, жертвы ваши тоже нам известны частично, так что если бы этот украинец на вас не заявил, мы бы все равно вас повязали. Значит, заявил все-таки, сука, думаю, и переглянулись мы молча. А капитан продолжает: если, мол, ребята, хотите, разойдемся с миром. Я сейчас одного из вас выпущу, выбирайте сами — кого, он съездит и привезет деньги. Мне пусть привезет пять тысяч, мне много не надо, а украинцу этому — только то, что вы у него выиграли, ему верните его восемь тысяч. Тут у нас глаза на лоб: гражданин капитан, кричим, у него, паскуды, мы только три выиграли, да еще перед этим двести проиграли. Побойтесь Бога.

А он смеется во весь рот, морда замечательно симпатичная, — видите, говорит, ребята, провел вас этот украинский хитрец, написал в заявлении, что восемь. Платить придется. А то ведь не отстанет. И вам же хуже будет, и я вас выручить не смогу.

— И привезли? — не выдержал Юра.

— А куда денешься? И еще нас этот капитан до вечера держал — это для вашей же, говорит, пользы, дорогие друзья, чтобы вы сгоряча не кинулись разыскивать этого находчивого человека. Правда, обед нам из ресторана принесли. И бесплатно, заметьте. Нет, грузины — это люди. А хохлов я и всегда не любил. Но ведь скажите — сука?

Благородный гнев Матвей Матвеевича мы, к его удовольствию, разделили. Ведь и вправду сука — не только обмануть себя не дал и ограбить, но еще и сам в выигрыше остался.

— Так они ведь и друг друга как при случае продают, — сказал Юра. Но его никто не поддержал. Уж кому-кому, но не евреям принимать участие в беседах о сравнительных пороках разных наций.

И тогда, чтобы не быть голословным, Юра тоже нам историю рассказал. Где-то как раз под Харьковом происшедшую в рабочем пригороде.

Один мужик свою получку бумажными рублями получил. Пришел домой и рубли эти, чтоб жену потешить, на веревочке под прищепки развесил, будто первомайские флажки. А к нему сосед как раз зашел с третьего этажа, чтоб одолжить на вечер самогонный аппарат, очень хорошо он сделан был у мужика, народного умельца на все руки.

— Что это у тебя? — говорит сосед про рубли.

— А сохнут, — объяснил ему мужик. — Я машинку такую сделал, рубли печатает.

Ну, сосед покрутил головой с завистью и уважением — талант, мол, — взял аппарат для самогонки и ушел. Через час к мужику вваливается милиция высшего в их участке комсостава.

— Где, — кричат, — аппарат, на котором ты рубли печатаешь?

Ясно, что сосед настучал. А какая ему корысть от этого, думает мужик. Или по зависти просто черной, или чтоб ему самогонный аппарат остался, когда меня заметут. Ладно, думает, сука, я тебе отплачу с лихвой.

— Машину я свою, товарищи начальники, — отвечает он им смиренно, — переделал теперь на трешники и одолжил ее соседу с третьего этажа.

Ну, они крутанулись быстренько, одного из своих оставили, сами наверх к соседу. А тот как раз вовсю самогон гонит — за что статья, как известно, полагается. И не сослаться, что, мол, аппарат не его — застали с поличным. И увели. А мужика-слесаря обматерили только, но со смехом. Вот, ребята, какое соседское у них приятельство, а вы говорите.

Мы, впрочем, ничего не говорили. Мы уже наговорились на сегодня. Матвей Матвеевич, к примеру, клевал носом вопреки легенде о стимулирующем воздействии крепкого чая. Мне хотелось все скорее записать, так что никто не возражал, когда Бездельник предложил нам разойтись по будуарам. Спеша к бумаге, чувствовал я себя охотником, удачно проведшим день. Психология — прекрасная наука, думал я.

* * *

Был забавный только что разговор, и не уверен я, что смогу его передать на бумаге — очень уж мы горячились, перебивая друг друга — очевидно, сокровенную задели тему. Речь зашла о том, отчего мы ощущаем себя евреями, хотя жили всю жизнь в России, и русский язык совершенно родной для нас, и не знаем практически ничего о еврейской культуре — да и есть ли она, такая, в России — вот, кажется, об этом именно разговор и начался. Совершенно только точно помню, что нечто патетическое и возвышенное первым сказал Писатель. Вроде того, что читал он какую-то статью, с которой совершенно согласен, а в статье той говорилось, что сохранность еврейского духа — от местечек, этих искусственных резерваций, где хранился и бродил, укрепляясь, дух еврейства и еврейской культуры. Чушь это, хотел я возразить, потому что тысячи покинувших местечки парней тянулись к русской культуре, поступая куда попало, если удавалось, а девицы — те даже на желтый билет проститутки соглашались, лишь бы поселиться в Петербурге, Москве или Киеве и учиться, напрочь с себя стряхивая все, чем наделило их местечко. Оттого и в революцию кинулось их очертя голову такое немыслимое количество. И ничего в них не было от еврейства, и евреями они себя ощутили, когда им напомнили об этом. Все это вихрем пронеслось у меня в голове, но меня опередил Бездельник:

— Это очень верно, — сказал он важно и глубокомысленно, — что большая культура в местечках произрастала. Мне отец, он из местечка был, рассказывал, как они взрослыми уже парнями собирались где-нибудь за сараями и соревновались, кто больше раз подряд громко воздух испортит. И количество учитывалось, и громкость.

— Молодец, Бездельник, — сказал Деляга, — ты настоящий полемист. А тебя отец не научил?

— К сожалению, нет, — сознался Бездельник. — И языку, обрати внимание, нас никто из родни не научил. А ведь жаль? Согласитесь, жаль ведь?

Им не до того было, тем, кто мог бы нас научить. Полные веры и энтузиазма, они строили новый мир, где наций вообще не будет. Кто опомнился в лагерях уже, кто — во время войны, когда от тягот жизненных да от листовок немецких вспыхнул антисемитизм повсюду; кто — в конце сороковых, когда аресты пошли среди евреев, а повсюду — увольнения и разговоры о безродных космополитах; кто вообще додержался до начала пятидесятых и дела врачей, но в конце концов на свои места встали ощущения у всех: евреи — это евреи. И сказать об этом что-нибудь хотелось вслух, как охота почесать вокруг раны, только после реплики Бездельника было неловко говорить всерьез, вот же дурак в самом деле, шут гороховый, какую тему снизил. Но Деляга заговорил о том же, и я подумал: нет, не снизил тему Бездельник, я не зря его уважаю больше двух других, а уж более, чем себя, — и подавно, он ее на место поставил, эту тему. А Деляга из биографии рассказывал, и страшно было все похоже на мои воспоминания детства.

Деляга: Дом у нас был двухэтажный, деревянный — вроде барака, да не барак — двадцатых годов постройка. Восемь квартир. Ну, жили, конечно, семей тридцать. Так вот сбоку у нас, на нашем же этаже, жила старушка — это мне тогда она старушкой казалась. Вера Абрамовна, зубной врач. Комнатка была у нее крохотная и прихожая, часть общего коридора. Там она больных и принимала. А чтоб ее на частном промысле не застукали, она себе купила справку, что старая большевичка с подпольным стажем. Но на справку эту она не сильно надеялась, и поэтому каждый вечер после работы муж ее Яков Семенович сидел возле парадного на стуле и читал газету. Прямо на улице. Часа по четыре каждый день. В любую погоду. В дождь, конечно, он садился в тамбуре между двумя дверями, но там темновато было, так что он и в дождь норовил поближе к свету. Наружную дверь подопрет чем-нибудь и читает. Зимой даже, представляете? Днем-то он, естественно, работал где-то экономистом. Экономист ведь, как тогда говорили, — это не профессия, а национальность. Так что, по-нашему, по-сегодняшнему говоря, Яков Семенович на стреме стоял. На атасе. Потому что надо было кормить и Софу, и Цилю. Упитанные были дочки, как булочки. Вышли замуж и пропали, как водится, для родителей. Обе, кстати, за русских, что Веру Абрамовну очень расстраивало, она к моей матушке жаловаться ходила. А Яков Семенович за эти годы газет начитался так, что ему на все уже наплевать было. Циник стал. Не от них же я мог почувствовать, что я еврей, да еще гордиться этим? Разве что наоборот.

Я Делягу в это время вполуха слушал, потому что, параллельно его словам разворачиваясь, шла в моей памяти, словно фильм в повторном кино, сцена, много раз виденная на дворе моего детства. У нас на втором этаже, тоже с дочкой Цилей, кстати, жил толстый и очень веселый Исаак Львович. У него Циля уже была замужем за красавцем офицером, где-то в очень высоком военном заведении служившим и оттуда вылетевшим как раз, потому что начальство предложило ему повышение при условии, что он бросит свою жидовку. Эту историю все у нас во дворе знали, я — так прямо от родителей своих ее услышал, хоть проблемы эти вовсе меня тогда не волновали, но я слышал и впитывал все, что родители от меня хотели скрыть и обсуждали тихо. Офицер этот меня тоже мало интересовал, а Исаака Львовича я ценил весьма, потому что он то и дело всем нам дарил резиновые детские мячи — их гонять было куда интересней, чем консервные банки, которыми мы тогда играли в футбол. Исаак Львович работал в какой-то резиновой артели, и раз в полгода-год его арестовывали по подозрению в незаконных махинациях. Но через два-три дня он возвращался, и каким-то образом в этот час весь дом уже знал, что он идет домой, и все торчали возле окон, и Циля тоже, естественно, торчала, а он всегда появлялся и рукой еще издали показывал — не для нее, конечно, а всем соседям-зрителям, что пронесло, мол, что пустяки это все, наветы, и на честного человека возвести поклеп очень трудно. Каким образом в его нехитром взмахе руки умещалось столько информации, передать я не могу, но она была именно такая, как изложено. И все от окон отходили очень удовлетворенные, потому что, повторяю, к Исааку Львовичу относились все с симпатией: у него можно было всегда перехватить денег перед получкой или вообще в трудных обстоятельствах, да и Циля, им наученная с детства, очень приветливо и готовно одалживала, когда просили, хоть одалживать приходилось часто и вовремя отдавали не всегда. Это я тоже слышал от родителей.

Вот и вся моя была еврейская среда. И уж никак не сами родители: отец был весь в работе всю жизнь, и не столько в содержании ее (что-то он планировал где-то в экономическом главке или был экономистом в плановом), сколько в том, кого куда переместили; мать — в наших болезнях и хозяйстве утопала, а когда время было — читала запоем что придется, предпочитая Бальзака и Мопассана. Тема же еврейская (как болезненная, но судить об этом я могу только теперь) вовсе у нас не поднималась в доме. Обожал говорить об этом дядя, но я всю жизнь его терпеть не мог, потому что был как-то жестоко избит отцом за то, что съел дядины яблоки, хранимые им на общем с нами шкафу. Они какое-то время жили у нас, но ели отдельно часто ночью, у себя в смежной комнате, а яблоки эти я с приятелем стянул однажды, а когда били, то дядя за меня не заступился. Так что я никак не мог слушать его без предубеждения...

— И несмотря на полное отсутствие образования в этом вопросе, — говорил между тем Бездельник, продолжая что-то рассказывать, — я всю жизнь дрался именно из-за этого. Верней, не дрался, а били меня. Слово «еврей» тогда казалось мне ругательством, о слове «жид» я уже не говорю, и я кидался драться, едва меня так называли. Ох, и били же меня. Зимой.

И объяснил сразу, жмурясь так блаженно, словно рассказывал не о битье, а о пряниках:

— Летом за другое били. У отца дача была, и мы туда на лето уезжали. А там все время дрались две компании: дачники, что на лето снимали там комнату или домик, и местные, кто всегда там жил. А я вроде бы и не дачник был, потому что дом-то свой, а с другой стороны — и не местный, потому что жил только летом. Вот меня и били обе компании — смотря с какой водился, а то и обе сразу. Хорошо было, молодой. Я потому и вырос такой сравнительно нехилый, всегда старался сдачи дать, вот и развивался физически.

«...А когда же все-таки оформилось во мне, осозналось это еврейство», — думал я, опять не слушая разговор. Не помню. Если бы из чувства противоречия, но никогда меня так сильно не обижали именно за то, что я еврей, не было этого. Школу кончил с медалью, помню, как поступал в институт. Хотел в Бауманский, отнес туда бумаги, какая-то очень симпатичная пожилая женщина сказала мне тихо: «Не ходите сюда, все равно вас провалят на собеседовании, не тратьте время». Почему-то ее послушал, отнес бумаги в Энергетический, экзаменов сдавать не надо было — медалист, пришел на собеседование по физике. До сих пор помню вопрос: зачем весной счищают с крыши снег? Чтобы крыша не обвалилась. А почему зимой не счищают? Помолчал, посопел,

посопел, не догадался. После много лет этот вопрос задавал самым разным людям самой разной степени учености. Потому что уже знал ответ, мне его еще тогда сказал мужик, что меня засыпал. Никто не отвечал мне правильно. Затем счищают именно весной, что снег под солнцем начинает впитывать из воздуха влагу и становится гораздо тяжелей, тут-то он и может проломить крышу. Только я-то ведь мог же догадаться? Это был пятьдесят третий год, все понимающе качали головами. Но я лично до сих пор считаю, что вполне справедливо было меня погнать, ибо в школе медаль можно и задницей заработать, а вопрос был обращен к сообразительности более высокого порядка. Правда, потом, поступив уже в невзрачный технический институт, где вообще не было собеседования, если медалист — просто приходи и записывайся, — обнаружил я, что у нас на курсе из ста с чем-то человек — тридцать, если не больше, медалистов, и все — евреи. Тут я, правда, задумался, но ненадолго, потому что года на три с головой окунулся в неразделенную первую любовь. И ни до чего мне больше было, не помню даже, как учился. На четвертом только курсе очнулся для новой жизни, когда вышла она замуж за моего закадычного приятеля. А очнулся — надо было упущенное наверстывать, у всех вокруг уже полно подружек было, так что никакими, насколько помню, мировоззренческими вопросами я в институте не задавался. Черт меня побери, когда же я стал евреем? Потому что и в последующие двадцать лет никогда меня по этой части не ущемляли, так что все, что в большом мире происходило и вокруг меня поблизости, — вроде я со стороны наблюдал...

— И правильно делают, что не любят, — говорил Бездельник. — Поройтесь в памяти быстро, я в своей уже порылся, ставлю пять лет своего срока против пачки чая, что у каждого близкие друзья были евреи. Что, неправ я?

И продолжал, не ожидая нашего согласия:

— Как же после этого не утверждать о злокозненной склонности евреев объединяться, поддерживать друг друга и вообще держаться особняком? При всей притом растворенности в коренном населении? А? Согласитесь!

Наш отряд строился на обед, и пора было бежать к столовой, но мы твердо знали, что при первой возможности вновь и вновь вернемся к этой теме.

* * *

Снова я спешу записать, потому что мне все время кажется, что всплывающие здесь в памяти истории куда больше говорят о нашей жизни, чем любые разные рассуждения. Вот с чего началось — не помню. Да, наверно, и неважно — с чего.

Нет, помню. С разговора о счастье. Очень быстро запутались, пытаясь определить, что это такое. Деляга сказал, что счастье — это когда в пятницу вечером чувствуешь себя прекрасно и вымотанно до нитки. Потому что неделя прошла не зря, что-то за эти дни успел, впереди нечто такое же интересное, с чем ты справляешься, притом удачно, а сейчас вокруг тебя родные и близкие, и сейчас вы сядете выпивать, закусывать и с любовью подшучивать друг над другом. Тут мы все сперва согласились, но немедля опять заспорили, уточняя, и сошлись только на том, что счастье — это вовсе не благополучие, отчего и невозможно в потребительском обществе. Да притом еще в нашем, сказал Бездельник, в потребительском обществе, лишенном продуктов потребления. Снова заспорили о благополучии, тут Деляга вспомнил свою байку. Так что — сперва ее.

Значит, жили в Киеве в самом начале века два друживших еврейских мальчика. Потихоньку выросли, стали почти взрослыми уже, потом разъехались и потерялись. И один из них спустя лет сорок разыскал другого где-то в Минске (а возможно, в Кишиневе или Москве, неважно это). Разыскал и, как водится в хороших байках, сразу говорит: как вы живете, Лифшиц? Ой, говорит упитанный и свежий Лифшиц, спасибо, я живу очень-очень плохо. Что-то незаметно это, говорит осторожно его гость. Вы послушайте, говорит ему на это Лифшиц, вы же помните, как досталась мне от папы его портновская мастерская? У меня ее потом отобрали. Я теперь закройщик в казенной. Так вы знаете, это даже лучше: я пришел, я покроил и я ушел, и ни от чего не болит мне голова, и я спокоен, что если что-нибудь сгорит, и ничего у меня не уворуешь. А заказчиков, слава Богу, мне хватает вполне и дома — редко, чтоб сейчас кто шил, как я. В чем же дело? — спрашивает гость. Но послушайте, говорит ему на это Лифшиц, вы же помните, что папа летом ездил в Ниццу и Монте-Карло. А теперь я езжу в это ваше — как его? Цхалтубо. Так вы знаете? — это даже лучше. И не надо одеваться к завтраку, и к обеду можно выйти в пижаме, и вообще это настоящий отдых, а не эти безумные развлечения, от которых только тратится здоровье. В чем же дело? — спрашивает гость. Но послушайте, отвечает ему Лифшиц, вы же помните, что у меня бывали женщины? Да, теперь, конечно, силы не те, но если сказать вам честную правду, то две очень приятных дамочки есть и тут. Но послушайте, говорит ему гость и даже чуть привстает со стула. Нет, отвечает ему Лифшиц, это вы послушайте меня. Вы же помните, у меня был свой рессорный выезд? Я садился, говорил кучеру — гони! — и мы ехали, Боже, как мы ехали! Но сказать вам если честную правду, за углом вы, может быть, заметили машину. Я всегда могу сесть в эту машину. Это и скорей, и никому я не заметен, что, вы сами знаете, это сейчас лучше. Я плачу шоферу план — это такси, я плачу ему чаевые, я плачу ему экономию бензина.

— В чем же дело? Вы гневите Бога, Лифшиц! — нервно вскричал гость.

И тогда Лифшиц трагически и пространственно развел руками, словно обнимая эту жизнь, и с сокрушением сказал:

— Ой! Но если мне все это не нравится!

Посмеялись. «Что за винегрет наша память», — сказал Писатель. «Винегрет — шутка витаминная», — сказал Бездельник. И после долгого, непонятно долгого молчания, словно нас не очень рассмешила эта байка, а задуматься заставила почему-то, Писатель заговорил первым. О совсем другом он, оказывается, в это время вспоминал. Может быть, в связи с Киевом?

— Я иногда думаю, — сказал он, — что это просто сидит в крови. Ну там если не в крови, то в таких глубоких клетках памяти, что срабатывает помимо воли, независимо от сознания, прямо включается в мысли и чувства человека.

— Здесь два варианта, Писатель, — вкрадчиво сказал Бездельник. — Или я тебя слышал не с самого начала, поэтому не понимаю, о чем ты, или у тебя, как здесь говорится, замкнуло ку-ку.

— Крыша поехала, — сказал Деляга.

— Это у вас обоих естественная умственная деградация, вызванная нехваткой глюкозы, — сказал Писатель. — А я просто продолжаю наш разговор, начатый вчера.

— А не третьего дня? — деловито спросил Бездельник. При хорошем настроении он часто поддразнивал Писателя, — думаю, что за склонность к серьезности — большей, чем пристала разумному человеку.

— Да, — сказал Писатель. — И вчера, и позавчера, и раньше. — Ему явно не терпелось рассказать. — Во все дни, когда мы говорили о евреях. О вас, проклятых.

— Только что, а не вчера, — сказал Деляга.

— Потому и вспомнил, — сказал Писатель. — И давайте расскажу, не пожалеете. Я когда писал книжку о том, как мозг исследуют и лечат, очень много шлялся по всяким лабораториям. По врачам, ученым, всяко было. И вот в Киеве мне один старик-психиатр историю рассказал. Жутковатую, по-моему, историю. Сам он профессор. Шехтер, кажется. Ну пусть будет Шехтер. Суть в другом.

И Писатель набил трубку махоркой. Сигарет у нас не было в те дни. И табак давно уже кончился. Мы случайно раздобыли махорку на этапном дворе. Я уже писал о нем. Двое тамошних надзирателей, молодые наглые мордовороты, отнимали у вновь прибывших почти все, что тем удавалось довезти, а я случайно добрался до их укромных запасов. Меня позвал к себе поговорить их начальник, а его куда-то вызвали вдруг, а где лежит мешочек с махоркой, знал я намного раньше. И ни на секунду не задумался, когда втискивал его себе за пояс под бушлат. Как его приладить, чтобы было незаметно, — об этом думал, а про мораль — вековую христианскую, человеческую вообще, интеллигентскую в частности — ни единой мысли не пришло. Позже пришла такая мысль, но и в ней ни капли раскаяния не возникло. Первые пять дней каждого месяца не работал ларек, так что трудно было с куревом во всем лагере. Многие и не курили в эти дни, раздражительность явно участила ссоры и драки, а искателей бычков на плацу становилось намного больше. Кто пощепетильней, подходил стрельнуть, но не покурить, а затянуться пару раз. При курении через трубку махорка становилась настолько крепче, что заядлые курильщики удивлялись, угостившись затяжкой, как это Писатель может курить, но он попыхивал, как ни в чем не бывало, и проблема была только, чтоб хватило этой махорки, ибо большая ее часть разошлась уже по бедствующим знакомым. Но я отвлекся от рассказа Писателя.

Киевский этот профессор Шехтер был весьма известен среди коллег. И ученостью своей, и опытом, и сварливостью, и свирепой своей жалостью к больным. И умением обидную мысль выразить лаконично и точно. Вот, к примеру, что он сразу сказал Писателю при знакомстве:

— Все вы — измельчавшее поколение. О каждом времени можно судить по маниям величия. У меня на всю клинику — ни одного Наполеона! Официантка заболевает, у нее мания величия — она директор ресторана. Привозят лейтенанта, у него мания величия — он майор. Заболевает несчастный графоман, у него мания величия — он Шолохов. Это вырождение, сударь мой, деградация жизненных масштабов, убожество.

— Ладно, я когда свихнусь, вас порадую, — ответил ему Писатель. — Меньше, чем Экклезиастом, не буду. Обещаю твердо. Разве по крайности, если уж очень буду плох, то Шекспиром.

И, возможно, этим расположил к себе старика, рассказавшего ему вскоре о случае, поразившем даже его, видевшего всякое и много.

В отделении у его коллеги лежал уже больше года украинец средних лет, страдавший полной обездвиженностью на нервной почве. Каталепсией давно было названо это столь же давно описанное и до сих пор темное явление. То есть руки и ноги были у него подвижны, точней — податливы: если его ставили, он стоял; сгибали руку — он ее так и держал часами, ему можно было придавать любые позы, врачи это именуют восковой гибкостью, — только сам он не двигался и не шевелился. Мускулы его нервам не подчинялись. Или нервы, что ведают в мозгу движением, отказывались работать — это Писатель точно не запомнил. И его кормили через зонд. И не говорил он ни слова. Даже родственникам, что приезжали изредка посидеть безнадежно около, а потом, поплакав, уехать. Ибо и в сознании этот пациент пребывал смутном и ни на что никак не реагировал. И лекарства его не брали. Наука при этом говорит нечто высокое и невразумительное о широко разлившемся торможении в коре головного мозга и в подкорке, но это ведь слова, ярлык, повешенный на место, где суть остается непонятной.

Словом, Шехтер взялся его растормозить. И с коллегой даже на что-то поспорил. Он надеялся на постепенное внушение — у больного было все в порядке и со зрением и со слухом — он и видел, и слышал, только как бы не осознавал это, что ли, где-то там еле-еле живя в себе самом. И еще надеялся Шехтер, как тогда он объяснил Писателю, — на автоматическую дисциплину у старых военнослужащих, а украинец этот в армии служил долго и, по всей видимости, со вкусом, ибо оставался на сверхсрочную службу старшиной. Только надо было его сперва подготовить к появлению некоего лица, голос которого проник бы в него до последней мыслимой глубины. А для этого ему каждый день раз по двадцать, а то и больше, санитары, врачи, даже больные — добровольцы из соседнего алкогольного отделения — говорили то невзначай, то прямо, что есть в клинике такой чародей, профессор Шехтер, он придет и непременно излечит, просто времени у него пока что нет, разрывают его больные на части. Но что он придет, обязательно. Режиссером этого всего был сам Шехтер — не показываясь больному, управлял он нагнетанием ожидания, чтобы в больном накалялась постепенно вера в неминуемое чудо. Старый это, столетиями испытанный рецепт множества исцелений на почве веры. Он сработал и на этот раз безупречно. С маленькой лишь деталью, из-за которой весь рассказ.

На десятый, кажется, день, когда украинцу каталептику уже точно сказали, что у профессора найдется время завтра, он обнаружил явные признаки беспокойства и возбуждения, ставшие назавтра к утру чуть ли не лихорадкой нетерпения. А потом вбежали человек пять-шесть незнакомых врачей в халатах, выстроились почтительно, как заранее было договорено, и пот уже бежал с больного, и глаза смотрели почти ясно. И тогда вошел Шехтер, подошел к постели больного — маленький, седой, властный, и сказал ему то «встань и иди», что извечно говорили всюду целители — он словно кнутом щелкнул:

— Встать!

И каталептик послушно — сел на кровати и почти сам встал — ему помогли немного. И тогда-то (о чем и речь), ткнув его зачем-то пальцем в живот (выше не доставал просто), спросил Шехтер столь же властно, чтобы заговорил больной:

— Кто я, знаешь? И, словно не было годовой неподвижности, украинец переступил с ноги на ногу, облизнул пересохшие губы и послушно ответил:

— Жид.

Вот насколько первым и значимым было для него это определение. Он заговорил потом и задвигался.

— Ну? — спросил Шехтер у Писателя, ему это торжественно рассказав. — Каково? Чувствуете теперь, где это все сидит?

— М-да, — поежился Бездельник. — Глубоковато.

* * *

— При любом попутном и удачном ветре эта вечная искра легко разгорится в пламя, — сказал Деляга.

— Нет уж, тут ветра мало, тут идея какая-нибудь нужна, — возразил Бездельник. — Я однажды столкнулся с такой идеей. И порадовался, что она еще не всюду разнеслась. Все еще, впрочем, впереди. Замечательный у меня был один разговор. С русским потомственным интеллигентом. Очень я помог тогда развитию той идеи. Грех был бы не помочь.

— Не тяни ты, — сказал Деляга.

— Ничуть я не тяну, ребята, просто приятно вспомнить не торопясь. Или вы куда-нибудь спешите?

— Нет, — с сожалением сказал Писатель. — Никуда. Рассказывай, старик, и не гони картину. Смакуй детали, излагай подробности, делай паузы в интересных местах. Гуляй.

— Все-то вы опошлите, — сказал Бездельник. — Только я все равно ведь расскажу.

Было это пару лет назад в Ленинграде, куда приехал Бездельник дней на несколько пошататься по любимому городу. И приятели сказали ему, что у них на киностудии недавно появился интересный новый редактор. Какие-то небольшие рассказы он уже напечатал, был весь сам из себя литератор и философ, главное же — не скрывал, более того — вслух говорил, что евреям, дескать, в России не место. Это ведь покуда редкость — громко такое говорить в приличном окружении, а не тщательно скрывать и прятать. Этот же не только прокламировал свою уверенность, но по отношению к конкретным евреям-авторам был порядочен безупречно, то есть не только не отвергал их, но и сам привлекал и опекал, если знал или обнаруживал за ними какие-нибудь подлинные способности. Антисемитизм у него был какой-то чисто теоретический, из глубоких, как видно, убеждений произраставший и питавшийся.

Бездельнику предложили с тем редактором его свести, и Бездельник согласился с интересом. И свели.

Разговор шел путаный сперва, несвязный, общих знакомых они выискивали — поиск общих знакомых в интеллигентных первых разговорах ту же самую роль играет, что обнюхивание у собак — приблизительно ясно делается, с кем общаться привелось. После чего (а обнюхивание это очень расположило их друг к другу) заговорили о книгах Самиздата — кто что читал и какого мнения. Тут не мог не зайти разговор о России вообще и ее сегодняшнем неустройстве, и Бездельник в удачном месте ловко ввернул смешную фразу некой очень культурной старушки. Эта престарелая мать одного пожилого ученого как-то замечательно ясно выразилась: «Русские люди сделали евреям столько зла, что негоже русским людям обижаться, что евреи сделали в России революцию».

Тут редактор клюнул на заготовленного Бездельником червяка, оживился, как боевая лошадь от порохового дыма, и понесло парня в удивительный монолог. Вкратце он сводился к идее, восхитительно простой и убедительной.

— Шутки шутками, но революцию действительно сделали евреи, — сказал он. — Ведь достаточно обратить внимание на количество евреев у большевиков, меньшевиков и эсеров — причем особенно среди руководства. В отдельные времена — чуть не треть, а лидеры и фигуры заметные — сплошь и рядом. И фамилии даже нечего перечислять — общеизвестно. Только дело-то не в том, — сказал он, волнуясь и переживая от того, что излагает нечто заветное, сокровенное, выношенное и важное. — Дело в результатах революции и всего, что произошло потом. Ведь Россия совершила над собой некое самоубийственное членовредительство. Она устроила буквальный геноцид, ибо убила своих лучших сыновей — в области не только ума и духа, но и тех, кто веками ее кормил. Посмотрите повнимательней назад. Интеллигенция разъехалась или погибла. Здесь и тех, кто эмигрировали, надо считать, и погибших в результате чисток, в лагерях и тюрьмах сгинувших, и тех, кого выслали насильно. А искорененное дворянство? А убитое духовенство? А в гражданскую с обеих сторон павшие? Это о носителях интеллекта и духовности, а заодно — что не менее важно — о хранителях совести и чести. А кулачество — самая активная часть крестьянства? А та ненависть и презрение к труду, что у всех сейчас так явны и очевидны, — думаете, только оттого, что отбили у российских людей интерес и вкус к труду? Нет, не только поэтому. Это еще наследственное, поверьте. В России были неукоснительно вырезаны носители лучших российских генов, а не это ли пусть неполный, но самоубийственный геноцид? Такое восстановиться может через много-много поколений, если вообще может — это вам любой садовод-любитель скажет, здесь не надо быть ученым-генетиком. Вот я о чем и говорю. Потому что это, именно это — самый страшный урон от революции. Целая огромная нация свою породу ухудшила, это и сегодня, кстати, невооруженным глазом видно... А теперь — о евреях и их вине. Я ведь не обвиняю каждого из вас в отдельности. Знаете, есть такое понятие — сверхсознание? Это, как я понимаю, нечто свыше предначертанное, которое каждая личность в отдельности не осознает, но исполнению неосознанно способствует. Так вот, все, что произошло с Россией, совершили евреи, чужаки в ней, укоренившиеся иностранцы. Очень уж во всяком случае способствовали. А поскольку впереди неизбежные и очень крупные перемены предстоят, ведь в таком гавне, как сейчас, не может, согласитесь, долго жить великая страна, то евреям в ней сейчас не место. Помешают они ей опомниться и в себя прийти. Как — не знаю и предсказать не хочу, но помешают. Самая духовность ваша чужда России и вредна ей, как бы вы добра ей ни желали. Не обижайтесь.

— Что вы, — ошеломленно сказал Бездельник. Он столкнулся с такой законченной конструкцией, что никак ее не поколебать — даже если бы хватило каких-нибудь конкретных знаний. Он напрягся, чтобы возразить, но вдруг с ужасом сообразил, что ему в голову лезут, наоборот, всяческие подтверждения. Вспомнилась почему-то «Дума про Опанаса» Багрицкого, где комиссар продотряда Коган был прямым воплощением совершавшегося. Вспомнился комиссар из «Разгрома», потом Троцкий и Свердлов, за которыми сразу вслед замелькали-замаячили другие, с несомненностью подтверждающие эту сумасшедшую концепцию. И идеями Солженицына запахло. Как ни величественна фигура эта — мужеством своим и талантом, а однако же плохо пахли отдельные его идеи — не отсюда ли и у редактора этот бред?

Закурив — и долго провозившись со спичками, — Бездельник опомнился. В чем он мог убедить этого счастливого, озаренного пониманием истории, вполне сложившегося человека, русского интеллигента самой распоследней формации? Ни в чем.

И ему только ужасно захотелось, нестерпимо, жгуче захотелось довести эту концепцию до абсурда.

Что-нибудь в ней достроить, во всяком случае чтобы она еще ближе подошла, к чему клонилась. Захотелось настолько, что он вдруг ощутил в себе свирепое веселое вдохновение. И уже сам себя слушал с удовольствием, ибо ранее никогда ему такое в голову не приходило.

— Несомненно, — сказал он. — Что-то в этой идее есть. То дыхание истины и правоты, которое ощущаешь сразу, если даже не согласен целиком. Только знаете? Она не полна. И я вам сейчас объясню, в чем именно. Вы ведь наверняка помните, кого в прошлом веке полагали виновниками глухо нараставшей в России смуты. Помните, несомненно? Евреев, поляков и студентов. О студентах ясно, молодые всегда воплощают любые идеи перемен, носящиеся в воздухе. О евреях вы только что сказали, и убедительнее сказать нельзя. А поляки?! Неужели вы думаете, что насильственное присоединение, разделы, всяческие унижения, подавление любого шевеления в стране — это все они простили России? А кого Достоевский, этот нерв души российской, — он кого не любил? Тех же евреев и поляков. Почему же вы поляков сбрасываете со счетов, когда говорите о тех, кто осуществлял российский геноцид? Я вам два имени сразу назову: Дзержинский и Менжинский.

Тут Бездельник запнулся на мгновение, ибо понимал, что для убедительности нужно третье какое-то громкое имя, он никак не мог найти его в памяти — да и есть ли? — но увидел загоревшиеся глаза собеседника, и его озарило.

— А Вышинский?! — сказал он торжествующе. — Андрей Януарьевич. Ведь не просто председатель всех этих судилищ, но организатор, теоретик, автор и разработчик совершенно нового правосудия и новых форм следствия. Кто, как не он, всю мировую практику правосудия отверг и похерил, постановив, что для осуждения достаточно признания своей вины?! Сколько мук из-за этого приняли миллионы, сколько ложных доносов сработало, как стальной капкан!

— А Вышинский — поляк? — с придыханием спросил редактор. Он даже побледнел слегка.

— Чистопородный, — сказал Бездельник с твердостью. Что это и действительно так, он узнал немного позже, но в ту минуту верил искренне и убежденно.

— Потрясающе, — сказал редактор. И они расстались, чрезвычайно довольные друг другом, а в особенности — каждый собой.

Глава 9

Здравствуй! Только что послал тебе письмо, а теперь пишу второе, отправлять которое не буду. Я его как заклинание пишу, чтобы ты почувствовала на расстоянии, как мне важно исполнение моей просьбы, не могущей тебя не удивить. Помнишь, я писал тебе, что уверен, что недолго здесь пробуду, так я не на месте и системе этой явно чужероден? Так Иону изверг некогда кит, потому что был Иона человеком, а его в себя заглотнуло — животное неодушевленное. Повторяется, похоже, эта история. Расскажу тебе сейчас по порядку.

Ты ведь не знаешь, что параша — это не только унитаз или любая в камере посудина, нет — парашей именуется еще любой слух, любая информация о возможной перемене в судьбе. Не случайна потому и поговорка, что «параша — это лагерный кислород», ибо большинство параш — об амнистии, о сокращении сроков, об улучшении еды, вообще — о скощухе всяческой, о надеждах. Все параши, слышанные мной с лета, когда я приехал на зону, были об амнистиях по самым разным поводам: в честь немыслимых каких-то круглых и полукруглых дат наших бесчисленных побед и успехов, по случаю юбилеев и даже просто дней рождения каких-нибудь второстепенных вождей. А еще и потому, якобы, что опомнились где-то наверху, ахнули, увидев, что перебрали, и решили разослать повсюду комиссии для опустошения лагерей и выпуска слабо виноватых. Я к этим парашам быстро привык на зоне, усмехался, выслушав очередную, но не разуверял никого, обнаружив некогда, как людей печалит скептицизм. А возникнув, параша лопается немедленно сама по себе и исчезает, чтобы тут же смениться новой, и свечение кратких мыльных пузырей этих, как ни странно, помогает здесь жить. Но одна из них вдруг стала обрастать новыми и новыми подтверждениями: то отрядный офицер был пьяный и болтал об амнистии, разомлевши от сладостного внимания, то другие блюстители говорили, что и впрямь готовится что-то, неизвестно только для каких статей и какая выйдет скощуха.

Речь, разумеется, шла не о воле в полном смысле слова, а о выписке на химию, на какую-нибудь стройку, но и это представлялось счастьем. Обсуждались перспективы новой жизни, в которой главное место занимала возможность выпить. Женщины (ты уж не обижайся) были явно на втором плане.

Вообще о них мало было разговоров. Разве только Мишка-аварийщик (получил семь лет за столкновение на дороге) рассказывал, как работал где-то под Красноярском, а туда столько нагнали химиков — даже в бараках не помещались, и многим разрешила комендатура строить себе балки — это хибарки из досок и вообще из чего придется. Там и жил такой счастливец-химик с какой-нибудь приблудной бабой до конца своего срока, а потом, уезжая, продавал этот балок следующему химику — вместе с бабой. Сам балок оценивался обычно рублей в двести, — деловито излагал Мишка детали счастья, а за бабу — литр водки ставился.

Замечательная вещь — эмансипация! Да еще с необходимостью весь день работать, ибо мужчина — муж, как правило, не в состоянии прокормить семью один. Да еще как работать притом! Почему-то вспомнил сейчас, как был на девяностолетнем юбилее замечательной одной старушки-переводчицы и она вслух читала заметки из своей записной книжки. Одна очень мне понравилась лаконичностью. «Когда я из окна вагона, — писала старушка, — вчера увидела женщин, тащивших на себе шпалы для ремонта железнодорожного пути, я потом долго думала о своей матери, посвятившей всю свою жизнь борьбе за освобождение женщины».

Извини меня, я отвлекся, я становлюсь болтлив, когда заочно разговариваю с тобой. Очень я соскучился по тебе.

Но возможно, скоро увидимся. Слушай дальше.

Наступил заветный день, сбылась последняя параша, нам торжественно зачитали указ. Как великое благодеяние и милость. Только мы и вправду обрадовались — те, естественно, чьи статьи подходили. Никогда под такие указы не подходят статьи, касающиеся политики и сопротивления властям — что приравнивает их к умышленному убийству, злостному изнасилованию и тяжелому грабежу с оружием. По статье своей и сроку я годился, хоть и опасался очень, что пришла за мной на зону письменная или устная сопроводиловка с разъяснением, кто я есть на самом деле.

Извини, прервусь. В день, когда указ нам зачитали, подошел ко мне знакомый, некий Ляпин (так я и не знаю его имени, почему-то Ляпин и Ляпин) — маленький и тишайший человек, каждый день застенчиво просивший покурить — у нашей компании просивший, больше ему никто не давал, — и тоже заговорил, что скоро выпустят. Было этому бедолаге очень сильно за шестьдесят, он еще охотился азартно и запойно пил в промежутках. Сел он из-за своего мужского гонора, и был мне очень этим симпатичен. Крепко напился он однажды где-то на окраине своего поселка и шел домой. Всегда исправно доходил, а тут рухнул уже рядом с домом. И уснул сладчайшим сном подгулявшего пожилого труженика. А жена, позвав соседку на помощь, разбудила его, чтобы вести домой. Стыдно ей, видите ли, стало (с возмущением рассказывал Ляпин), что муж на травке лег отдохнуть в канаве у дороги, а не дома или по крайности — во дворе. Да еще и снилось ему что-то чрезвычайно приятное: вроде что он сам, без собаки, настиг зайца и уже вот-вот схватит. Ну, он и дал жене и соседке. Он их обеих так гонял вокруг дома, поколачивая, что и хмель с него слетел последний, не то что сон. И получил за хулиганство два года, невзирая на то, что ветеран войны, ветеран труда и медалей — полный пиджак. Он еще гражданскую, кстати, помнил, хоть тогда мальчонкой был. По тому, что он рассказывал о гражданской, видно было, что за винегрет сложился у него в голове к почтенным годам.

— Партизаны эти, они за красных были, — рассказывал он, покуривая, — с Колчаком они воевали, значит, с регулярной белой армией. Ну они, красные партизаны эти, в лесах больше жили все, в тайге, значит. Выйдут изредка, постреляют кого, кто белым помогал, продовольствие заберут в деревне — свиней, хлеб, картошку, — есть-то надо им, кушать, значит; ну, конечно, баб немного потопчут, которых словят, — дело житейское, баб от них прятали всегда подалее; лошадей возьмут, овец всяких, и — в лес обратно. Партизаны эти, значит, смело Колчака воевали, много ему урона причинили. Их теперь часто в фильмах по телевизору показывают, они там бандиты называются.

Даже этот Ляпин, чаще всего быстро уходивший, получив табак на самокрутку, задержался возле нас и мечтательно сказал:

— К осени попозже сказывали, что отпустят. Неужели я еще по мелкому снегу зайца погоняю?

— Да еще и бабу погоняешь, — сказал ему кто-то.

— Э, чего там, — отмахнулся Ляпин и замечательно широко улыбнулся, обнажив четыре зуба цвета махорки, только что взятой у нас. — Бабу я и по глубокому снегу погоняю, мне бы зайца успеть. А должон?

Это он обращался прямо ко мне, и я не мог его разочаровывать, я его заверил, что сам слышал, как офицер на вахте говорил, что уже через месяц будет он, стоя здесь на вахте, бить нас по жопе сапогом, прощаясь.

Две недели с того дня прошло ровно, и вчера уже была у нас комиссия, подбиравшая дела к рассмотрению. Подходил я полностью, но мое дело комиссия не взяла, это я узнал с достоверностью. Либо, значит, письменная есть при деле бумага, либо устно кому-нибудь разъяснили в наш прекрасный век телефонной связи. Но комиссия готовила дела для выездного местного суда, оттого я и задумал дерзкую попытку вырваться, да еще и с блефом небольшим, обязательно он должен сработать.

Значит, слушай, что ты должна сделать. Пусть на зону мне придет телеграмма (все равно мне ее не отдадут), что была ты на приеме большого юридического консультанта, ведающего как раз этой амнистией. И он тебе авторитетно подтвердил, что статья моя и срок — полностью под указ подходят. Вот и все. А судейская коллегия, если телеграмму эту им покажут (а я все силы приложу), вдруг да затребует мое дело и поступит по закону, невзирая ни на какие телефонные или устные насчет меня запреты. Из сибирского простого упрямства. Дескать, есть закон, и баста. Мы его слуги и исполнители. Вот на это вся моя надежда. Поняла теперь? Исполни, пожалуйста. Очень уж охота на свободу. Счастливо!

* * *

— Почему, — спросил меня Бездельник, — почему ты нервничаешь, как невинная девица в первый свой рабочий вечер в бардаке? Ну, пусть не придет телеграмма, все равно ведь комиссия приедет, все равно ты ей подашь заявление. Не получится если твой блеф — давай худшее предположим, тебя не выпустят, но ведь и это не смертельно, стыдно нервничать.

— Правда, правда, — поддакнул ему Деляга. — Все равно ведь жизнь продолжается. Ты ж у нас философ, Мироныч, вот и оставайся философом.

— Ну, уж только философом не оставайся, — захохотал Писатель. — Мужиком будь, а не философом, Мироныч.

— Что это вы, гражданин Писатель, вроде как нашу передовую философскую мысль не слишком цените? — спросил Бездельник. — Мы, конечно, вас не подозреваем, что вы наших философов читаете, потому что уважаем вас, а это несовместимо, только нас ваша негативность настораживает.

— Слушайте, мужики, — сказал Писатель. — Я вам сейчас одну историю расскажу, где все правда до единого словечка, и вы тоже тогда хорошего человека никогда больше философом не обзовете.

И рассказал.

Это случилось в столице одной южной республики, в Институте философии и права. Тут название само за себя говорит: очевидно, учредителям института право казалось такой же абстрактной штукой, как философия, но дело не в этом. Жили они там и жили. Кстати, в здании, где на окнах почему-то козырьки были — то ли от солнца, чтобы мыслить не мешало, то ли для того, чтобы сотрудники института с неба звезд не хватали. Не знаю. Но опять-таки и не в этом дело. А в том, что однажды как-то, в ночь с пятницы на субботу (а возможно, и с субботы на воскресенье), кто-то неизвестный, но злоумышленный — дерзко и вызывающе насрал на стол заведующего сектором эстетики. Здоровенную кучу навалил. В понедельник утром раньше всех пришла уборщица. Ахнула она, ужаснулась нравам ученых и убрала со стола эту гадость, аккуратно вытерев стол. За что через час получила строгий устный выговор, ибо убрала она, как выяснилось, — вещественное доказательство для стремительно возбудившегося следствия. Ибо этим антиобщественным поступком, совершенным на столе ведущего эстета, занялся увлеченно весь институт, ранее изнемогавший от зеленой тоски и полной незанятости. Посыпались доносы, подписанные и анонимные. В адрес как институтского, так и вышестоящего начальства. Нет, впрочем, — подписанных не было, философы — люди предусмотрительные. Как поется, если помните, в детской песенке: «Климу Ворошилову письмо я написал, а потом подумал — и не подписал». В каждом доносе приводились вопиющие конкретные факты злодейских и вероломных интриг сотрудников друг против друга, результатом которых и явилось отмщение в виде упомянутой кучи свежего дерьма. Из вороха этих доносов неопровержимо следовало, что почти все философы и правоведы спали с женами своих друзей и сотрудников, развратничали по всему большому городу в меру своих сил и воображения, заваливали друг у друга аспирантов, подсиживали друг друга, клеветали и сплетничали, воровали безбожно и напропалую все глубокие идеи и мысли своих коллег, даже по пьяному делу дрались в рабочее и нерабочее время. Занимались заработками на стороне — так один, к примеру, философ с утра до ночи чинил и красил автомобили, а другой оказался известным всему городу книжным спекулянтом. В каждом доносе был свой сюжет и своя интрига, приводившие к одной и той же развязке — куче дерьма на столе руководящего эстета.

Этот поток интимной информации был столь густ, что, конечно, прежде всех из института за что-то вопиюще неблаговидное выгнали главного пострадавшего, самого заведующего эстетической мыслью. Потому что все понимали, что все-таки главный виновник этой кучи — он сам. Далее, как непременно водится, выгнали ученого секретаря за ослабленность научных достижений. Кому-то объявили выговор, и жизнь философов снова успокоилась.

На полгода. А через полгода — и не просто за взятки при приеме экзаменов у аспирантов, а за злостное вымогательство этих взяток — посадили в тюрьму и дали срок заведующему сектором этики. Дело этого ведущего специалиста по нравственности и морали снова породило поток доносов, но уже в них мало было свежей информации, только выяснилось, что кто с кем спал, те и продолжают спать. А еще один философ по историческому материализму каждую, как оказалось, весну возил на самолете в Москву на рынок ранние цветы и молодые овощи, но дело его замяли, ибо чей-то он оказался племянник. Случаи воровства идей и мыслей тоже больше не рассматривали, ибо подробный разбор таких дел приносил один и тот же результат: оказывалось каждый раз, что тот, у кого их украли, — сам, в свою очередь, злостный плагиатор и перелицовщик старья. Разумеется, выговоры были, а с работы выгнали только нового ученого секретаря.

Тут опять пошло время спокойной философствующей жизни, нового ученого секретаря взяли со стороны, чтоб освежить научные кадры, это был человек безупречной репутации, бывший летчик, закончивший философский факультет и имевший опубликованные труды, в институте он очень понравился коллективу тем уважением, которое проявлял равно ко всем коллегам.

А спустя полгода этот новый ученый секретарь зазвал к себе домой одного почтенного пожилого правоведа, угостил его коньяком и развлек изысканной беседой, после чего привязал простынями к стулу и подверг утонченнейшим физическим пыткам, которые несчастный правовед отказался даже впоследствии полностью описать. Этот ученый секретарь оказался давно уже состоявшим на психиатрическом учете агрессивным маниакальным больным, а все его философские труды были написаны другими людьми, нанятыми за деньги со стороны (из того же, скорей всего, института). К своей жертве-правоведу, оказывается, он давно уже имел жгучие претензии ввиду чисто теоретических расхождений в вопросах права и мироздания вообще. Пытками он хотел выудить у несчастного признание в философской неправоте и согласие на перемену взглядов. Правовед, кстати, клялся впоследствии (когда его на всякий случай стали увольнять), что он взглядам своим и убеждениям, несмотря на пытки, не изменил, и ему охотно верили, потому что знали, что у него и не было никогда никаких взглядов и убеждений. Но уволить — все равно уволили. Он потом года два до пенсии работал билетером в кинотеатре.

— Ну, — сказал Писатель, закончив, — можно после этого всерьез относиться к философии?

— М-да, — сказал Деляга задумчиво. — Вот действительно диалектический материализм.

— Жалко, что ты сел, Писатель, — сказал Бездельник с хищным любопытством, — интересно, что там делается теперь.

— Да, с этой точки зрения жалко, что я сел, — охотно согласился Писатель.

* * *

Мы томились в полутьме раннего вечера у штабного барака, где сидела приехавшая комиссия выездного суда, и разговаривали, собравшись группками. Очень холодная мела поземка, мы приплясывали время от времени на месте и курили, поворотясь к ветру спиной, но отсюда никуда не уходили. Я не знал, дошло ли мое письмо и пришла ли на зону телеграмма, я пока только отдал заявление с просьбой рассмотреть мое дело, ибо оно — по ошибке, недоразумению, спешке, писал я, — не попало в те дела, что отобрала предыдущая комиссия. Нет, не очень-то я верил в удачу, но я верил в мудрость старой притчи о мышах, гибнувших в сметане. Как покорно утонула та, что поняла безнадежность ситуации, и как дрыгала лапками другая, пока не сбила из сметаны масло, на которое опершись, выпрыгнула. Заявление мое отнес в комиссию маленький лейтенант, появившийся на зоне недавно и еще вполне доброжелательный по малости своего стажа. Он меня только подозрительно спросил — откуда же я знаю, что мое дело не представлено суду, но я вежливо объяснил ему (к вопросу был готов), что сказал мне это майор, ведавший политчастью, — а майора не было уже на зоне, его съел заместитель, что-то на него написав. Они все время от времени друг на друга что-нибудь писали, то по пьянке поругавшись, то не поделив что-нибудь, а еще их от скуки и тоски очень науськивали друг на друга жены. А доносить всегда было что, ибо каждый и на дрова себе крал с промзоны лес, и бревна привозил, если что-нибудь построить собирался, да и с деньгами творилась кутерьма — часто это был ключ к досрочному освобождению на химию. Словом, не было уже майора, съели, и лейтенанта мое объяснение полностью удовлетворило. Заявление он отнес и даже выйти не поленился, чтобы сказать, что дело обещали рассмотреть. Дай тебе Бог здоровья, лейтенант, и удачи, и чтоб человеком здесь остаться — это на самом деле очень нелегко. И опять мы стали приплясывать у барака. Вызывали по одному, но ненадолго. Освобождали по амнистии этой — ветеранов войны (если инвалиды) и беременных женщин, остальные надеялись на химию. И комиссия очень быстро рассматривала дела — ей ведь только формальности оставались. Толпа редела.

Разговоры вокруг вялые шли, уже приевшиеся зековские разговоры. Очень много в неволе хвастаются — это я давно уже заметил. Ясно, что есть два вида хвастовства: победителя и побежденного. То непрерывное петушение, которым занимался на своих пирах Александр Македонский, — конечно же, отличалось от самоутешительного хвастанья тех, кто был им побежден и повержен. Эти воспоминания, действительные и придуманные, — некое лекарство для душевного равновесия, сильно поколебленного поражением. Отсюда и хвастовство заключенных.

Жалкое и примитивное у большинства. И отсюда же, скорее всего, жажда власти над еще более слабым, стремление принизить другого, над кем-то восторжествовать — со всей мерзостью, проистекающей из этого, со всем тем, что я на зоне вдоволь повидал. Разной степени тут беды и унижения, но в беде и унижении здесь каждый. И каждый, кто как может, компенсирует свой душевный надлом. Только надлом, он все равно виден. И настолько тонет в нем человек, что почти ни на что иное сил у него не остается. Потерпевшие жизненное поражение — куда больше эгоисты, чем удачники, — тут, возможно, более подойдет слово «эгоцентризм», ибо полностью, целиком погружен человек-невольник в собственные свои переживания, заботы, горечи. И немного в нем остается для сочувствия ближнему. А если и ранее было мало сочувствия, то совсем ничего не остается. Две несомненно удивительные вещи привлекли на зоне мое внимание: никто, во-первых, никого почти не слушает здесь — не слышит, точнее, — каждый стремится сам рассказать свою историю, жизнь, надежды; становясь же слушателем, явственно замыкается, отрешается, слушает вполуха, рассеянно и оцепенело глядит куда-то. Это не просто отсутствие сострадания, это странная какая-то замкнутость в коконе собственных нелегких ощущений. А второе — это тоже о жалости, милосердии, доброте и просто участии. То, что нету их, очень страшно и вредоносно. Знал я и ранее зековскую стародавнюю поговорку (где-нибудь у Солженицына, должно быть, прочитал): «Умри ты сегодня, а я — завтра», только я ее как-то умозрительно воспринимал. Слышал и другую позднее: «Кого ебет чужое горе, когда свое невпроворот!», но все это как-то отвлеченно для меня звучало, пока с ужасом не почувствовал я в лагере, как и во мне властно поселяется эта отстраненность от всего, что делается вокруг. Так что я не о внешних наблюдениях пишу, это я по себе отлично знаю — спохватившись однажды, с холодностью потом в себе наблюдал. Не было этого на воле — многие друзья и приятели, даже малознакомые подтвердили бы, как я был отзывчив на воле. Я пишу это именно для того, чтобы свое изменение подчеркнуть. Я надеюсь (нет, я уверен), что пройдет это у меня, вернется прежнее, а вот что может вернуться к соплякам, которые с этого свою жизнь, по сути, и начали? Очень рад буду оказаться не прав. Унижения, уготованные здесь для побежденных, — они чувство чести (если раньше оно было, разумеется), чувство собственного достоинства, что было, — растаптывают довольно быстро. Возникает отсюда рабская исковерканная нравственность: не западло (замечательно точное выражение) обмануть, подвести, что-то выкрутить в своих целях, исхитриться, унизительно словчить. Это — по отношению ко всем, кто снизу. С товарищами, с равными — западло. Но товарищей нет на зоне. Или почти нет. Есть кенты — равные по иерархии, временно близкие сожители. Сплошь и рядом оказывается, что и с ними такое — не западло. Отсюда, кстати, горькая лагерная поговорка: «Сегодня кент, а завтра — мент». Вероломен, коварен, всегда готов ко лжи и предательству униженный раб. Ну конечно же, я преувеличиваю, ну конечно, я сгущаю краски, вырисовываю голую и страшную схему — конечно. Только где-то под осень вызвал меня к себе начальник оперативной части — кум, по-лагерному, традиционно страшная на зоне личность. Очень это, кстати, симпатичный и очень, по-моему, неглупый молодой старший лейтенант Данченко. Первый наш с ним разговор (я только с месяц тогда еще пробыл на зоне, когда он впервые вызвал меня) вообще был очень странным.

— Слушай, — сказал он приветливо, — таких пассажиров, как ты, у меня еще не было, честно тебе скажу. Я прямо не знаю, что мне с тобой делать: булками тебя кормить или не выпускать из изолятора. Ты сам-то как считаешь?

Я ему ответил довольно бодро, как мне тогда показалось, ибо страшно было очень, его весь лагерь боялся.

— Смотрите сами, гражданин старший лейтенант, — сказал я. — Если специального приказа на меня нету, чтобы в изоляторе держать, присмотритесь сперва. Может быть, и нету у меня ни рогов, ни хвоста, за что ж тогда в изолятор? Глаз у вас тут много, чтобы посмотреть.

— Глаз хватает, — согласился он. — А вообще тебе здесь как живется? Не жалуешься?

— Нет, все в порядке, — честно сказал я.

— Ну, а тебя не удивляет, к примеру, что почти все наши офицеры, как бы это выразиться... — он помялся чуть и усмехнулся очень молодо и симпатично, — скоты в чистом виде?

Я ответно усмехнуться не посмел.

— Если вас это не обидит, в смысле не вас, а вашу честь мундира, то согласен, — ответил я осторожно. — Но меня это ничуть не удивляет.

— Ожидал, что ли? — настаивал он.

— Догадывался, — уклончиво ответил я.

— Ладно, — сказал он. — Иди. И запомни две вещи: болтать будешь что-нибудь лишнее или будешь для зеков писать жалобы на администрацию — сгною. Понял?

— Понял, — ответил я. — Спасибо.

— Не за что, — сказал он мне вслед, сожалея, кажется, что сам сказал лишнее.

Осенью он вызвал меня опять. Только это был другой вызов: будто бы к замполиту меня дернули, а когда пришел к штабу, дневальный меня провел к куму. Он был чем-то занят и очень сосредоточен. Предложил сесть, чего за ним не водилось.

— Отзывы о тебе хорошие, — сказал он хмуро. — Хотим тебя перевести в завхозы школы. Ты как? Там надо грамотного, учителя просят.

— Если можно, гражданин начальник, я отказываюсь. Не подойду я, — отвечал я ему без колебаний, ибо не сомневался в том, что говорю. Завхоз — это надзиратель из своих же, главный его аргумент и довод — один, а драться я не мог и не собирался.

— Почему? — удивился кум. Это была лучшая, если не считать санчасти, должность на зоне, ибо некоторые учителя носили чай, была своя каптерка и почти никаких обязанностей. Кроме одной: чтобы в школе было чисто (бить дневальных) и порядок был на переменах (бить любого, кроме блатных, разумеется, но, по счастью, в их кодекс преступных снобов входило чинное и невозмутимое поведение в таких местах, как школа).

— Бить не хочу, — лаконично сказал я.

— Не хочешь или не можешь? — весело удивился он, явно имея в виду мои чисто физические данные, хотя знал прекрасно, что физическая сила здесь не главное — бьют согласно иерархии, а не по силе.

— И не могу, и не хочу, — ответил я спокойно — не ему было меня раззадорить.

— Ну и не надо, — сказал он равнодушно. — Найдутся охотники. Я тебя не за тем и вызывал. Сиди, сиди.

Вот-те на, и я сразу понял, зачем на самом деле он меня к себе вызывал. Я был давно готов к этому, удивлялся даже, что до сих пор не зовет — ему ведь наверняка уже давно сообщили, сколько знакомых у меня на зоне и сколь со многими я общаюсь по-приятельски. Ну давай, кум, я готов. Давай.

— Помогите нам, — сказал он (на «вы»). — У меня хоть глаз много, но вас тут многие уважают, доверяют вам, а что вы за мужиков заступаетесь, я тоже знаю. Помогите нам с нарушителями бороться.

— Нет, гражданин начальник, — сказал я твердо. — Не могу я это. С детства так воспитан, что не могу.

— Свидание внеочередное будет и посылку разрешу, — сказал он привычным тоном, перечисляя допущенные за стукачество льготы. — Зря отказываешься помочь.

— Вы, похоже, гражданин начальник, — сказал я, — не совсем знаете, за что я в действительности сижу. У меня в деле — что же, нету сопроводиловки насчет меня?

Это был, как именуется на зоне, «гнилой подход» — замечательное понятие, означающее заведомость и особую нацеленность разговора, когда что-нибудь надо выудить информационное (или просто полезное) из собеседника.

— Нет, — сказал он очень искренне, — ничего такого нету особого. А ты что, за что-нибудь другое сидишь?

— В общем, нет, — сказал я, отступая, ибо главное, что нужно было, уже выяснил (если он не врал, конечно, соблюдая служебную тайну). — Нет, я просто думал, что раз меня так далеко загнали, то, может быть, и написали что-нибудь ругательное.

— Зря ты отказываешься, — повторил он. — Себе же хуже делаешь. К освобождению, глядишь, досрочному время подойдет, — а за что, я тогда спрошу, досрочно его освобождать? Ты ведь не представляешь себе, хоть и не дурак, сколько на меня людей в лагере работает.

— Да немного, наверное, — снова с зековским подходом ответил я. — Откуда ж много? Ведь боятся.

— Да ползоны, считай, — назидательно сказал мне кум, желая остаться победителем в этом нашем разговоре. — Ползоны! А блатные, милый мой, почти все стучат друг на друга. Понял теперь?

Я понял. Я и сам это начал подозревать. Очень мерзко на душе у меня было, когда стал впервые догадываться. Ну, а врет он мне, так врет. И я молчал. Он отпустил меня и больше не вызывал. Разговор этот я вспомнил сейчас вечером. То ли в связи с тем, что думал о рабской нравственности и количестве на зоне стукачей, то ли в связи с тем, что нет на меня (если кум не врал) письменной усугубленной инструкции. Я ведь и строил свою игру на том, что ее нету, письменной.

Заседали у нас местные судейские власти, под указ я полностью подходил, и надежда не оставляла меня. А из лагерных наших офицеров там сидел только тихий замполит, что подсидел и выжил недавно доброго майора, вряд ли он обо мне что-нибудь знает. Надо ждать. Со мной курили, не уходя, несколько человек, а толпы прежней не было вокруг, они все уже грелись по своим баракам и гадали, когда будет этап на волю. Вызвали меня последним. Но вызвали.

Лиц комиссии я не помню, так волновался, рапортуя, что зек такой-то из такого-то отряда, статья такая-то, срок пять лет. Видел я только седого председателя в штатском, сбоку от него пожилую женщину в форме с погонами подполковника да еще краем глаза отметил, что и лейтенант-оперативник, главный кум тот самый, тоже здесь. И он встал, наклонился к председателю и что-то сказал ему, а потом сходил к себе и принес какую-то бумагу. Неужели все-таки дошла телеграмма? Я ее, конечно же, не получил, только я ведь не себе ее предназначал. А если не телеграмма это, а моя сопроводиловка, где помимо приговора поясняется, кто я есть? Да наплевать, уже ведь поздно все равно, еще минуты три — и чифирну с ребятами в бараке.

Седовласый несколько минут листал мое дело, спросил у нового замполита, нету ли за мной нарушений лагерного режима, длинно и (ей-богу!) доброжелательно посмотрел на меня. Остальные даже голов не поднимали, занятые бумагами, очень много писанины, очевидно, было оформительской, а давно уже поесть и выпить пора. Женщины-подполковника я еще почему-то опасался и поэтому смотрел на нее, но она тоже от бумаг не оторвалась.

— Есть предложение освободить, — сказал седовласый.

Остальным это было столь же безразлично, как оставить или, к примеру, прибавить срок — они вроде народных заседателей здесь были, кивалы просто. И они кивнули согласно. До чего же славные мужики.

— Освобождаетесь, — сказал седовласый. — На стройки народного хозяйства. Можете идти.

Конец этого дня я помню плохо.

* * *

— Ну и повезло тебе, Мироныч! — утром сказал Деляга восхищенно.

— Головой работать надо, — рассеянно ответил я.

— Больше не попадайся, — заботливо сказал Писатель.

— От судьбы зависит, — заметил Бездельник. — Сесть всегда есть за что. Недонесение — и то статья. Анекдот — распространение порочащих измышлений. Пожаловаться, на кого не положено, — клевета. Я уж остального не перечисляю, хотя есть. Вообще бы я весь уголовный кодекс заменил одной статьей, чтобы судьи по ней давали от года до пятнадцати по своему усмотрению, а формулировка простейшая...

Он замолчал, покуривая.

— Ну? — поторопили мы его.

— Неадекватная реакция на заботу партии и правительства, — сказал Бездельник.

— Психиатрией пахнет, — с сомнением сказал Деляга. — Лучше, может быть: «Злостно портил атмосферу глубокого удовлетворения»?

— Нет, это слабее, это в комментарий надо вставить, — сказал Писатель. — Одна фраза — кодекс, одна фраза — комментарий. И учиться тогда на юридическом будет легче, и процессы судебные упростятся. Молодец ты все-таки, Мироныч, что освободился. Водки выпьешь...

— Шрам на душе останется, — сказал Деляга.

— На душе не видно, ведь не жопа, — сказал хирург Юра чью-то явно не свою незамысловатую мудрость.

А Бездельник неожиданно захохотал громко, и сразу Юра посмотрел на него с опаской. Дело в том, что с неделю приблизительно назад Юра вдруг спросил, не хотим ли мы послушать историю, как он впервые в жизни убил человека. С интересом стали его слушать. Юра после медицинского института еще в армии служил, далеко в Туркмении, на самой границе. И будто бы пробилась через границу банда басмачей, что-то где-то сожгла и теперь шла обратно, а подразделение Юры (все очень невнятно было, и быстро стало ясно, что врет) им наперерез в штыки кинулось. И Юра будто бы в запале этой схватки штык свой в басмача так вонзил, что едва его вытащил обратно.

— И так как это был первый убитый мной человек, — продолжал Юра патетически и упоенно, — то я после боя подошел к этому трупу специально.

— Ну, и что он тебе сказал? — спросил Бездельник. И с тех пор Юра был с ним очень осторожен.

— Я историю, ребята, вспомнил одну про шрамы, — сказал Бездельник, объясняя свой смех. — Вы послушайте, она того стоит.

Замечательный один мужик шоферил всю войну на грузовой машине. Как-то лютой зимой, в очень долгий затор попав, пока дорогу чинили после обстрела, вылез он остыть и подышать. И на ледяную глыбу присел. На Ленинградском фронте было дело. А не спал перед этим суток двое. Разбудили его часа через три и сразу отвезли в медсанбат, очень крепко он отморозил себе задницу. Кончилась война, к семье вернулся, счастье полное, стал хозяйство налаживать и свиней завел, чтобы кормиться. Как-то зашел в свинарник, там электроплитка стояла — пойло свиньям греть, он ее включил, а электричества нет. Был он подвыпивши крепко. Сел на эту плитку, пригорюнился и сладко уснул. А проснулся уже от боли и дыма — дали электричество, и задницу свою он прилично сжег. Ну, ему помазали ее, забинтовали — вылечили. Жизнь лучшает с каждым днем. А спустя какое-то время мылся он в городской бане, там купил себе кружку пива, нес в предбанник, предвкушая удовольствие, и неловко так поскользнулся, что не только кружку разбил, но и сам на осколки сел. И вот тут-то, когда его в больницу доставили, посмотрел врач на его заднее многострадальное место, спросил, отчего оно так исковеркано, и сказал замечательно точные слова. Он так сказал:

— Дорогой товарищ! Именно с вашей жопы следует писать роман «Судьба человека»!

Бездельник свои байки обычно зря не загибал, и я ждал, что он сейчас мне что-то скажет. И он сказал негромко:

— Ты не радуйся пока, Мироныч, ладно? Прежде времени не радуйся, что жизнь лучшает. Обратил внимание — ведь на комиссии никого из нашего начальства не было, заметил? На охоте они где-нибудь, а то в отъезде. И вернутся не сегодня-завтра. И узнают, что дело, не случайно ими задвинутое, ты ухитрился вытащить на этот суд. Так что погоди ликовать. Согласен?

Я был согласен, спасибо тебе, Бездельник. Очень вовремя ты меня охолодил.

* * *

Что ж, последнюю надо делать запись в дневнике. Я бессмысленно и бесцельно шатаюсь уже несколько дней между бараков, сажусь покурить с кем-нибудь и снова вскакиваю, словно тороплюсь куда-то. Снова шатаюсь. Назойливо вертятся в уме неизвестно откуда взявшиеся строчки:

> Помазали свободой по губам,
> испробовать не дали ни глоточка.

Я не знаю, чьи они, да и не уверен, что знал их раньше, эдакое мог придумать и сам. Несложно. Все началось с того, что мне сперва шепнули, что начальник лагеря, с охоты приехав, отказался отпустить меня, собирается с кем-то консультироваться (я-то знал отлично — с кем), звонить куда-то и ждать приказа, а решение выездного суда хочет опротестовать. После вывесили списки тех, кого суд освободил и кто на днях уходит по этапу работать на назначенные стройки. Меня там не было. А потом три этапа ушли почти один за другим, и ясно стало, что меня тормознули прочно, что годами отмерять мне срок, а не днями, как я начал надеяться после суда. Отчаяние и тоска, владевшие мной, были чем-то странно знакомы, и забавно, что усилия вспомнить, откуда памятно мне это острое чувство безнадежности, усилия эти развеивали меня и облегчали. Вспомнить я, однако, не мог. Не было в моей жизни такого острого сочетания несправедливости, поражения, сокрушенных надежд (как они вспыхнули, мерзавки), бессилия придумать что-либо и что-нибудь предпринять. Не было. Потому что после ареста было другое ощущение: схвачен! Как в плену. И все. Словно ожидал заранее. Нет, не было такого прежде.

Однако было. Просто гораздо позже. И не мог я это вспомнить никак, потому что связано это оказалось не с реальностями моей жизни, а со сном одним в тюремной камере. До краев был наполнен этот сон весенним воздухом и весенним светом. В эти воздух и свет раннего, но солнечного апреля вышли из моей квартиры вместе со мной (все цветное было, четкое, звучащее — реальность полная) трое или четверо людей — следователи и конвой, недавно привезшие меня из тюрьмы домой почему-то (а во сне понимал даже, что надо), чтобы снова сделать обыск. И мы все стоим, окунувшись в это весеннее благоденствие, а в метре от меня мой маленький сын пускает кораблик из спичечного коробка в бурно лопочущем ручье. И я вижу, как он в азарте и ажиотаже («моя кровь» — думаю я с умилением и любовью) шлепает в своих ботиночках прямо по ручью и уже промок почти до колен, а забрызган много выше. Я протягиваю к нему руку, говорю что-то воспитательное, проверяю, не очень ли вспотел, глажу по мягким волосенкам, а когда поднимаю голову — моего конвоя нет. Ни следователей, ни сопровождения, и уже машина их скрылась за поворотом улицы. И тогда в это чувство воздуха и света вдруг вплелось такое ощущение свободы, что никак я не мог не задохнуться от прихлынувшего к горлу счастья и проснулся на этом пике сна и радости. В очень грязной, потому что очень перенаселенной, в очень душной камере тюрьмы. И вот здесь они пришли ко мне, те отчаяние и тоска, что сегодня показались знакомыми.

Надо было все эти дни держать себя в руках и следить за собой пристальней, чем обычно. Потому что перед каждым этапом идут одни и те же разговоры: дорога близкая, высадят нас, поселят в общежитие под надзор милицейской комендатуры, и можно сразу пойти и выпить. Где-нибудь поближе к базарчику непременно, чтоб соленый огурец был или банка груздей соленых. Как они хрустят, подлецы, если хорошо отмочены перед засолом! А картошки, где картошки бы нам сразу нажарить? Я сегодня не спал до трех, думая, что мне хотелось бы совершенно иного, с той же, впрочем, плотоядной остротой: добраться до библиотеки любой и до почты — позвонить родным. Но когда провалился, наконец, в сон, то увидел ту же картину: мы стоим, сгрудясь, у какого-то рыночного прилавка и заедаем водку соленым огурцом, отдающим чесноком и смородиной. Что поделаешь, не было у меня о свободе никаких высоких мыслей.

Да, так вот надо было держаться. А лицо как застыло, подлое. Я курил и ругал себя, и уговаривал, и жалел, что с далекой юности уже не верил ни в какие возвышенные примеры, а то вспомнил бы сейчас что-нибудь покруче и пришел в себя, подражая. В детстве с этим было много проще. Посмотрев, помню, фильм о Мересьеве, как он полз, обмороженный и раненый летчик, перекатываясь с боку на бок, не сдаваясь, мы с приятелем часа два, наверное, после кино ползали, как он, по снегу на большом пустыре за школой. Кажется, простудились оба. Но убедились, что при случае проползем. Хорошее было время. А кому-то в назидание здесь на зоне я рассказывал один вычитанный мной случай. Про белогвардейского офицера, сидевшего в самом первом российском лагере — на Соловках. Он за что-то был приговорен (уже там) к расстрелу, когда вдруг с корабля, привезшего с материка очередной этап, сошла — без конвоя, вольная, — его бывшая невеста (или жена), правдами и неправдами исхлопотавшая три дня свидания. И ему это свидание дали, даже комнату им где-то отвели. И три дня их видели вместе. И она смеялась громко, он рассказывал что-то ей, не умолкая, и смеялся сам, и таких счастливых людей давно не видели Соловки. А он знал ведь, что всего три дня ему осталось. А потом она собралась уезжать и взошла по сходням и обернулась, чтоб ему рукой помахать, но уже его не было на причале, потому что за углом то ли бани, то ли сторожки, не помню, он уже стоял у стены, прямо глядя в поднимающиеся дула винтовок. Очень мне когда-то врезалась в память эта прочитанная история о мужской выдержке. Но в себе я ее не находил. А ведь остаюсь — не на расстрел. Ну подумаешь — поблазнилась мне свобода. И возьми ты себя в руки, подонок. Почему ты так расслабился позорно? Ты еврейский жидкий слюнтяй.

Тут еще одна мне вспомнилась история. Было в ней библейское что-то. Я услышал ее незадолго до ареста. Уезжал в Израиль старик-патриарх со всем своим разветвившимся семейством. И уже после таможенного досмотра где-то, где сверяются с бумагами пограничники и вот-вот посадка в самолет, старика, шедшего последним, задержали вдруг и отобрали выездную визу. Может быть, в ней была какая-то неточность и назавтра же он мог бы улететь, ее исправив, — в ту минуту он ведь этого не знал. А уже отделенные от него неодолимой невидимой чертой, замедляя шаги, останавливались, не зная, идти им дальше или нет, его дочери, сыновья, зятья и невестки, внуки и даже правнуки. Что-то было их там много, как мне рассказывали. Уезжала вся его жизнь, весь смысл и интерес ее, и старик не знал, соединится ли он с ними. Но в мгновение, когда все остановились, он, растерянность свою стряхнув, закричал им громко и повелительно:

— Дети мои, не оборачивайтесь!

Мне, историю эту вспомнив, рассказать ее было некому. Ни Бездельнику, ни Писателю, ни Деляге. Потому что вчера после вечерней проверки подошел ко мне один мужик и сказал, что — завтра. Очень забавный, кстати, человек — с интересом слушал его историю. Был он майор пограничных войск, а жил в Москве и только ездил на инспекторские проверки. И уже ему было за пятьдесят, и уже он вышел на военную пенсию, когда внезапно — он и сам не ведал отчего, просто от гипноза службы освободился — вдруг открылись у него глаза на все происходящее в стране. Всю свою жизнь отдав пограничной службе, вдруг он глянул со стороны на эту жизнь, понял и осознал, что граница у нас не от шпионов вовсе и диверсантов, а чтобы мы, наоборот, не разбегались. Что это вовсе не защита от наружной мифической опасности, а обычная охрана — вроде тюремной. На десятках тысяч километров. Открытие ошеломило его, но ему и поделиться было не с кем. И сломался он, и жестоко запил. И завел себе любовницу, и ката... с ней на своей «Волге», избывая время, как ... И в подпитии крепком наехал на двух стару... ыпорхнувших из-за стоявшего автобуса. Во... Этот немолодой уже коренастый мужчина вел себя в лагере, как мальчишка — в смысле рисковости и всяких запретных дел.. Может быть, бывшие навыки пограничника его хранили, но всегда в бане, где он работал уборщиком, у него можно было и чаю попить, и поесть чего-нибудь с воли, а два раза мы даже выпивали там. Он-то и подошел ко мне вчера и сказал, чтобы я был готов назавтра к вечеру, он отправит, как обещал, все до единой мои записи на волю. И они потом ко мне вернутся.

Времени почти не оставалось. И растаяли в холодном воздухе, исчезли сразу же мои верные лагерные собеседники. И Деляга, и Писатель, и Бездельник. Потому что не было их, потому что сам себе вспоминал я всяческие истории, одиноко или в компании гуляя вокруг барака, потому что именно так именовал бы я себя в тех трех жизнях, тех трех руслах, по которым текла уже много лет моя троящаяся судьба. Это я собирал иконы, и писал различные книги, и работал инженером почти все время, и на выезд бумаги подал, когда вызвали меня вдруг и стучать предложили на друзей. Уговаривали, льстили и грозили. А всерьез разозлились, когда я подписку о неразглашении дать отказался категорически. Обещали, что пожалею потом. Уязвимый ведь человек вы — коллекционер. И нашли двух подонков, на меня показавших (дело среди воров неслыханное), что я знал, покупая у них иконы, что они краденые. И заведомый вскоре состоялся шитый белыми нитками процесс. Уж теперь и вспоминать смешно, какой я был фраер так недавно.

И тюрьма с лагерем, этот бесценный опыт, не даваемый больше ничем на свете, тоже воспримется мной, я знаю, неоднозначно, а через сознание этих трех.

Но пора мне заканчивать записки, мне их надо еще упаковать. Я сидел только что среди нестройного гомона общего расставального разговора и физически ощутимо чувствовал, как спадает с меня тяжесть перегрузки, так внезапно доставшаяся мне. Очень правильно говорят на зоне: дни текут медленно, а годы летят. Исчерпается мой срок, рассосется это трудное время, будет воля, где оставшиеся годы жить я буду насыщенней и гуще. А сейчас, когда явно лопнул вдруг возникший мираж свободы, окунусь я снова в реальность лагеря, столь питательную для прогулок вокруг барака. Отдышусь немного, снова примусь писать. Этого у меня никто не отнимет. Даже если не на чем и нечем, некогда и негде будет писать. А тебе, старый дневник, — удачи! В смысле, что не пропадай, пожалуйста!

* * *

Так как я люблю книги исключительно со счастливым концом и уверен, что этот мой предрассудок многие разделяют, не могу не дописать на воле новый конец этого лагерного дневника. Вышел я все-таки на свободу, не решились мои пастыри опротестовать столь случайное, но — решение суда. То ли им не хотелось шума, то ли рукой махнуть решили. И попал я в маленький сибирский поселок с историческим названием — Бородино. Деревню, давшую ему название, основали полторы сотни лет назад солдаты Семеновского полка, пригнанные сюда на поселение после знаменитых волнений в полку еще за пять лет до Сенатской площади. Здесь о них уже и памяти нет. И уже я здесь работать начал, а вчера и фразу дивную услышал, очень для счастливого конца подходящую. Мой приятель шофер Петя, после работы бутылью портвейна освежившись, вышел посидеть на лавочке возле своих ворот, а около него остановились две старушки соседки, я их тоже уже знал. Я за хлебом шел и к ним приближался. Говорили они явно обо мне и жене, приехавшей ко мне, — видно было по тому, как они оборачивались, глядя на меня. А когда я поравнялся и прошел, поздоровавшись, одна старушка сказала:

— Ведь они какие люди хорошие.

На что Петя-шофер ответил авторитетно:

— Хуевых не содют.

Красноярский край
1980 год

СИБИРСКИЙ ДНЕВНИК

ЧАСТЬ ПЕРВАЯ

Судьбы моей причудливое устье
внезапно пролегло через тюрьму
в глухое, как Герасим, захолустье,
где я благополучен, как Муму.

Все это кончилось, ушло,
исчезло, кануло и сплыло,
а было так нехорошо,
что хорошо, что это было.

*

Живя одиноко, как мудрости зуб,
вкушаю покоя отраду:
лавровый венок я отправил на суп,
терновый — расплел на ограду.

Приемлю тяготы скитаний,
ничуть не плачась и не ноя,
но рад, что в чашу испытаний
теперь могу подлить спиртное.

*

Все смоет дождь. Огонь очистит.
Покроет снег. Сметут ветра.
И сотни тысяч новых истин
на месте умерших вчера
взойдут надменно.

*

С тех пор, как я к земле приник,
я не чешу перстом в затылке,
я из дерьма сложил парник,
чтоб огурец иметь к бутылке.

*

Живу, напевая чуть слышно,
беспечен, как зяблик на ветке,
расшиты богато и пышно
мои рукава от жилетки.

Навряд ли кто помочь друг другу может,
мы так разобщены на самом деле,
что даже те, кто делит с нами ложе,
совсем не часто жизни с нами делят.

*

Я — ссыльный, пария, плебей,
изгой, затравлен и опаслив,
и не пойму я, хоть убей,
какого хера я так счастлив.

*

Я странствовал, гостил в тюрьме, любил,
пил воздух, как вино,
и пил вино, как воздух,
познал азарт и риск, богат недолго был
и вновь бездонно пуст. Как небо в звездах.

*

Я клянусь всей горечью и сладостью
бытия прекрасного и сложного,
что всегда с готовностью и радостью
отзовусь на голос невозможного.

Не соблазняясь жирным кусом,
любым распахнут заблуждениям,
в несчастья дни я жил со вкусом,
а в дни покоя — с наслаждением.

*

Что ни день — обнажившись по пояс,
я тружусь в огороде жестоко,
а жена, за мой дух беспокоясь,
мне читает из раннего Блока.

*

Я снизил бытие свое до быта,
я весь теперь в земной моей судьбе,
и прошлое настолько мной забыто,
что крылья раздражают при ходьбе.

*

Я, по счастью, родился таким,
и устройство мое — дефективно:
мне забавно, где страшно другим,
и смешно даже то, что противно.

Мне очень крепко повезло:
в любой тюрьме, куда ни деньте,
мое пустое ремесло
нужды не знает в инструменте.

*

Мне кажется, она уже близка —
расплата для застрявших здесь, как дома:
всех мучает неясности тоска,
а ясность не бывает без погрома.

*

Когда в душе тревога, даже стены,
в которых ты укрылся осторожно,
становятся пластинами антенны,
сигналящей, что все кругом тревожно.

*

Настолько я из разных лоскутков
пошит нехорошо и окаянно,
что несколько душевных закутков
другим противоречат постоянно.

Откуда ты, вечерняя тоска?
Совсем еще не так уже я стар.
Но в скрежете гармонию искал
и сам себя с собой мирить устал.

*

Я вернулся другим — это знает жена,
что-то прочно во мне заторможено,
часть былого меня тем огнем сожжена,
часть другая — тем льдом обморожена.

*

Порядка мы жаждем! Как формы для теста.
И скоро мясной мускулистый мессия
для миссии этой заступит на место,
и снова, как встарь, присмиреет Россия.

*

Меня растащат на цитаты
без никакой малейшей ссылки,
поскольку автор, жид пархатый,
давно забыт в сибирской ссылке.

Когда уходил я, приятель по нарам,
угрюмый охотник, таежный медведь —
— Послушай,— сказал мне,— сидел ты не даром,
не так одиноко мне было сидеть.

*

Всех, кто встретился мне на этапах
(были всякие — чаще с надломом),
отличал специфический запах —
дух тюрьмы, становящейся домом.

*

На солнце снег лучится голубой,
и странно растревожен сонный разум,
я словно виноват перед тобой,
я словно, красота, тебе обязан.

*

Кочевник я. Про все, что вижу,
незамедлительно пою,
и даже говный прах не ниже
высоких прав на песнь мою.

Когда я буду немощным и хворым,
то смерть мою хотел бы встретить я
с друзьями — за вином и разговором
о бренности мирского бытия.

*

Мы бы не писали и не пели,
все бы только ржало и мычало,
если бы Россия с колыбели
будущие песни различала.

*

Случайно мне вдруг попадается слово,
другими внезапными вдруг обрастает,
оно — только семя, кристаллик, основа,
а стих загустеет — оно в нем растает.

*

Ночью мне приснился стук в окошко.
Быстрым был короткий мой прыжок.
Это банку лапой сбила кошка.
Слава Богу — рукопись не сжег.

Мне не жаль моих азартных дней,
ибо жизнь полна противоречий:
чем она разумней, тем бедней,
чем она опасней, тем беспечней.

*

Есть время жечь огонь и сталь ковать,
есть время пить вино и мять кровать;
есть время (не ума толчок, а сердца)
поры перекурить и осмотреться.

*

По здравому, трезвому, злому суждению
Творец навсегда завещал молчаливо
бессилие — мудрости, страсть — заблуждению
и вечную смену прилива-отлива.

*

Мир так непостоянен, сложен так
и столько лицедействует обычно,
что может лишь подлец или дурак
о чем-нибудь судить категорично.

О девке, встреченной однажды,
подумал я со счастьем жажды.
Спадут ветра и холода —
опять подумаю тогда.

*

Что мне в раю гулянье с арфой
и в сонме праведников членство,
когда сегодня с юной Марфой
вкушу я райское блаженство?

*

Ко мне порой заходит собеседник,
неся своих забот нехитрый ворох,
бутылка — переводчик и посредник
в таких разноязыких разговорах.

*

Брожу вдоль древнего тумана,
откуда ветвь людская вышла;
в нас есть и Бог, и обезьяна;
в коктейле этом — тайны вишня.

Может быть, разумней воздержаться,
мысленно затрагивая небо?
Бог на нас не может обижаться,
ибо Он тогда бы Богом не был.

*

От бессилия и бесправия,
от изжоги душевной путаницы
со штанов моего благонравия
постепенно слетают пуговицы.

*

Как лютой крепости пример,
моей душою озабочен,
мне друг прислал моржовый хер,
чтоб я был тверд и столь же прочен.

*

Мы чужие здесь. Нас лишь терпят.
А мерзавец, подлец, дурак
и слепые, что вертят вертел, —
плоть от плоти свои. Как рак.

Нынче это глупость или ложь —
верить в просвещение, по-моему,
ибо что в помои ни вольешь —
теми же становится помоями.

*

Предаваясь пиршественным возгласам,
на каком-то начальном стакане
вдруг посмотришь, кем стали мы с возрастом,
и слова застревают в гортани.

*

Завари позабористей чай,
и давай себе душу погреем;
это годы приносят печаль,
или мы от печали стареем?

*

Когда сорвет беда нам дверь с петель
и новое завертит нас ненастье,
то мусор мелочей сметет метель,
а целое запомнится как счастье.

Отъявленный, заядлый и отпетый,
без компаса, руля и якорей
прожил я жизнь, а памятником ей
останется дымок от сигареты.

*

Один я. Задернуты шторы.
А рядом, в немой укоризне,
бесплотный тот образ, который
хотел я сыграть в этой жизни.

*

Даже в тесных объятьях земли
буду я улыбаться, что где-то
бесконвойные шутки мои
каплют искорки вольного света.

*

Вечно и везде — за справедливость
длится непрерывное сражение;
в том, что ничего не изменилось, —
главное, быть может, достижение.

За периодом хмеля и пафоса,
после взрыва восторга и резвости
неминуема долгая пауза —
время скепсиса, горечи, трезвости.

*

Здесь — реликвии. Это святыни.
Посмотрите, почтенные гости.
Гости смотрят глазами пустыми,
видят тряпки, обломки и кости.

*

Огонь и случай разбазарили
все, чем надменно я владел,
зато в коротком этом зареве
я лица близких разглядел.

*

Спасибо организму, корпус верный
устойчив оказался на плаву,
но все-таки я стал настолько нервный,
что вряд ли свою смерть переживу.

Мы многих в нашей жизни убиваем —
незримо, мимоходом, деловито;
с родителей мы только начинаем,
казня их простодушно и открыто.

*

Всему ища вину вовне,
я злился так, что лез из кожи,
а что вина всегда во мне,
я догадался много позже.

*

Порой оглянешься в испуге,
бег суеты притормозя:
где ваши талии, подруги?
где наша пламенность, друзья?

*

Сегодня дышат легче всех
лишь волк да таракан,
а нам остались книги, смех,
терпенье и стакан.

Плоды тысячелетнего витийства
создали и залог и перспективы
того, что в оправдание убийства
всегда найдутся веские мотивы.

*

Хоть я живу невозмутимо,
но от проглоченных обид
неясно где, но ощутимо
живот души моей болит.

*

Грусть подави и судьбу не гневи
глупой тоской пустяковой;
раны и шрамы от прежней любви —
лучшая почва для новой.

*

Целый день читаю я сегодня,
куча дел забыта и заброшена,
в нашей уцененной преисподней
райское блаженство очень дешево.

Потоком талых вод омыв могилы,
весна еще азартней потекла,
впитавши нерастраченные силы
погибших до пришествия тепла.

*

Когда по голым душам свищет хлыст
обмана, унижений и растления,
то жизнь сама в себе имеет смысл:
бессмысленного, но сопротивления.

*

Этот образ — чужой, но прокрался не зря
в заготовки моих заповедных стихов,
ибо в лагере впрямь себя чувствовал я,
как живая лиса в магазине мехов.

*

Я уже неоднократно замечал
(и не только под влиянием напитков),
что свою по жизни прибыль получал
как отчетливое следствие убытков.

Душа не в теле обитает,
и это скоро обнаружат;
она вокруг него витает
и с ним то ссорится, то дружит.

*

Листая лагерей грядущий атлас,
смотря о нас кино грядущих лет,
пришедшие вослед пускай простят нас,
поскольку, что поймут — надежды нет.

*

Мы сами созидаем и творим
и счастье, и нелепость, и засранство,
за что потом судьбу благодарим
и с жалобами тычемся в пространство.

*

Когда, отказаться не вправе,
мы тонем в друзьях и приятелях,
я горестно думаю: Авель
задушен был в братских объятиях.

За годом год я освещу
свой быт со всех сторон,
и только жаль, что пропущу
толкучку похорон.

*

Все говорят, что в это лето
продукты в лавках вновь появятся,
но так никто не верит в это,
что даже в лете сомневаются.

*

И мучит блудных сыновей
их исподлобья взгляд обратный:
трава могил, дома друзей
и общий фон, уже невнятный.

*

Из тупика в тупик мечась,
глядишь — и стали стариками;
светла в минувшем только часть —
дорога между тупиками.

Бог молчит совсем не из коварства,
просто у него своя забота:
имя его треплется так часто,
что его замучила икота.

*

Летит по жизни оголтело,
бредет по грязи не спеша
мое сентябрьское тело,
моя апрельская душа.

*

Чем пошлей, глупей и примитивней
фильмы о красивости страданий,
тем я плачу гуще и активней,
и безмерно счастлив от рыданий.

*

В чистилище — дымно, и вобла, и пена;
чистилище — вроде пивной;
душа, закурив, исцеляет степенно
похмелье от жизни земной.

Тоска и лень пришли опять
и курят мой табак уныло;
когда б я мог себя понять,
то и простить бы легче было.

*

Жизни плотоядное соцветие,
быта повседневная рутина,
склеив и грехи, и добродетели,
держат нас, как муху — паутина.

*

Земля весной сыра и сиротлива,
но вскоре, чуть закутавшись в туман,
открыто и безгрешно-похотливо
томится в ожидании семян.

*

Ничтожно мелкое роение
надежд, мыслишек, опасений —
меняет наше настроение
сильней вселенских потрясений.

Не знаю, кто диктует жизнь мою —
крылат он или мелкий бес хромой,
но почерк непрестанно узнаю —
корявый и беспутный, лично мой.

*

Сытным хлебом и зрелищем дивным
недовольна широкая масса.
Ибо живы не хлебом единым!
А хотим еще водки и мяса.

*

Навряд ли наука найдет это место,
и чудом останется чудо.
Откуда берутся стихи — неизвестно.
А искры из камня — откуда?

*

Душа лишается невинности
гораздо ранее, чем тело;
во всех оплошностях наивности —
она сама того хотела.

Прихоти, чудачества, капризы —
это честь ума не умаляет,
это для самой себя сюрпризы
грустная душа изготовляет.

*

Я ведал много наслаждений,
высоких столь же, сколь и низких,
и сладострастье сновидений —
не из последних в этом списке.

*

По капелькам, кусочкам и крупицам
весь век мы жадно ловим до кончины
осколки той блаженности, что снится,
когда во сне ликуешь без причины.

*

Средь шумной жизненной пустыни,
где страсть, и гонор, и борение,
во мне достаточно гордыни,
чтобы выдерживать смирение.

А жизнь летит, и жить охота,
и слепо мечутся сердца
меж оптимизмом идиота
и пессимизмом мудреца.

*

Раскрылась доселе закрытая дверь,
напиток познания сладок,
небесная высь — не девица теперь,
и больше в ней стало загадок.

*

Почти старик, я робко собираюсь
кому-нибудь печаль открыть свою,
что взрослым я всего лишь притворяюсь
и очень от притворства устаю.

*

Друзья мои живость утратили,
угрюмыми ходят и лысыми,
хоть климат наш так замечателен,
что мыши становятся крысами.

Серость побеждает незаметно,
ибо до поры ютится к стенкам,
а при этом гибко разноцветна
и многообразна по оттенкам.

*

Что ни год, без ошибок и промаха
в точный срок зацветает черемуха,
и царит оживленье в природе,
и друзья невозвратно уходят.

*

На свете есть таинственная власть,
ее дела кромешны и сугубы,
и в мистику никак нельзя не впасть,
когда болят искусственные зубы.

*

Духом прям и ликом симпатичен,
очень я властям своим не нравлюсь,
ибо от горбатого отличен
тем, что и в могиле не исправлюсь.

Нет, будни мои вовсе не унылы,
и жизнь моя, терпимая вполне,
причудлива, как сон слепой кобылы
о солнце, о траве, о табуне.

*

Сладок сахар, и соль солона,
пью, как пил, и живу не напрасно,
есть идеи, желанна жена,
и безумное время прекрасно.

*

Когда в душе царит разруха —
не огорчайся, выжди срок:
бывает время линьки духа,
его мужания залог.

*

Впечатывая в жизнь свои следы,
не жалуйся, что слишком это сложно;
не будь сопротивления среды —
движенье б оказалось невозможно.

За веком век уходит в никуда,
а глупости и бреду нет конца;
боюсь, что наша главная беда —
иллюзия разумности Творца.

*

Вчера я жизнь свою перебирал,
стихов лаская ветхие листки,
зола и стружки — мой материал,
а петь мечтал — росу и лепестки.

*

К приятелю, как ангел-утешитель,
иду залить огонь его тоски,
а в сумке у меня — огнетушитель
и курицы вчерашние куски.

*

Бездарный в акте обладания
так мучим жаждой наслаждений,
что утолят его страдания
лишь факты новых овладений.

Огонь печи, покой и тишина.
Грядущее и зыбко, и тревожно.
А жизнь, хотя надежд и лишена,
однако же совсем не безнадежна.

*

Я часто вижу жизнь как сцену,
где в одиночку и гуртом
всю жизнь мы складываем стену,
к которой ставят нас потом.

*

Блаженны, кто жизнь принимает всерьез,
надеются, верят, стремятся,
куда-то спешат и в жару, и в мороз,
и сны им свирепые снятся.

*

С возрастом отчетливы и странны
мысли о сложившейся судьбе:
все ловушки, ямы и капканы —
только сам устраивал себе.

Зря ты, Циля, нос повесила:
если в Хайфу нет такси,
нам опять живется весело
и вольготно на Руси.

*

Когда я оглохну, когда слепота
запрет меня в комнатный ящик,
на ощупь тогда бытия лепота
мне явится в пальцах дрожащих.

*

Ты со стихов иметь барыш,
душа корыстная, хотела?
И он явился: ты паришь,
а снег в Сибири топчет тело.

*

Слаб и грешен, я такой,
утешаюсь каламбуром,
нету мысли под рукой —
не гнушаюсь калом бурым.

Моим стихам придет черед,
когда зима узду ослабит,
их переписчик переврет
и декламатор испохабит.

*

Я тогу — на комбинезон
сменил, как некогда Овидий
(он также Публий и Назон),
что сослан был и жил в обиде,
весь день плюя за горизонт,
и умер, съев несвежих мидий.

*

То ли такова их душ игра,
то ли в этом видя к цели средство,
очень любят пыток мастера
с жертвой похотливое кокетство.

*

Приятно думать мне в Сибири,
что жребий мой совсем не нов,
что я на вечном русском пире
меж лучших — съеденных — сынов.

Мне, судя по всему, иным не стать,
меня тюрьма ничуть не изменила,
люблю свою судьбу пощекотать,
и, кажется, ей тоже это мило.

*

Боюсь, что жар и горечь судеб наших
покажется грядущим поколеньям
разнежившейся рыхлой простоквашей,
политой переслащенным вареньем.

*

И мысли, и дыхание, и тело,
и дух, в котором живости не стало, —
настолько все во мне отяжелело,
что только не хватает пьедестала.

*

В любви к России — стержень и основа
души, сносящей боль и унижение;
помимо притяжения земного,
тюремное бывает притяжение.

За года, что ничуть я не числю утратой,
за кромешного рабства глухие года
столько русской земли накопал я лопатой,
что частицу души в ней зарыл навсегда.

*

Есть жуткий сон: чудовище безлико,
но всюду шарят щупальца его,
а ты не слышишь собственного крика,
и близкие не видят ничего.

*

Сибирь. Ночная сигарета.
О стекла снег шуршит сухой,
и нет стыда, и нет секрета
в тоске невольничьей глухой.

*

Я пил нектар со всех растений,
что на пути своем встречал;
гербарий их засохших теней
теперь листаю по ночам.

Как дорожная мысль о ночлеге,
как виденье пустыни — вода,
нас тревожит мечта о побеге
и тоска от незнанья — куда.

*

Был ребенок — пеленки мочил я, как мог;
повзрослев, подмочил репутацию;
а года протекли, и мой порох намок —
плачу, глядя на юную грацию.

*

Как ты поешь! Как ты колышешь стан!
Как облик мне твой нравится фартовый!
И держишь микрофон ты, как банан,
уже к употреблению готовый.

*

Словить иностранца мечтает невеста,
надеясь побыть в заграничном кино
посредством заветного тайного места,
которое будет в Европу окно.

Мы всю жизнь в борьбе и укоризне
мечемся, ища благую весть;
хоть и мало надо нам от жизни,
но всегда чуть более, чем есть.

*

Где ты нынче? Жива? Умерла?
Ты была весела и добра.
И ничуть не ленилась для ближнего
из бельишка выпархивать нижнего.

*

В той мутной мерзости падения,
что я недавно испытал,
был острый привкус наслаждения,
как будто падая — взлетал.

*

Конечно, есть тоска собачья
в угрюмой тине наших дней,
но если б жизнь текла иначе,
своя тоска была бы в ней.

С людьми вполне живыми я живу,
но все, что в них духовно и подвижно,
похоже на случайную траву,
ломящуюся к свету сквозь булыжник.

*

Был юн — искал кого-нибудь,
чтоб душу отвести,
и часто я ходил взгрустнуть
к знакомым травести.
Теперь часы тоски пусты,
чисты и молчаливы,
а травести — давно толсты,
моральны и сварливы.

*

Чтобы прожить их снова так же,
я много дней вернуть хотел бы;
и те, что память сердца скажет,
и те, что помнит память тела.

Легко мне пить вино изгнания
среди сибирской голытьбы
от сладкой горечи сознания
своей свободы и судьбы.

*

Смеются гости весело и дружно,
побасенки щекочут их до слез;
а мне сейчас застолье это нужно,
как птице воробью — туберкулез.

*

Назад обращенными взорами,
смотря через годы и двери,
я вижу победы, которыми
обрел только стыд и потери.

*

Взамен слепой, хмельной горячности,
взамен решительности дерзкой
приходит горечь трезвой зрячести
и рассудительности мерзкой.

ЧАСТЬ ВТОРАЯ

Жена меня ласкает иногда
словами утешенья и привета:
что столько написал ты — не беда,
беда, что напечатать хочешь это.

Кроме школы тоски и смирения
я прошел, опустившись на дно,
обучение чувству презрения —
я не знал, как целебно оно.

*

На самом краю нашей жизни
я думаю, влазя на печь,
что столько я должен отчизне,
что ей меня надо беречь.

*

В предательских пространствах этих стылых —
где место, где пристанище мое?
Вот я уже в России жить не в силах
и жить уже не в силах без нее.

Тюремные прощанья — не беда,
увидимся, дожить бы до свободы;
о том, что расставались навсегда,
вдруг больно понимаешь через годы.

*

Весна сняла обузу снежных блузок
с сирени, обнажившейся по пояс,
но я уже на юных трясогузок
смотрю, почти ничуть не беспокоясь.

*

Невольник, весь я в путах строгих,
но со злорадством сознаю,
что я и в них свободней многих,
цепь охраняющих мою.

*

Я — удачник. Что-то в этом роде.
Ибо в час усталости и смуты
радость, что живу, ко мне приходит
и со мною курит полминуты.

В Сибирь я врос настолько крепко,
что сам Господь не сбавит срок;
дед посадил однажды репку,
а после вытащить не смог.

*

Сколько света от схватки идей,
сколько свежести в чувственной гамме;
но насмотришься сук и блядей —
жирно чавкает грязь под ногами.

*

В том, что я сутул и мешковат,
что грустна фигуры география,
возраст лишь отчасти виноват,
больше виновата биография.

*

Учусь терпеть, учусь терять
и при любой житейской стуже
учусь, присвистнув, повторять:
плевать, не сделалось бы хуже.

Вот человек: он пил и пел,
шампанским пенился брожением,
на тех, кто в жизни преуспел,
глядит с брезгливым уважением.

*

Есть власти гнев и гнев Господень.
Из них которым я повержен?
Я от обоих не свободен,
но Богу — грех, что так несдержан.

*

Слова в Сибири, сняв пальто,
являют суть буквальных истин:
так, например, беспечен тот,
кто печь на зиму не почистил.

*

Я проснулся несчастным до боли в груди —
я с врагами во сне пировал;
в благодарность клопу, что меня разбудил,
я свободу ему даровал.

Города различались тюрьмой —
кто соседи, какая еда;
навсегда этот праздник со мной,
хоть не праздничен был он тогда.

*

Скачет слов оголтелая конница,
стычки строчек и фраз теснота;
их рифмую не я, а бессонница,
сигарета, весна, темнота.

*

Как жаждет славы дух мой нищий!
Чтоб через век в календаре
словно живому (только чище)
сидеть, как муха в янтаре.

*

Как молодость доспехами бряцала!
Какой бывала зрелость удалой!
Остыли, как восторг провинциала
в промозглости столицы пожилой.

Моим конвойным нет загадок
ни в небесах, ни в них самих,
царит уверенный порядок
под шапкой в ягодицах их.

*

Муки творчества? Я не творю,
не мечусь, от экстаза дрожа;
черный кофе на кухне варю,
сигарету зубами держа.

*

Наша кровь – родня воде морской,
это от ученых нам известно,
может, потому такой тоской
мучаемся мы, когда нам пресно?

*

Служить высокой цели? Но мой дом
ни разу этой глупостью не пах.
Мне форма жмет подмышки. И притом
тревожит на ходу мой вольный пах.

О чем судьба мне ворожит?
Я ясно слышу ворожею:
ты гонишь волны, старый жид,
а все сидят в гавне по шею.

*

Конец апреля. Мутный снег,
не собирающийся таять,
и мысль о том, что труден век,
но коротка, по счастью, память.

*

Учить морали — глупая морока,
не лучшая, чем дуть на облака;
тебе смешна бессмысленность урока,
а пафос твой смешит ученика.

*

Разумность — не загадка, просто это
способность помнить в разные моменты,
что в жизни нет обратного билета,
а есть налоги, иски, алименты.

Сколь мудро нас устроила природа,
чтоб мы не устремлялись далеко:
осознанное рабство — как свобода:
и даль светла, и дышится легко.

*

Забавно, что стих возникает из ритма;
в какой-то момент, совершенно случайный,
из этого ритма является рифма,
а мысли приходят на свет ее тайный.

*

Когда б из рая отвечали,
спросить мне хочется усопших —
не страшно им ходить ночами
сквозь рощи девственниц усохших?

*

Тоски беспочвенное чувство —
души послание заветное
о том, что гнилостно и гнусно
ей наше счастье беспросветное.

С природой здесь наедине,
сполна достиг я опрощения;
вчера во сне явились мне
Руссо с Толстым, прося прощения.

*

Был подражатель, стал учеником,
и в свет его ввела одна волчица;
но слишком был с теорией знаком,
чтоб лепету и бреду научиться.

*

Я уважал рассудка голос,
к нему с почтеньем слух склонял,
но никогда на малый волос
решений глупых не менял.

*

Сомнительная личность — это кот,
что ластится и жаждет откровений;
сомнительная личность — это тот,
о ком уже все ясно без сомнений.

Мне кажется, наука с ее трезвостью,
умом и сединою в волосах
копается в природе с наглой резвостью
мальчишки, что копается в часах.

*

Грозным запахом ветер повеял,
но покой у меня на душе;
хорошо быть сибирским евреем —
дальше некуда выслать уже.

*

Столько волчьего есть в его хватке,
так насыщен он хищным огнем,
что щетинится мех моей шапки,
вспоминая о прошлом своем.

*

В неусыпном душевном горении,
вдохновения полон могучего,
сочинил я вчера в озарении
все, что помнил из Фета и Тютчева.

И в городе не меньше, чем в деревне,
едва лишь на апрель сменился март,
крестьянский, восхитительный и древний
цветет осеменительный азарт.

*

А ночью небо раскололось,
и свод небес раскрылся весь,
и я услышал дальний голос:
не бойся смерти, пьют и здесь.

*

Сейчас не бог любви, а бог познания
питает миллионов нищий дух,
и строит себе культовые здания,
и дарит муравьям крылатость мух.

*

Кто жизнь в России жил не зря,
тому грешно молчать, —
он отпечатки пальцев зла
умеет различать.

Балагуря, сквернословя и шутя,
трогал столькие капканы я за пасть,
что в тюрьму попал естественно, хотя
совершенно не туда хотел попасть.

*

Уже в костях разлад и крен,
а в мысли чушь упрямо лезет,
как в огороде дряхлый хрен
о юной редьке сонно грезит.

*

Что я сидел в тюрьме — не срам,
за верность чести в мышеловку
был загнан я. Как воин шрам,
люблю свою татуировку.

*

Покой исчез, как не было его,
опять я предан планам и химерам;
увы, штанам рассудка моего
характер мой никак не по размерам.

Боюсь попасть на землю предка
и ничего не ощутить,
ведь так давно сломалась ветка,
и так давно прервалась нить.

*

Мой воздух чист, и даль моя светла,
и с веком гармоничен я и дружен,
сегодня хороши мои дела,
а завтра они будут еще хуже.

*

Конечно, жизнь — игра. И даже спорт.
Но как бы мы себя ни берегли,
не следует ложиться на аборт,
когда тебя еще и не ебли.

*

Исчезли и зелень и просинь,
все стало осклизлым и прелым,
сиротская стылая осень
рисует по серому серым.

Не зная зависти и ревности,
мне очень просто и легко
доить из бурной повседневности
уюта птичье молоко.

*

Вчера я думал в темной полночи,
что мне в ошейнике неволи
боль от укусов мелкой сволочи
острей и глубже главной боли.

*

Очевидное общее есть
в шумной славе и громком позоре:
воспаленные гонор и честь
и смущенная наглость во взоре.

*

Новые во мне рождает чувства
древняя крестьянская стезя:
хоть роскошней роза, чем капуста,
розу квасить на зиму нельзя.

Слегка курчавясь днями выходными,
дым времени струится в никуда,
и все, что растворимо в этом дыме,
уносится без эха и следа.

*

Неясное дыханье колдовства,
забытые за древностью поверья
на душу навевает нам листва,
которой плачут осенью деревья.

*

Мой друг — иной, чем я, породы
ввиду несходства чрезвычайного:
мне дорог тайный звук природы,
ему — природа звука тайного.

*

Даровит, образован и знаний букет,
ясен ум и суждения быстры,
но способности есть, а призвания нет,
а бензин — только жидкость без искры.

Муза истории, глядя вперед,
каждого разно морочит;
истая женщина каждому врет
именно то, что он хочет.

*

Часто мы виновны сами
в наших промахах с девицами,
ибо многие задами
говорят не то, что лицами.

*

Царствует кошмарный винегрет
в мыслях о начале всех начал:
друг мой говорил, что Бога нет,
а про черта робко умолчал.

*

А закуришь, вздохни беспечально
у заросшей могилы моей:
как нелепо он жил и случайно,
очень русским был этот еврей.

Живу я безмятежно и рассеянно;
соседи обсуждают с интересом,
что рубль, их любимое растение,
нисколько я не чту деликатесом.

*

Пожить бы сутки древним циником:
на рынке вставить в диспут строчку,
заесть вино сушеным фиником
и пригласить гречанку в бочку.
Под утро ножкою точеной
она поерзает в соломе,
шепча, что я большой ученый,
но ей нужней достаток в доме.
Я запахну свою хламиду,
слегка в ручье ополоснусь,
глотком воды запью обиду
и в мой сибирский плен вернусь.

*

Жаркой пищи поглощение
вкупе с огненной водой —
мой любимый вид общения
с окружающей средой.

Печальная нисходит благодать
на тех, кто истолчен в житейской ступке:
умение понять и оправдать
свои неблаговидные поступки.

*

Пожив посреди разномастного сброда,
послушав их песни, мечты и проклятия,
я вспомнил забытое слово: порода,
и понял, как подлинно это понятие.

*

Есть люди — как бутылки: в разговоре
светло играет бликами стекло,
но пробку ненароком откупорил —
и сразу же зловонье потекло.

*

Мой дух ничуть не смят и не раздавлен;
изведав и неволю и нужду,
среди друзей по рабству я прославлен
здоровым отвращением к труду.

Мои пути так непутевы,
беспутны так мои пути,
что только путаница слова
мне помогла по ним пройти.

*

Всем дамам улучшает цвет лица
без музыки и платья чудный танец,
но только от объятий подлеца
гораздо ярче свежесть и румянец.

*

С доброжелательством ребенка
живу с тех пор, как был рожден,
и задушевностью подонка
бывал за это награжден.

*

Давно старики наши с нами расстались,
уйдя без обиды на вечный покой;
за все, что ушедшим должны мы остались,
отплатят нам дети — сполна и с лихвой.

Должно быть, в этом годы виноваты:
внезапно все смеркается вокруг,
и острое предчувствие утраты
мучительно пронизывает вдруг.

*

Не дослужась до сытой пенсии,
я стану пить и внуков нянчить,
а также жалобными песнями
у Бога милостыню клянчить.

*

Творя научные мистерии,
познанье чувствам предпочтя,
постигли мы распад материи,
распада духа не учтя.

*

Для всех распахнут я до дна,
до крайнего огня,
но глубже — темная стена
внутри вокруг меня.

Я уравновесил коромысло
с ведрами желания и долга,
только очень мало вижу смысла
в том, что я несу его так долго.

*

Судьбы своей тасуя ералаш,
я вижу из поблескиванья фактов,
что чем обыкновенней опыт наш,
тем больше в нем с поэзией контактов.

*

Есть в жизни магистральные пути,
где сомкнутой толпы пылит пехота,
но стоит ненадолго с них сойти,
и больше возвращаться неохота.

*

Я не спорю — он духом не нищий.
Очень развит, начитан, умен.
Но вкушая духовную пищу,
омерзительно чавкает он.

Муза — полуведьма, полудама.
Взбалмошная, вечно молодая.
Ветрена, капризна и упряма
и уходит, не предупреждая.

*

Жалко, если сбудется мой бред,
но уже дымит на мне рубаха;
я рисую времени портрет,
и оно расплатится с размаха.

*

Вдруг плесень мха со старых стен
уколет сердце бурым тлением,
и всех логических систем
не хватит справиться с волнением.

*

Я машину свою беспощадно гонял,
не боясь ни погоды, ни тьмы;
видно, ангел-хранитель меня охранял,
чтобы целым сберечь для тюрьмы.

Когда душа облита ложью
и жирным чадом грязных дней,
окурок в пепельнице может
родить отчаяние в ней.

*

Я был нелепым, был смешным,
я просто тек, журча,
но море было бы иным
без моего ручья.

*

Проходимец и безобразник,
верю: будет во вторник-среду
и на нашей улице праздник;
только дайте сперва я съеду.

*

Вот ведь чудо: чистый атеизм
в годы, когда в космос кинут мост,
стал почти такой же атавизм,
как покров из шерсти или хвост.

Живем ожиданием чуда,
оно не случиться не может,
и мы в него верим, покуда
не видим, что век уже прожит.

*

В те дни, когда поступки событийные
подростки начинают затевать,
родители — фигуры комедийные,
что очень им обидно сознавать.

*

Со старым другом спор полночный.
Пуста бутыль, и спит округа.
И мы опять не помним точно,
в чем убедить хотим друг друга.

*

Снова завтра день судьба пошлет,
снова что-то вспомню из былого,
снова день прольется напролет
в ловле ускользающего слова.

Склонен до всего коснуться глазом
разум неглубокий мой, но дошлый,
разве что в политику ни разу
я не влазил глубже, чем подошвой.

*

Бывает зло — оно стеной
стоит недвижной и глухою,
но повернись к нему спиной —
само становится трухою.

*

Пускай бы, когда свет почти померк,
душа, уже рванувшаяся ввысь,
из памяти взрывала фейерверк
секунд, что в этой жизни удались.

*

Между мелкого, мерзкого, мглистого
я живу и судьбу не кляну,
а большого кто хочет и чистого,
пусть он яйца помоет слону.

Мы все — пылинки на планете.
Земля — пылинка во Вселенной.
Я сплю. Уютны мысли эти
моей ленивой плоти тленной.

*

Когда фортуна даст затрещину,
не надо нос уныло вешать,
не злись на истинную женщину,
она вернется, чтоб утешить.

*

Вот и старость. Шаркая подошвами,
шагом по возможности нескорым
тихо направляемся мы в прошлое,
только что смеялись над которым.

*

Такие нас опутывают путы,
такая рвать их тяжкая работа,
что полностью свободны мы в минуты,
пока сличает смерть лицо и фото.

Когда очередной душевный сумрак
сгущается кромешной пеленой,
я книгу вспоминаю, где рисунок:
отрекшись, Галилей пришел домой.

*

В пылу любви ума затмение
овладевает нами всеми —
не это ль ясное знамение,
что Бог устраивает семьи?

*

Стихи мои в забвении утонут,
хоть вовсе их пишу не для того,
но если никого они не тронут,
то жалко не меня, а никого.

*

Я трубку набиваю табаком.
Как тягостны часы в ползущем дне!
Никак я не почувствую, по ком
звонит сегодня колокол во мне.

В безумных лет летящей череде
дух тяжко без общенья голодает;
поэту надо жить в своей среде:
он ей питается, она его съедает.

*

На тихих могилах — две цифры у всех,
а жизнь — между ними в полоске.
И вечная память. И шумный успех.
И мнимореальные доски.

*

К чужой судьбе, к чужой мольбе
кто не склонял свой слух,
тот будет сам пенять себе,
что был так долго глух.

*

Конечно, я пришел в себя потом,
но стало мне вдруг странно в эту осень,
что грею так бестрепетно свой дом
я трупами берез, осин и сосен.

Нас будто громом поражает,
когда девица (в косах бантики),
играя в куклы (или в фантики),
полна смиренья (и романтики),
внезапно пухнет и рожает.
Чем это нас так раздражает?

*

От точки зрения смотрящего
его зависит благодать,
и вправе он орла парящего
жуком навозным увидать.
Но жаль беднягу.

*

Давно заметил я: сияние
таланта, моря, мысли, света —
в нас вызывает с ним слияние,
и мы в себе уносим это.

Время поворачивая вспять,
как это смешно — не замечая,
тянемся заваривать опять
гущу из-под выпитого чая.
А близость с тем, а нежность к той
давно мертвы,
и память стала — как настой
разрыв-травы.

*

Вновь себя рассматривал подробно:
выщипали годы мои перья;
сестрам милосердия подобно,
брат благоразумия теперь я.

*

То утро помню хорошо:
среди травы, еще росистой,
тропой утоптанной российской
я меж овчарок в лагерь шел.

Порою поступаю так постыдно,
как будто не в своем слегка уме;
наследственные корни, очевидно,
воюют меж собой в душевной тьме.

*

Всегда, мой друг, наказывали нас,
карая лютой стужей ледяной;
когда-то, правда, ссылкой был Кавказ,
но там тогда стреляли, милый мой.

*

Эта мысль давно меня терзает,
учит ее в школе пятый класс:
в мире ничего не исчезает;
кроме нас, ребята, кроме нас.

*

Крушу я ломом грунт упорный,
и он покорствует удару,
а под ногтями траур черный —
по моему иному дару.

Любовь и пьянство — нет примера
тесней их близости на свете;
ругает Бахуса Венера,
но от него у ней и дети.

*

Есть кого мне при встрече обнять;
сядем пить и, пока не остыли,
столько глупостей скажем опять,
сколько капель надежды в бутыли.

*

Свободы лишь коснуться стоит нам,
я часто это видел на веку:
помазанный свободой по губам
уже стремится к полному глотку.

*

И не спит она ночами,
и отчаян взгляд печальный,
утолит ее печали
кто-нибудь совсем случайный.

В жизни этой, суетной и краткой
(так ли это, кажется ли мне),
вижу я то мельком, то украдкой
явное вмешательство извне.
Но чье — не знаю.

*

Что сложилось не так,
не изменишь никак
и назад не воротишь уже,
только жалко, что так
был ты зелен, дурак,
а фортуна была в неглиже.

*

Не чаши страданий, а чашки
хватает порой для лечения,
чтоб вовсе исчезли замашки
любые искать приключения.

*

Тигра гладить против шерсти так же глупо,
как по шерсти.
Так что если гладить,
то, конечно, лучше против шерсти.

Пою как слышу. А традиции,
каноны, рамки и тенденция —
мне это позже пригодится,
когда наступит импотенция.

*

Если так охота врать,
что никак не выстоять,
я пишу вранье в тетрадь
как дневник и исповедь.

*

Окунулся я в утехи гастрономии,
посвятил себя семейному гнезду,
ибо, слабо разбираясь в астрономии,
проморгал свою счастливую звезду.

*

Великие событья — тень назад
бросают очертаньями своими,
но наши аккуратные глаза
не видят нежелаемое ими.

Нет, я в рабах не долго хаживал,
я только пять прибавлю скудных
в те миллионы лет подсудных,
Россией съеденные заживо.

*

Поверь мне, грустный мой приятель,
твои терзания напрасны:
на Солнце тоже много пятен,
но и они на нем прекрасны.

*

Чего хочу, того ищу,
хочу уйти от власти Рима,
и щуплых пращуров прищур
во мне участвует незримо.

*

На мои вопросы тихие
о дальнейшей биографии
отвечали грустно пифии:
нет прогноза в мире мафии.

В нас посевает жизнь слепая
продленной детскости заразу,
и зрелость, поздно наступая,
уже с гнильцой бывает сразу.

*

Наука, ты помысли хоть мгновение,
что льешь себе сама такие пули:
зависит участь будущего гения
от противозачаточной пилюли.

*

Живу, ничуть судьбу не хая
за бурной жизни непокой:
погода самая плохая —
гораздо лучше никакой.

*

В надежде, что свирепые морозы
во мне произведут метаморфозы,
был сослан я в сибирские края,
где крепче стала ветреность моя.

По вороху надежд, сухих и ветхих,
вдруг искра пробегает временами,
и почки наливаются на ветках
у дерева с истлевшими корнями.

*

Мы от любви теряем в весе
за счет потери головы
и воспаряем в поднебесье,
откуда падаем, увы.

*

Когда вершится смертный приговор,
душа сметает страха паутину.
Пришла пора опробовать прибор,
сказал король, взойдя на гильотину.

*

Ты люби, душа моя, меня,
ты уйми, душа моя, тревогу,
ты ругай, душа моя, коня,
но терпи, душа моя, дорогу.

Хоть и тонешь там и тут,
грязь весны и слякоть осени —
как разлука, если ждут,
и разлука, если бросили.

*

Внезапна гибель светлых дней,
а мы ее так часто видели,
что чем нам лучше, тем страшней,
а чем темнее, тем обыденней.

*

Сибирь. Весна. Потери и уроны
несет снегам сиянье с высоты.
Орут с берез картавые вороны
о горечи и грусти красоты.

*

Куда б меня судьбой ни занесло,
в какую ни согни меня дугу,
высокого безделья ремесло
я правлю, как умею и могу.

Не мучусь я, что бытом жизнь полна,
иное мне мучительно и важно:
растления зловонная волна
с ленивой силой
душу лижет влажно.

*

Мечтал бы сыну передать я,
помимо знаний и сомнения,
отнюдь не все мои проклятья,
но все мои благословения.

*

Действуя размашисто и тонко
страхом, похвалой и жирным кусом,
дух эпохи вылепил подонка
с грацией, достоинством и вкусом.

*

В те дни, когда я пал на дно,
раскрылось мне сполна,
что всюду есть еще одно
дно у любого дна.

Но взрыв, и бунт, и пламень этот —
избавь нас Бог увидеть снова,
минуй всех нас российский метод
лечить болезнь, убив больного.

*

Я верю в мудрость правил и традиций,
весь век держусь обычности привычной,
но скорбная обязанность трудиться
мне кажется убого-архаичной.

*

Нечаянному счастью и беде
отыскивая место в каждом быте,
на дереве реальности везде
есть почки непредвиденных событий.

*

Жить, покоем дорожа —
пресно, тускло, простоквашно;
чтоб душа была свежа,
надо делать то, что страшно.

Слухи, сплетни, склоки, свары,
клевета со злоязычием,
попадая в мемуары,
пахнут скверной и величием.

*

Когда между людьми и обезьянами
найдут недостающее звено,
то будет обезьяньими оно
изгоями с душевными изъянами.

*

Есть люди сна, фантазий и мечты,
их души дышат ночи в унисон,
а сутолока скользкой суеты,
творящаяся днем, — их тяжкий сон.

*

Если бабе семья дорога,
то она изменять если станет,
ставит мужу не просто рога,
а рога изобилия ставит.

Поверх и вне житейской скверны,
виясь, как ангелы нагие,
прозрачны так, что эфемерны,
витают помыслы благие.

*

Тускнеет радость от познания
людей, событий и явлений;
на склоне лет воспоминания
живее свежих впечатлений.

*

Думаю, что в смутной ностальгии
нас еще не раз помянут люди:
лучше будут, хуже и другие,
нас уже таких потом не будет.

*

Приходя как возмещение
всех потерь за жизнь напрасную,
понимание — прощение
осеняет осень ясную.

1981—1984 гг.

МОСК О ВСКИЙ

ДНЕВНИК

Напрасно телевизоров сияние,
театры, бардаки, консерватории —
бормочут и елозят россияне,
попав под колесо своей истории.

Вернулся я в загон для обывателей
и счастлив, что отделался испугом;
террариум моих доброжелателей
свихнулся и питается друг другом.

*

Евреи кинулись в отъезд,
а в наших жизнях подневольных
опять болят пустоты мест —
сердечных, спальных и застольных.

Я вдруг оглянулся: вокруг никого.
Пустынно, свежо, одиноко.
И я — собеседник себя самого —
у времени сбоку припека.

*

Я с грустью замечал уже не раз,
что в тонкостях морального оттенка
стыдливая проскальзывает в нас
застенчивость сотрудников застенка.

*

Люблю я дни и ночи эти,
игру реалий, лепет бредней,
я первый раз живу на свете,
и очень жалко, что последний.

*

Не вижу ни смысла, ни сроков,
но страшно позволить себе
блудливую пошлость упреков
эпохе, стране и судьбе.

Забавно, что так озабочена
эпоха печатных клише
наличием личного почерка
в моей рукописной душе.

*

И я бы, мельтеша и суетясь,
грел руки у бенгальского огня,
но я живу на век облокотясь,
а век облокотился на меня.

*

Всегда в нестройном русском хоре
бывал различен личный нрав,
и кто упрямо пел в миноре,
всегда оказывался прав.

*

Нет, не грущу, что я изгой
и не в ладу с казенным нравом,
зато я левою ногой
легко чешу за ухом правым.

Забыли все в моей отчизне,
что это грех — путем Господним
идти, взыскуя чистой жизни,
в белье нестираном исподнем.

*

Становится вдруг зябко и паскудно,
и чувство это некуда мне деть;
стоять за убеждения нетрудно,
значительно трудней за них сидеть.

*

Бог очень любит вдруг напомнить,
что всякий дар — лишь поручение,
которое чтобы исполнить,
нельзя не плыть против течения.

*

Выбрал странную дорогу
я на склоне дней,
ибо сам с собой не в ногу
я иду по ней.

Стыжусь примет и суеверий,
но верю в то, что знаю точно:
когда стучатся ночью в двери,
то это обыск, а не почта.

*

Покуда жив и духом светел —
не жди, не верь и не жалей;
в России текст авторитетен
посмертной свежестью своей.

*

Весьма уже скучал я в этом мире,
когда — благодарение Отчизне! —
она меня проветрила в Сибири
и сразу освежила жажду жизни.

*

И женщины нас не бросили,
и пить не устали мы,
и пусть весна нашей осени
тянется до зимы.

Мы еще живем и тратим сочно
силы, не исчерпанные дочиста,
но уже наслаиваем прочно
годовые кольца одиночества.

*

Не нам и никому не воплотить
усладу и утеху упоения,
когда вдруг удается ощутить
материю мелькнувшего мгновения.

*

В кишении, борьбе, переполохе —
нелепы, кто пером бумагу пашет,
но чахнут величавые эпохи,
а слово отпевает их и пляшет.

*

Когда с утра смотреть противно,
как морда в зеркале брюзглива,
я не люблю себя. Взаимно
и обоюдосправедливо.

Он мало спал, не пил вино
и вкалывал, кряхтя.
Он овладел наукой, но
не сделал ей дитя.

*

Который год в крови и прахе
делами, чувством и пером
себе мы сами строим плахи
и сами машем топором.

*

Сталин умер, не гася свою трубку,
и живя в ее повсюдном дыму,
продолжаем мы вертеть мясорубку,
из которой не уйти никому.

*

Столько пламени здесь погасили,
столько ярких задули огней,
что тоскливая серость в России
тусклой мглой распласталась над ней.

Благодарю тебя, отечество,
за изживаемые начисто
остатки веры в человечество,
души тоскливое чудачество.

*

Во тьме и свечка без усилий
подобна пламенной звезде;
гнилушки светятся в России
гораздо ярче, чем везде.

*

Эпическая гложет нас печаль
за черные минувшие года;
не прошлое, а будущее жаль,
поскольку мы насрали и туда.

*

Люблю слова за лаконичность:
луч лаконической строки
вдруг так высвечивает личность,
что видно духа позвонки.

Крича про срам и катастрофу,
порочат власть и стар и млад,
и все толпятся на Голгофу,
а чтоб распяли — нужен блат.

*

Ко мне вот-вот придет признание,
меня поместят в списке длинном,
дадут медаль, портфель и звание
и плешь посыпят нафталином.

*

Зря моя улыбка беспечальная
бесит собутыльников моих:
очень много масок у отчаянья,
смех — отнюдь не худшая из них.

*

Двух миров посреди мой дворец из досок,
двух миров я изгой и приблуда;
между злом и добром есть пространства кусок,
и моя контрабанда — оттуда.

Любовь с эмиграцией — странно похожи:
как будто в объятья средь ночи
кидается в бегство кто хочет и может,
а кто-то не может, а хочет.

*

А мы, кто боится дороги другой,
скользим по накатанным рельсам,
легко наступая привычной ногой
на горло собственным пейсам.

*

Самим себе почти враги,
себя напрасно мы тревожим —
с чужой начинкой пироги,
мы стать мацой уже не можем.

*

Я счастлив одним в этом веке гнилом,
где Бог нам поставил стаканы:
что пью свою рюмку за тем же столом,
где кубками пьют великаны.

В каждый миг любой эпохи
всех изученных веков
дамы прыгали, как блохи,
на прохожих мужиков.

*

Учился, путешествовал, писал,
бывал и рыбаком, и карасем;
теперь я дилетант-универсал
и знаю ничего, но обо всем.

*

Дух осени зловещий
насквозь меня пронял,
и я бросаю женщин,
которых не ронял.

*

Россия красит свой фасад,
чтоб за фронтоном и порталом
неуправляемый распад
сменился плановым развалом.

Россия нас ядом и зверем
травила, чтоб стали ученые,
но все мы опять в нее верим,
особенно — обреченные.

*

То ли с выпивкой перебрал,
то ли время тому виной,
только чувство, что проиграл,
неразрывно теперь со мной.

*

Запой увял. Трезвеют лица.
Но в жажде славы и добра
сейчас мы можем похмелиться
сильней, чем выпили вчера.

*

Россияне живут и ждут,
уловляя малейший знак,
понимая, что наебут,
но не зная, когда и как.

Очень грустные мысли стали
виться в воздухе облаками:
все, что сделал с Россией Сталин,
совершил он ее руками.
И Россия от сна восстала,
но опять с ней стряслась беда:
миф про Когана-комиссара
исцелил ее от стыда.

*

В душе осталась кучка пепла,
и плоть изношена дотла,
но обстоят великолепно
мои плачевные дела.

*

Земная не постыла мне морока,
не хочется пока ни в ад, ни в рай;
я, Господи, не выполнил урока,
и Ты меня зазря не призывай.

Ни успехов, ни шумных похвал,
ни покоя, ни крупной казны —
я не знал, ибо все отдавал
за щемящий озноб новизны.

*

Я ловлю минуту светлую,
я живу, как жили встарь,
я на жребий свой не сетую —
в банке шпрот живой пескарь.

*

Жаль тех, кто не дожил до этих дней,
кто сгинул никуда и навсегда,
но, может быть, оттуда им видней
кошмарные грядущие года.

*

К добру или к худу, но все забывают
шумливые стайки юнцов,
и дети убитых легко выпивают
с детьми палачей их отцов.

Свобода с творчеством — повенчаны,
тому есть многие приметы,
но прихотливо переменчивы
их тайной связи пируэты.

*

За чувство теплого комфорта,
слегка подпорченного страхом,
я здесь жилец второго сорта,
опасность чувствующий пахом.

*

У нищей жизни — преимущество
есть в наших сумерках стальных:
за неимением имущества
я чуть вольнее остальных.

*

Устав от свар совместной жизни,
взаимной страсти не гарант,
я импотент любви к отчизне,
потенциальный эмигрант.

Дым отечества голову кружит,
затвори мне окно поплотней:
шум истории льется снаружи
и мешает мне думать о ней.

*

В уцелевших усадьбах лишь малость,
бывшей жизни былой уголок —
потолочная роспись осталась,
ибо трудно засрать потолок.

*

Верна себе, как королева,
моя держава:
едва-едва качнувшись влево,
стремится вправо.

*

Несясь гуртом, толпой и скопом
и возбуждаясь беспредельно,
полезно помнить, что по жопам
нас бьют впоследствии раздельно.

Возросши в рабстве, я свободен
душой постичь его края;
в неволе сгнивши, я не годен
к иной свободе, чем моя.

*

Но если слова, словно числа,
расчислишь с усердьем слепым,
то сок внесловесного смысла
струится по строчкам скупым.

*

Я легкомысленный еврей
и рад, что рос чертополохом,
а кто серьезней и мудрей —
покрылись плесенью и мохом.

*

Порой мы даже не хотим,
но увлекаемся натурой,
вступая в творческий интим
с отнюдь не творческой фигурой.

Пока душа не вынеслась в астрал,
сидел я и в цепях, и на ковре,
а выиграл я или проиграл —
неважно, ибо цель в самой игре.

*

Странно я жил на свете,
путь мой был дик и смутен,
мне даже встречный ветер
часто бывал попутен.

*

Из России съезжать не с руки
для живущего духом еврея,
ибо здесь мы живем вопреки,
а от этого чувства острее.

*

В час, когда, безденежье кляня,
влекся я душой к делам нечистым,
кто-то щелкал по носу меня;
как же я могу быть атеистом?

Все минуло — штормы и штили,
теперь мы судачим часами,
во что они нас превратили
и что мы наделали сами.

*

Есть люди, которым Господь не простил
недолгой потери лица:
такой лишь однажды в штаны напустил,
а пахнет уже до конца.

*

Пробужденья гражданского долга
кто в России с горячностью жаждал —
охлаждался впоследствии долго,
дожидаясь отставших сограждан.

*

За то, что столько опыта и сил
набрался — лишь России я обязан;
тюрьмой, однако, долг я погасил,
теперь я лишь любовью с нею связан.

Повсюду, где евреи о прокорме
хлопочут с неустанным прилежанием,
их жизнь, пятиконечная по форме,
весьма шестиконечна содержанием.

*

Ночь глуха, но грезится заря.
Внемлет чуду русская природа.
Богу ничего не говоря,
выхожу один я из народа.

*

Когда у нас меняются дела,
молчат и эрудит, и полиглот;
Россия что-то явно родила
и думает, не слопать ли свой плод.

*

Неясен курс морской ладьи,
где можно приказать
рабам на веслах стать людьми,
но весел не бросать.

Сгущается время, исчерпаны сроки,
и в хаосе, смуте, кишении —
становятся явными вещие строки
о крахе, конце и крушении.

*

Гегемон оказался растленен,
вороват и блудливо-разумен;
если ожил бы дедушка Ленин,
то немедленно снова бы умер.

*

Слава Богу — лишен я резвости,
слава Богу — живу в безвестности;
активисты вчерашней мерзости —
нынче лидеры нашей честности.

*

Не в хитрых домыслах у грека,
а в русской классике простой
вчера нашел я мудрость века:
«Не верь блядям», — сказал Толстой.

Русский холод нерешительно вошел
в потепления медлительную фазу;
хорошо, что нам не сразу хорошо,
для России очень плохо все, что сразу.

*

Легчает русский быт из года в год,
светлей и веселей наш дом питейный,
поскольку безыдейный идиот
гораздо безопасней, чем идейный.

*

В летальный миг вожди народа
внесли в культуру улучшение:
хотя не дали кислорода,
но прекратили удушение.

*

Сейчас не спи, укрывшись пледом,
сейчас эпоха песен просит,
за нами слава ходит следом
и дело следственное носит.

Нас теплым словом обласкали,
чтоб воздух жизни стал здоров,
и дух гражданства испускали
мы вместо пакостных ветров.

*

Мне смотреть интересно и весело,
как, нажав на железные своды,
забродило российское месиво
на дрожжах чужеродной свободы.

*

Край чудес, едва рассудком початый,
недоступен суете верхоглядства;
от идеи, непорочно зачатой,
здесь развилось несусветное блядство.

*

К нам хлынуло светлой волной
обилие планов и мыслей,
тюрьма остается тюрьмой,
но стало сидеть живописней.

Настежь окна, распахнута дверь,
и насыщен досуг пролетария,
наслаждаются прессой теперь
все четыре моих полушария.

*

Привыкши к рабскому покорству,
давно утратив счет потерям,
теперь мы учимся притворству,
что мы опять во что-то верим.

*

К исцелению ищет ключи
вся Россия, сопя от усердия,
и пошли палачи во врачи
и на курсы сестер милосердия.

*

Россия — это царь. Его явление
меняет краску суток полосатых.
От лысых к нам приходит послабление,
и снова тяжело при волосатых.

Частичная российская свобода
под небом в засветившихся алмазах
похожа на вдуванье кислорода
больному при обильных метастазах.

*

Вдруг ярчает у неба свет,
веют запахи благодати,
и, приняв просвет за рассвет,
петухи поют на закате.

*

Вновь поплыли надежд корабли
под журчанье чарующих звуков;
наших дедов они наебли,
будет жаль, если смогут и внуков.

*

Извечно человеческая глина
нуждается в деснице властелина,
и трудно разобраться, чья вина,
когда она домялась до гавна.

Тому, что жить в России сложно,
виной не только русский холод:
в одну корзину класть не можно
на яйца сверху серп и молот.

*

Лишенное сил и размаха,
остыло мое поколение,
душевная опухоль страха
дала метастазы в мышление.

*

Увы, сколь женственно проворство,
с каким по первому велению
у нас является покорство
и женский пыл к употреблению.

*

Опять полна гражданской страсти
толпа мыслителей лихих
и лижет ягодицы власти,
слегка покусывая их.

Не всуе мы трепали языками,
осмысливая пагубный свой путь —
мы каялись! И били кулаками
в чужую грудь.

*

Мы вертим виртуозные спирали,
умея только славить и карать:
сперва свою историю засрали,
теперь хотим огульно обосрать.

*

Все пружины эпохи трагической,
превратившей Россию в бардак,
разложить по линейке логической
в состоянии только мудак.

*

У России мыслительный бум
вдоль черты разрешенного круга,
и повсюду властители дум
льют помои на мысли друг друга.

Всем загадка и всем беспокойство,
тайна века, опасность во мраке —
наше самое главное свойство,
наслаждение духом клоаки.

*

Россия очнулась, прозрела,
вернулась в сознанье свободное
и смотрит спокойно и зрело
на счастье свое безысходное.

*

Живу в неослабном внимании
к росткам небанальной морали,
что весь наш успех — в понимании
того, что мы все проиграли.

*

Жаль тех, кто не дожил до этих дней,
кто сгинул никуда и навсегда,
но, может быть, оттуда им видней
кошмарные грядущие года.

Боюсь, что вновь обманна весть
и замкнут круг,
и снова будем сено есть
из властных рук.

*

Не стоит наотмашь и с ходу
Россию судить и ругать:
Бог дал человеку свободу
и право ее отвергать.

*

Вожди протерли все углы,
ища для нас ключи-отмычки,
чтоб мы трудились как волы,
а ели-пили как синички.

*

Разгул весны. Тупик идей.
И низвергатели порока
бичуют прах былых вождей
трухлявой мумией пророка.

Он был типичный русский бес:
сметлив, настырен и невзрачен,
он вышней волею небес
растлить Россию был назначен.

*

Наследием своей телесной ржави
Россию заразил святой Ильич;
с годами обнаружился в державе
духовного скелета паралич.

*

Российской справедливости печальники
блуждают в заколдованном лесу,
где всюду кучерявятся начальники
с лицом «не приближайся — обоссу».

*

Мир бурлил, огнями полыхая,
мир кипел на мыслях дрожжевых,
а в России — мумия сухая
числилась живее всех живых.

Томясь тоскою по вождю,
Россия жаждет не любого,
а культивирует культю
от культа личности рябого.

*

Империя вышла на новый виток
спирали, висящей над крахом,
и жадно смакует убогий глоток
свободы, разбавленной страхом.

*

Нельзя поднять людей с колен,
покуда плеть нужна холопу;
нам ветер свежих перемен
всегда вдували через жопу.

*

Когда отвага с риском связана,
прекрасна дерзости карьера,
но если смелость безнаказанна,
цена ей — хер пенсионера.

Крикунам и евреям в угоду,
чтобы Запад ловчей обаять,
вопиющую дали свободу
понапрасну о ней вопиять.

*

Нельзя потухшее кадило
раздуть молитвами опять,
и лишь законченный мудило
не в силах этого понять.

*

Сквозь любую эпоху лихую
у России дорога своя,
и чужие идеи ни к хую,
потому что своих до хуя.

*

В дыму теоретических сражений
густеют очертанья наших бед,
злокачественность гнусных достижений
и пагуба растлительных побед.

Свободное слово на воле пирует,
и сразу же смачно и сочно
общественной мысли зловонные струи
фонтаном забили из почвы.

*

В саду идей сейчас уныло,
сад болен скепсисом и сплином,
и лишь мечта славянофила
цветет и пахнет нафталином.

*

Полны воинственных затей,
хотя еще не отвердели,
растут копыта из лаптей
российской почвенной идеи.

*

Растет на чердаках и в погребах
российское духовное величие,
а выйдет — и развесит на столбах
друг друга за малейшее различие.

Миф яркий и свежеприлипчивый
когда утвердится везде,
то красный, сойдя на коричневый,
обяжет нас к желтой звезде.

*

Когда однажды целая страна
решает выбираться из гавна,
то сложно ли представить, милый друг,
какие веют запахи вокруг?

*

Зыбко, неприкаянно и тускло
чувствуют себя сегодня все;
дух без исторического чувства —
память о вчерашней колбасе.

*

Немедля обостряется до боли,
едва идет на спад накал мороза,
естественно присущее неволе
зловещее дыхание некроза.

Всегда во время передышки
нас обольщает сладкий бред,
что часовой уснул на вышке
и тока в проволоке нет.

*

У России в крови подошвы,
и проклятие той беды —
настоящее сделать прошлым
не дают ей ее следы.

*

Тянется, меняя имя автора,
вечная российская игра:
в прошлом — ослепительное завтра,
в будущем — постыдное вчера.

*

Куда-то мы несемся, вскачь гоня,
тревожа малодушных тугодумов
обилием бенгальского огня
и множеством пожарников угрюмых.

Я полон, временем гордясь, —
увы — предчувствиями грустными,
ибо едва освободясь,
рабы становятся Прокрустами.

*

Никакой государственный муж
не спасет нас указом верховным;
наше пьянство — от засухи душ,
и лекарство должно быть духовным.

*

Всеведущ, вездесущ и всемогущ,
окутан голубыми небесами,
Господь на нас глядит из райских кущ
и думает: разъебывайтесь сами.

*

Мне жалко усталых кремлевских владык,
зовущих бежать и копать;
гавно, подступившее им под кадык,
народ не спешит разгребать.

Нынче почти военное
время для человечества:
можно пропасть и сгинуть,
можно воспрять и жить;
время зовет нас вынуть
самое сокровенное
и на алтарь отечества
бережно положить.

*

Изнасилована временем
и помята, как перина,
власть немножечко беременна,
но по-прежнему невинна.

*

Вынесем все, чтоб мечту свою страстную
Русь воплотила согласно судьбе;
счастье, что жить в эту пору прекрасную
уж не придется ни мне, ни тебе.

С упрямым и юрким нахальством
струясь из-под каменных плит,
под первым же мягким начальством
Россия немедля бурлит.

*

Устои покоя непрочны
на русской болотистой топи,
где грезы о крови и почве
зудят в неприкаянной жопе.

*

Народный разум — это дева,
когда созрела для объятья;
одной рукой стыдит без гнева,
другой — расстегивает платье.

*

Ты вождей наших, Боже, прости,
их легко, хлопотливых, понять:
им охота Россию спасти,
но притом ничего не менять.

Какое нелепое счастье — родиться
в безумной, позорной, любимой стране,
где мы обретаем привычку гордиться,
что можно с достоинством выжить в гавне.

*

Пускай хоть липовый и квелый,
но пламень лучше темноты,
и наш король не ходит голый,
а в ярких шортах из туфты.

*

Доблестно и отважно
зла сокрушая рать,
рыцарю очень важно
шпоры не обосрать.

*

Когда приходит время басен
про волю, право и закон,
мы забываем, как опасен
околевающий дракон.

Все стало смутно и неясно
в тумане близящихся дней;
когда в России безопасно,
мне страшно делается в ней.

*

Пейзаж России хорошеет,
но нас не слышно в том саду;
привычка жить с петлей на шее
мешает жить с огнем в заду.

*

Бенгальским воспаляется огнем
и души растревоживает сладко
застенчивый общественный подъем
в империях периода упадка.

*

В галдящей толпе разношерстного сброда
я с краю безмолвно стою;
всего лишь на жизнь опоздала свобода —
как раз целиком на мою.

Я пью, но не верю сиропу:
в одну из удобных минут —
за душу, за горло, за жопу
опять нас однажды возьмут.

*

То ли правда Россия весну
заслужила на стыке веков,
то ли просто судьба на блесну
ловит мудрых седых мудаков.

*

В пучине наших бедствий
спят корни всей кручины:
мы лечимся от следствий,
а нас ебут причины.

*

Россия взором старческим и склочным
следит сейчас в застенчивом испуге,
как высохшее делается сочным,
а вялое становится упругим.

Я блеклыми глазами старожила
любуюсь на прелестную погоду;
Россия столько рабства пережила,
что вытерпит и краткую свободу.

*

Вранье — что, покинув тюрьму,
вкусить мы блаженство должны;
мы здесь не нужны никому,
а там никому не нужны.

*

Бросая свой дом, как пожарище, —
куда вы, евреи, куда?
Заходят в контору товарищи,
выходят — уже господа.

*

Уезжать мне отсюда грешно,
здесь мой дом и моя работа,
только глупо и не смешно
проживать внутри анекдота.

Я мечтал ли, убогий фантаст,
неспособный к лихим переменам,
что однажды отвагу придаст
мне Россия под жопу коленом?

*

Я вырос, научился говорить,
стал каплями российского фольклора
и, чтобы не пришли благодарить,
бегу, не дожидаясь прокурора.

*

Давай, дружок, неспешно поболтаем
о смысле наших странствий и потерь;
мы скоро безнадежно улетаем,
а там не поболтаем, как теперь.

*

Какая глупая пропажа!
И нет виновных никого.
Деталь российского пейзажа —
я вдруг исчезну из него.

Я не знаю судьбы благосклонней,
чем фортуна, что век мой пасла —
не она ли на жизненном склоне
мою душу изгнаньем спасла?

*

Мы едем! И сердце разбитое
колотится в грудь, обмирая.
Прости нас, Россия немытая,
и здравствуй, небритый Израиль!

август 1984 — март 1988 г.

Содержание

Литературно-художественное издание

ИГОРЬ ГУБЕРМАН

КАМЕРНЫЕ ГАРИКИ

Редактор **И. Харитонова**
Дизайнер **Ю. Филоненко**
Технический редактор **Н. Овчинникова**
Корректор **Н. Киричек**
Оператор компьютерной верстки **С. Григорьева**
Менеджер производства **В. Рямова**

Подписано в печать 11.02.03. Формат 80×100 1/32
Гарнитура NewtonC. Бумага офсетная. Усл. печ. л. 23, 71
Уч.-изд. л. 21,15. Тираж 15 000 экз. (1-й з-д: 1—3 000 экз.)
Заказ № 81

ООО «Издательство «У-Фактория»
620142, Екатеринбург, ул. Большакова, 77
E-mail:uf@ufactory.ru
Отдел продаж: 8 (3432) 22-85-89

Отпечатано с готовых диапозитивов
на ГИПП «Уральский рабочий»
620219, Екатеринбург, ул. Тургенева, 13

ВПЕРВЫЕ ВЕСЬ

ИГОРЬ ГУБЕРМАН

В пяти книгах

КАМЕРНЫЕ ГАРИКИ

ШТРИХИ К ПОРТРЕТУ

ПОЖИЛЫЕ ЗАПИСКИ

ИЕРУСАЛИМСКИЕ ГАРИКИ

ГАРИКИ ПРЕДПОСЛЕДНИЕ

Дизайнер
Юрий ФИЛОНЕНКО

Переплет
Формат 80 × 100 1/32
Бумага офсетная

ШТРИХИ К ПОРТРЕТУ

Штрихи к портрету

Гарики на каждый день (1)

Дизайнер
Юрий ФИЛОНЕНКО

ПОЖИЛЫЕ ЗАПИСКИ

Гарики на каждый день (2)

Пожилые записки

Дизайнер
Юрий ФИЛОНЕНКО

ИЕРУСАЛИМСКИЕ ГАРИКИ

Первый
иерусалимский дневник

Второй
иерусалимский дневник

Третий
иерусалимский дневник

Закатные гарики

Дизайнер
Юрий ФИЛОНЕНКО